D0064739

Frank Thieß · Caruso in Neapel

FRANK THIESS

Caruso in Neapel

Die Legende einer Stimme

1955

IM BERTELSMANN-LESERING

Vom Verfasser genehmigte Lizenzausgabe für den
Bertelsmann-Lesering. Ausstattung W. Wörmann.
Gesamtherstellung Fritzsche/Ludwig KG Berlin

AN DEN LESER

Dieser Roman, der den Weg des jungen Caruso schildert, ist keine Biographie, sondern der Versuch, den Mythos eines Mannes zu zeichnen, der durch seine Stimme Millionen beglückt hat. Er ist ein Dank an den Toten und die göttliche Kraft, welche durch seine Stimme den Hörer bezauberte. Ein Dank auch an das Land, dessen unerschöpfliche Erde diese magische Stimme gebar und dessen Menschen das Ohr hatten, sie zu hören. Und nicht zuletzt ist dieses Buch der Dank an eine Unbekannte, eine arme, leidende, doch durch ihre Liebe und ihren Glauben wunderbar starke Frau, die den Aufstieg ihres Sohnes nicht mehr erlebte: an die Mutter Carusos.

Dieser Roman will daher weder als faszinierendes Gebilde epischer Kunst noch als dramatisch geladener Bericht den Leser fesseln, sondern ihm von der Entwicklung einer Seele erzählen, die ihren Ausdruck in dem unerklärlichen Reiz dieses Gesanges fand. Das Geheimnis seiner Stimme ist weder mit Carusos erst spät erworbenem technischem Können noch mit der Pracht des Tones zu erklären; in beiden ist er gelegentlich von andern erreicht, ja übertroffen worden. Ihre Unvergleichlichkeit lag allein darin, daß dieser sehr einfache und im üblichen Verstande ungebildete Mann das besaß, was die meisten Sänger nur vortäuschen, eine abgrundtiefe Seele, und daß ihm keine anderen Mittel gegeben waren, sie zu offenbaren, als seine Stimme. So wie die Schönheit der griechischen Plastik nichts anderes als der vollendete Ausdruck der die Harmonie ersehnenden Seele des griechischen Menschen ist, so trat Carusos Stimme als vollendeter Ausdruck einer alles beherrschenden Gefühlswelt im „Bilde" der reinen Schönheit auf den Plan; ihre Macht aber ist von jeher unerklärlich gewesen.

Orpheus, der mit seinem Gesange sogar die Götter der Unterwelt zu Tränen rührte, daß sie die tote Eurydike wieder der Erde zurückgaben, Orpheus ist das mythische Symbol einer durch die reine Schönheit des Gesanges bewirkten Magie. Die Welt der Töne ist in ihren Gründen ebenso geheimnisvoll wie die Welt des Lichts. Seit Jahrtausenden unterliegt alle Kreatur ihrem Zauber, und noch in Jahrtausenden wird sie ihm unterliegen.

Ich sage mit alledem nichts Neues, aber ich möchte es denen sagen, die nach der Lektüre dieses Buches mir vielleicht nachweisen wollten, daß es weder eine Lebensbeschreibung noch ein kunstvoller Roman sei und daß ich obendrein in Einzelheiten geirrt habe. Etwa, daß Caruso schon im Sommer des Jahres 1891 in den Risorgimento-Bädern Eduardo Missiano getroffen, daß er schon vor seiner Soldatenzeit bei Vergine Stunden genommen, daß er in Trapani bei Pignataro gewohnt oder vor der sizilianischen Tournee in Caserta debütiert habe. Diese und andere Tatsachen sind von mir absichtlich verändert worden. Eine Biographie hat mit äußerster Behutsamkeit die Wirklichkeit eines Lebens darzustellen, ein Mythos dagegen seine Wahrheit. Die Wahrheit steht zur Wirklichkeit wie der Sinn einer Handlung zu ihren Ursachen, wie ein Porträt zu seinem Modell. Sie hält sich an das Leben eines Menschen nur genau so weit, als dieses sinnbildlich bedeutsam ist. Eine Biographie Carusos zu schreiben, hätte mich nie gereizt, wohl aber die Frage, wie ein einfacher Mensch sich mit der Last einer magischen Begnadung abfindet, wie er durch sie wächst und sich wandelt, bis sie ihm zum Dämon und zum Schicksal wird; die Beantwortung dieser Frage schien mir einer dichterischen, das heißt einer sinngebenden und gestaltenden Beantwortung wert zu sein.

ERSTER TEIL

I

Dr. Niola lehnte sich in das Kirchengestühl zurück und blinzelte unter den überhängenden Brauen gegen die flimmernden Lichtpunkte des Hauptaltars. Die Andacht war beendet, und durch die weihrauchduftende Dämmerung des Raums, der sich über den Säulen zu einem prunkenden Deckengemälde zusammenschloß, floß wie silbernes Geäder die Vox humana der Orgel. Der Organist phrasierte über ein Thema von Frescobaldi in der Art einer Toccata mit kleinem fugierten Zwischensatz. Er ließ mit zarter und behutsamer Akkuratesse die einzelnen Register erblühen, um nicht durch ein allzu kräftiges Akkord- und Passagenwerk das Geflecht des kompositorischen Aufbaus zu trüben. Der heitere Charakter der feinen melodischen Linie, die sein Spiel eingeleitet hatte, blieb bis zum Schlusse erhalten, um in einer kurzen, mächtig aufrauschenden Coda den Hörern die edle Tonfülle der Orgel recht deutlich zu machen.

Dr. Niola drehte sich zum Chor um, wo bereits die Knaben aus der Schule des Paters Bronzetti standen, gewärtig des Einsatzes, den der Pater mit erhobenen Armen und gespitzten Lippen gab. In samtenem Piano setzten die Sopranstimmen ein. Dr. Niola kannte das Chorwerk nicht, aber die sichere und majestätische Führung ließ ihn einen Meister des 17. oder 18. Jahrhunderts vermuten. Er wandte sich seiner Begleiterin zu, die in strenger Andacht neben ihm saß und mit geschlossenen Augen zu lauschen schien.

Auf seine leise Frage gab sie, ohne die Lider zu heben oder von der geraden Haltung, mit der sie sich dem Gestühl anpaßte, abzuweichen, ebenso leise zurück: „Eine Motette von Giuseppe Pitoni."

Dr. Niola nickte lächelnd. Er freute sich der nie versagenden Kenntnis seiner Schwester und schien ihr noch etwas zuflüstern zu wollen, als vom Chor her der Kontraalt einer Knabenstimme einsetzte.

„Das ist er", sagte Niola. Die Dame neben ihm nickte nur unmerklich.

Die Stimme, mit der sich sehr bald die übrigen zu einem farbigen Teppich musikalischer Figuren verbanden, zeigte den sanften und etwas rauhen Schmelz, welcher die Knabenchöre so eigentümlich von dem polierten Glanz reifer Stimmen unterscheidet. Sie schien nicht groß zu sein, in keinem Falle laut und schallend, doch war ihr eine Tragfähigkeit, eine Ruhe der Schwingenhaltung eigen, die an das bewegungslose Schweben eines Falken erinnerte. Was sie aber für ein geschultes Ohr — und Dr. Niola besaß wie die meisten Italiener ein höchst empfindliches Gehör — von den andern Stimmen unterschied, war ihre „Weite nach innen", so glaubte er es im Augenblick bezeichnen zu dürfen. Ohne Zweifel, wenn ihr etwas an muskularer Kraft mangelte, so schien es mehr als ersetzt durch eine sonderliche, fast engelhafte Innerlichkeit, die sich noch im Jubilate zuchtvoll dem rhythmischen Gebot unterstellte.

Er drehte sich abermals zum Chor um, doch über der hohen Balustrade waren im ungewissen Licht der Empore die jungen Sänger nur undeutlich zu erkennen. Zudem verhinderte ihn seine Kurzsichtigkeit, die Gesichter der einzelnen Knaben wahrzunehmen. Wie er sich wieder seiner Schwester zuwandte, fiel ihm auf, daß Signora Amelia Tivaldi jetzt die Lider geöffnet hatte und mit einem strengen und aufgerissen-starren Blick geradeaus gegen den Hoch-

altar schaute. Er wußte, daß nicht die von Kerzen um-
flammte Kreuzigung ihr Auge fesselte, sondern ihr Ohr
sich in gespannter Schärfe einer jungen Stimme geöffnet
hatte, die nunmehr, verwoben mit dem Chor der andern,
falkenhaft schwebend den kühlen Raum beherrschte.

Die Motette war beendet. Der Organist ließ noch einmal
die Register unter seinen kundigen Händen zu macht-
vollem Finale ausströmen, dann erhoben sich die Besucher
und verließen die Kirche.

„Willst du ihn sprechen?" fragte draußen Dr. Niola seine
Schwester und vertauschte seine Gläser mit einer dunklen
Brille, welche die empfindlichen Augen gegen das helle
Licht des wolkenlosen Aprilnachmittages schützen sollte.

Amelia Tivaldi zog den Witwenschleier, welchen sie
trotz des über zehn Monate zurückliegenden Todes ihres
Gatten immer noch trug, über das strenge, edelgeformte
Gesicht und gab durch ein langsames Neigen des Hauptes
kund, daß sie die Frage bejahe.

„Wenn wir ein wenig warten, kannst du es gleich hier
tun", schlug der Arzt vor; „ich habe ohnehin noch einige
Worte mit Pater Bronzetti zu reden. Was sagst du zu seinem
Chor? Verstehst du nun, daß sie sich ihn alle ausleihen? Im
Dom haben sie keinen bessern."

„Du übertreibst immer gleich", ließ sich Frau Tivaldi
vernehmen und strich mit gemessenen und schönen Bewegungen die schwarzen Glacéhandschuhe über den
schlanken Händen fest. „Der Domchor ist immer noch
der beste in Neapel. Aber Pater Bronzetti verdient seinen
Ruf." Sie neigte gegen einen Bekannten grüßend den Kopf,
so daß die mächtige Pleureuse am Hut gleichsam mitsalu-
tierte. Ein Herr von bedeutendem Umfange hatte achtungs-
voll seinen Zylinder vor ihr gelüftet. Er stieg mit einer
etwas elefantenhaften Kurzschrittigkeit, schwerfällig auf
ein Malakkarohr gestützt, die Stufen, welche zur Kirche

führten, hinab und winkte einer Droschke, die ihn in die Richtung zur Via Toledo, die heute Via Roma heißt, entführte.

Amelia Tivaldi hatte ihm nachgeschaut. Mißbilligend bemerkte sie: „Der gute Fasanaro wird immer dicker. Er trinkt zuviel. Hat er Schüler im Chor?"

„Er hat überall Schüler, das ist schließlich sein Geschäft. Übrigens war er es, der Carusiello entdeckte. Der Bursche fiel ihm unter den Zöglingen des Paters auf, und er nahm ihn in seine Schule."

„Er ist nicht mehr sein Schüler?" fragte Frau Tivaldi streng.

„Nein. Schon lange nicht mehr."

„Warum nicht?" inquirierte die Dame weiter und legte sich den Kragen aus doppelreihigen schwarzen Straußenfedern lockerer über die Schultern, da er sie in der warmen Nachmittagssonne zu erhitzen schien.

„Ich weiß es nicht", gab Dr. Niola lächelnd zurück. „Vielleicht aus finanziellen Gründen."

„Ich soll ihn also umsonst unterrichten?"

Dr. Niola betrachtete das Steinpflaster, beklopfte es leicht mit seinem Stock und sagte: „Du sollst nicht, was du nicht willst, liebe Amelia." Danach hob er den Kopf und richtete zum erstenmal voll den Blick auf seine Schwester: „Niemand wird es dir übelnehmen, wenn du nein sagst. Aber seine Stimme hat dir gefallen, sogar ausnehmend. Ich merkte es wohl. Warum solltest du es also nicht tun, da es einer Amelia Tivaldi ja auf ein paar Lire nicht ankommen kann. Hab' ich recht?"

Frau Tivaldi gab ungern andern ohne weiteres recht und suchte nach der Form einer milden und pädagogischen Zurückweisung, doch die Ankunft des Paters Bronzetti enthob sie ihrer Antwort.

Neben dem hohen kahlen Manne in der schlotternden

Soutane schritt ein Knabe. Er trug einen dunklen Anzug, der ihm an Ärmeln und Schultern zu kurz und zu eng geworden war; Frau Tivaldi bemerkte es sofort, da sie ihn in ein optisches Kreuzfeuer nahm: ein schlanker Bursche, kaum älter als vierzehnjährig, nicht eigentlich hübsch zu nennen, doch auffällig durch die tiefe Schwärze seiner Augen, die dunkle Pigmentierung der Gesichtshaut und den großen lebensvollen, an der einen Seite leicht spöttisch angehobenen Mund.

„Also das ist unser Carusiello", stellte Pater Bronzetti, nachdem er die Geschwister begrüßt, mit sonorem Basse vor. „Küsse der gnädigen Frau die Hand, Rico, sie heißt Signora Tivaldi und ist eine große Sprachlehrerin, die dir sagen wird, daß du noch viel zu lernen hast, wenn du weiterkommen willst."

Der Knabe sah nach vollzogener Reverenz die Dame an. Er bemerkte hinter dem Schleier ein marmorkühles Antlitz, eine schmale, strenge Mundspalte und ein scharfes Auge, das ihn prüfend musterte. Er war es seit Jahren gewohnt, Erwachsenen vorgestellt zu werden. Bald umarmten sie ihn mit törichter Begeisterung, bald überschütteten sie ihn mit Fragen, manchmal schenkten sie ihm auch Geld. Dies war ihm das liebste. Die marmorne Signora tat nichts von alledem, sondern fixierte ihn auf eine seiner Meinung nach zudringliche Art, schwieg eine gute Weile und sagte dann: „Ich werde dir Unterricht erteilen. Sei morgen abend acht Uhr pünktlich in der Piazza dei Martiri 4. Frage nach Signora Amelia Tivaldi. Man wird dich zu mir weisen."

„Jawohl, Signora", antwortete der Junge höflich und vollführte eine knabenhaft ungelenke Verbeugung.

Das kannte er nun schon, daß die Erwachsenen über ihn gleichsam verfügten, indem sie ihn in die Kirchen zum Singen, in die Werkstätten zum Geldverdienen, in Schulen und zu Erziehern zum Lernen schickten. Er sang zwar gern, aber weniger, weil es ihn dazu trieb, als um andern Freude zu machen, besonders seiner Mutter, die oft mitten in der Arbeit auf Augenblicke innehielt, um ihm zu lauschen. Beim guten Pater Bronzetti lernte er Kirchenmusik, beim dicken Maestro Fasanaro hatte er Schul- und Volkslieder geschmettert und mit den andern Zöglingen Theater gespielt, was ihm viel Spaß gemacht hatte. Dann wieder war ein Pianist mit langen Flatterhaaren erschienen, Schirardi geheißen. Der hatte ihn ans Klavier gesetzt, und der würdige Maestro Raffaele di Lutio war aus einer Wolke aufgetaucht, um ihn Tonbildung zu lehren; ein ferner und wahrscheinlich berühmter Mann, der eines Tages verschwand, wie Götter verschwinden. Doch ebenso plötzlich war er wieder da, und zusammen mit ihm und Schirardi lernte er nun etwas Neues und Schweres: Opern-Arien. Das ging so eine Weile, und eigentlich machte es ihm Vergnügen, wie jede Kunst Vergnügen machte, am meisten die Kunst des Zeichnens, welche ihm der liebe Herr Giuseppe Spasiano beibrachte. Dies war der Beste von allen, ein lustiger Maestro, der nicht mit strengen Stirnfalten sagte: „Wenn du viel, viel arbeitest, kannst du einmal etwas werden", sondern ihm die Augen öffnete für die heitere Schönheit der Welt, für Blumen und Vögel, Töpfe und Ornamente, dicke Marktweiber und würdige Priester, Bäume und Schiffe und Wolken und spielende Katzen. Alles lehrte er ihn richtig sehen und sogleich das Wesentliche einer Form begreifen und mit Stift und Feder auf blütenweißes Papier bannen. Zeichnen war eine freundliche, edle und freie Kunst. Sie bedurfte wohl auch einer sorgfältigen Hand und eines geschulten Auges, doch hatte man, wenn ein Bildchen gelungen, gleich etwas Sichtbares in der Hand, konnte es an die Wand heften, verschenken oder gegen Knetgummi eintauschen, auch mit früheren Arbeiten vergleichen, um festzustellen, ob man inzwischen weitergekommen war. Beim vergnügten Meister Spasiano, der Berge von Zigaretten rauchte und auch ihn selber einmal insgeheim rauchen ließ und furchtbar lachte, als er zu husten begann, bei Spasiano wäre er am liebsten immer geblieben. „Willst du ein guter Zeichner werden, dann bleib nur bei mir", hatte der Lehrer gesagt und mit den Augen gezwinkert, als ob sich mit diesem Entschluß ein geheimes Abkommen zwischen ihnen verbände.

Ach, er durfte nicht bleiben, man schickte ihn eines Tages zu einem Mechaniker, Salvatore de Luca, einem Manne, in dessen Werkstatt es nach Knoblauch, Schmieröl und menschlichen Ausdünstungen roch und er Rädchen ausputzen, Löcher bohren und Schlüssel feilen mußte. Er verabscheute aber Unreinlichkeit und das ölfleckige und sein Auge verletzende Gewimmel von Schrauben, Drähten, Federn, Bohrern, Zangen und Blechen. Zweifelsohne war es ein zweckdienliches Gewimmel, in dem sich das geübte Auge der schwarzfingerigen Gesellen leicht zurechtfand. Ihm aber, dessen gesunde Lunge bereits die von naturwidrigen Dünsten durchsetzte Luft einer solchen Werkstatt ablehnte, mißfiel der rasselnde Betrieb, mißfielen die zahlreichen reparaturbedürftigen Gegenstände höchlichst; er schien in ein technisches Spital versetzt und verlor in dieser Umwelt sogar die Lust zum Singen.

Weil ihm aber Fleiß angeboren und es in seinen Kreisen üblich war, daß man eine Arbeit, an der man verdiente, nicht mit den Forderungen der Schönheit maß, blieb dem Knaben kein anderer Ausweg, als durch bessere Entlohnung den Mangel an Vergnügen aufzuwiegen. Ein Lehrling mit so geringen mechanischen Kenntnissen wie er verdiente üblicherweise nur ein paar Soldi täglich. Sie dünkten ihn, nachdem einige Monate vergangen, entschieden zu gering in Anbetracht der ästhetischen Unzulänglichkeit seiner Umwelt. Also beschloß er, kurzerhand ein höheres Salär zu heischen. Er tat es auf eine Art, die man bühnengerecht nennen könnte, falls sie vor der Rampe und vor Augen eines kunstfreudigen Publikums stattgefunden hätte. Seine Scheu vor dem Meister wußte er nur dadurch zu unterdrücken, daß er die Szene spielte, sich selber vorspielte, und vielleicht hätte er sie sogar auf eine ariose Art durchgeführt, wenn zu ihrer Begleitung eine andere Musik als der quietschende, zischende, sägende, rasselnde Lärm der mechanischen Werkstatt erklungen wäre.

Er trat vor den Meister, machte eine tiefe Verbeugung, spreizte, wie er das gelegentlich bei Jahrmarktsartisten gesehen, den rechten Fuß leicht ab und trug sein Anliegen auf eine nahezu bravouröse Manier vor.

Der alte Herr de Luca zeigte überraschend wenig Sinn für das Künstlerische einer erhöhten Lohnforderung. Er verlangte, als habe er nicht recht gehört, noch einmal mit gedämpftem Organ, der Knirps möge sich unumwunden äußern, doch in dem Klang seiner Stimme lag bereits ein gewisser Unterton, der nichts Gutes verhieß. Dies Stichwort war nicht vorgesehen, der junge Künstler fiel ein wenig aus der Rolle, indem er nun mit natürlicher Kinderstimme wiederholte, er sei zu schlecht bezahlt und erbitte vom nächsten Ersten ein doppeltes Gehalt.

Herr de Luca stieß ein unangenehmes Lachen durch die Nase, betrachtete den Elfjährigen wie ein unbekanntes Insekt, das man noch eine Weile herumlaufen läßt, ehe man es totschlägt, dann hob er den Arm mit ausgestrecktem Zeigefinger in Richtung auf eine Drehbank und verwies den Vorwitzigen an seinen Platz. Das kränkte Rico; es war unnobel gehandelt, ganz wie Erwachsene zu tun pflegen, wenn sie sich Jüngeren gegenüber auf die günstige Position ihrer Alterswürde zurückziehen. Er vertauschte nunmehr seine Rolle mit der eines Soldaten, welcher in straffer Haltung seinem Vorgesetzten Rapport erstattet, und bat in dieser schneidigen Form um seine Entlassung.

Noch nach Jahren erinnerte sich Rico an einen schrecklichen vulkanischen Ausbruch, ein unziemliches Durcheinander von Gebärden, stampfenden Füßen und einen wahren Katarakt von speichelspritzenden Sätzen, welche ohne jede Interpunktion über ihn hinwegbrausten wie ein Güterzug. Als aber der Zug vorübergebraust war, lebte er noch; augenscheinlich nur deshalb, weil er sich platt darunter an die Erde gepreßt und totgestellt hatte wie ein Käfer. Er lebte, aber daheim flog er, von der starken Faust des Vaters gepackt, in eine Ecke, auch hier nicht, ohne der donnernden Belehrung teilhaftig zu werden, daß er pietätlos über das Gebot seines Erzeugers hinweggvoltigiert sei. Aus der Ecke stand er wieder auf, und draußen auf der Via Sant' Anna alle Paludi weinte er ein bißchen, dann schüttelte er sich wie ein Hund, und so war auch das vorüber.

Die Werkstatt Salvatore de Lucas aber mußte er mit der eines Brunnenfabrikanten vertauschen, was soviel hieß, als daß es ihm und seinesgleichen bestimmt war zu arbeiten, um sein Brot zu verdienen. Er gehörte also in die Klasse der Armen, eine, wie er bald erkannte, in Neapel ungemein verbreitete, zahlenmäßig sehr starke Klasse. Das begriff er nun. Und weil sein Vater als Werkmeister in der Fabrik eines Herrn Meuricoffre schwer arbeiten mußte, und weil seine Mutter den ganzen Tag arbeitete, und weil seine Eltern und Großeltern auch arme Leute gewesen und demzufolge nicht minder von früh bis spät gearbeitet hatten, fiel es dem kleinen Rico eigentlich nicht schwer, ebenfalls zu arbeiten. Zuerst tagsüber in der kleinen Fabrik des Brunnenmachers Palmieri und dann bei seinen Maestri, die ihn um seines Fleißes willen lobten und gelegentlich ein paar Soldi bei religiösen Feiern und künstlerischen Veranstaltungen verdienen ließen.

So wuchs er heran und schoß ins Kraut, dunkelhäutig und mager, mit großen brennenden Augen, bald pantherhaft auf fahrende Wagen springend, bald versonnen ins dunkle Innere schauend, darin eine seltsame Flamme wie auf einem heidnischen Altar glomm. Doch was sie entzünden wollte, das wußte er nicht. Und eines Tages sagte ihm der ehrwürdige Pater Bronzetti: „Wenn du morgen die Solostimme in der Motette von Pitoni singst, so gib dein Bestes. Unten in der Kirche wird eine Dame sitzen und dich hören, und wenn deine Stimme ihr gefällt, so kannst du mit ihrer Hilfe dein Glück machen." Er versprach ihm, schön zu singen, doch als es soweit war, hatte er das Versprechen und die fremde Dame vergessen und sang, wie er es stets getan, mit aller Hingabe an das Geheimnis der Melodie, deren blühender Fluß ihn auf dem Rücken eines Delphins ins blaue Meer der Töne entführte.

Nun war es vorüber. Er hatte gesungen, Pater Bronzetti ihn gelobt, an die Hand genommen und zu der fremden Dame geführt. Da stand sie. Und sie gefiel ihm gar nicht.

Sie stand mit dem freundlichen Dr. Niola zusammen, der sich mit Pater Bronzetti unterhielt. Von Ricos Platz aus — er war nach der Begrüßung bescheiden zurückgetreten — sah der Pater in der schwarzen Soutane wie ein aufgeplusterter Riesenrabe aus. Dr. Niola mit seiner dunklen Brille erinnerte ihn an eine Eule, während die Dame einer Elster glich. Gern hätte er die Gruppe so, wie sie da war, gezeichnet, auf spaßhafte Art, ein wenig boshaft und übertrieben, dennoch so ähnlich wie möglich. Ich werde sehen, ob es aus der Erinnerung geht, dachte Rico, wiewohl der Herr Spasiano mir verboten hat, nach dem Gedächtnis zu zeichnen, aber ich habe ja keine Stunden mehr bei ihm, sondern muß morgen zu der Elster. Weiß der Himmel, was sie mir wird beibringen wollen, sicher nichts Gescheites. Ob ich noch lange hier stehen muß?

In dem Augenblick hielt ihm jemand vom Rücken her die Augen zu und rief mit verstellter Quäkstimme: „Wer bin ich?"

Er fuhr herum: natürlich Giovanni Palma! Bis vor kurzem ebenfalls Sänger im Chor des Paters Bronzetti, doch, seit er Stimmwechsel hatte, frei von den sonntäglichen Konzerten. Er mochte den aufgeschossenen, schlanken, beweglichen Burschen gut leiden. Eigentlich war er sein bester Freund, obwohl Giovanni sich neulich überflüssigerweise in eine Person weiblichen Geschlechts verliebt hatte, die auf der Piazza Mercato mit ihrer Mutter Blumen verkaufte und nach Ricos Meinung schielte. Darüber war es zwischen ihnen zu einem Streit gekommen; Giovanni hatte den rechten Arm pathetisch gegen den Himmel gestreckt und ihn angeschrien: „Caruso, höre mich an! Wenn du noch einmal sagst, daß Anna schielt, schlage ich dir die Vorderzähne aus, Gott ist mein Zeuge!" Beim Worte „Vorderzähne" war Giovannis Stimme in den Baß umgeknickt, bei „Gott" aber wieder zum Sopran zurückgekehrt, und so hatte dieser Schwur infolge seiner akustischen Mängel etwas an Effekt verloren.

Rico, friedfertigen Sinnes, hielt es für wenig ersprießlich, über ein dürres Mädchen eine ehrliche Männerfreundschaft aufs Spiel zu setzen, und antwortete: „Va bene, sie schaut grade, aber du siehst schief." Doch daheim setzte er sich vor ein Stück Papier und zeichnete eine schielende Anna, die einem dumm glotzenden Giovanni eine Rose reichte. Das Bild tauschte er mit Giovannis jüngerem Bruder Alessandro gegen eine deutsche Fünfundzwanzig-Pfennig-Marke, was klug war, denn auf die Art rächte er sich an Giovannis Schwur, während der wirbelige Alessandro mit Krallen und Zähnen seinen Besitz gegen den Zugriff des Bruders zu verteidigen wußte. Dieser Handel hatte übrigens weiter keine Folgen, will man davon absehen, daß Giovanni wieder die peinliche Karikatur mit dem kleineren Bruder, der ihrer bald müde geworden war, gegen einen Onyxknopf tauschte, von dem er behauptete, daß er einen Zauber enthalte. Alessandro trug den Knopf lange bei sich, versuchte auch mit ihm zu zaubern, fühlte sich indessen betrogen und verlor ihn schließlich durch das Loch seiner Hosentasche. Es geschieht nur der Ordnung halber, wenn ich berichte, daß Giovanni in wunderlicher Verdrehung seiner Gefühle auch die Zeichnung des boshaften Freundes nicht zerriß (wie er wohl anfänglich vorgehabt haben mochte), sondern sie in seine kleine Bibel legte, wohin sie nun ganz gewiß nicht gehörte. Er schien Rico verziehen zu haben, doch als sie miteinander folgenden Tags würfelten, verlor Rico gegen ihn sechzig Centesimi, mit denen Giovanni zur schielenden Anna lief und ihr einen Strauß Parmaveilchen abkaufte. So war denn alles im Lot und wenigstens im winzigen Bezirke kindlichen Gehabens die rundlaufende Ordnung der Welt wiederhergestellt. Übrigens gestand Giovanni seinem Freunde in einer sentimentalen Stunde, daß der Würfel, welchen er ihm gegeben, falsch gewesen. Da hast du ihn. Ich will ihn nicht mehr sehen. Er schenkte ihn Rico, der ihn nachdenklich betrachtete, ausprobierte und dann in den Brunnen warf, vor dessen Rande sie standen.

Die Blumen-Anna schied seitdem als Gesprächsstoff aus ihren Unterhaltungen aus, was für den natürlichen Takt der Knaben sprach und ihrer Freundschaft bekömmlich war. Diese wurde noch gefestigt durch ein gemeinsames Erlebnis künstlerischer Art, von dem ich berichten möchte.

Alessandro Fasanaro, von dem Frau Tivaldi, als er die Kirchentreppe hinunterschritt, unrespektierlich bemerkte, daß er immer dicker werde, dieser Maestro Fasanaro hatte zusammen mit einem gewissen Campanelli eine komische

Oper gedichtet und vertont: „Die Räuber im Garten Don Raffaels". Weil das Teatro San Carlo sein Werk nicht komisch genug fand, wurde es in einer Kirche aufgeführt, ich glaube, in San Paolo Maggiore, aber es kann auch in einer andern Kirche gewesen sein. Man wird verstehen, daß diese Tatsache viel Kopfschütteln und Unwillen bei der Geistlichkeit hervorrief. Die Komponisten verdankten ihr Zustandekommen der signoralen Weitherzigkeit und klassischen Bildung des Bischofs von Neapel, der daran erinnerte, daß es keinen Shakespeare gäbe, wenn er nicht vordem Laienspiele in Kirchen gegeben hätte, daß die Kirche seit Jahrhunderten die Kunst der Musik, auch der heiteren, fördere und pflege, und daß es ausschließlich nicht Opernsänger seien, die das Werkchen zur Aufführung brächten, sondern die Chorknaben und Zöglinge des Maestro Fasanaro, deren Stimmen sonst zur Ehre Gottes erschallten. Übrigens würden die Räuber am Ende ihrer verdienten Strafe zugeführt, und die Gerechtigkeit und Wohlanständigkeit triumphiere in einem hübschen Finale. Darüber hinaus mochten noch andere Interessen mitspielen; von ungenannter Seite sollte den Armen der Gemeinde eine beträchtliche Summe zugeflossen sein. Wie auch immer, es kam zur Aufführung.

Rico kreierte in der Oper einen dicken Pförtner, einen Trunkenbold, der zwischen Angst und Torheit schwankte und viel Gelächter erregte. Giovanni Palma zeigte sich als furchtgebietender Brigant von seiner besten Seite, und Peppino Villani, einer der begabtesten Schüler Fasanaros, mimte mit überraschender Wirkung eine liebliche Maid namens Lulu. Der stille und ernsthafte Peppino kam damals den Freunden nahe. Seine scheue Würde und herbe Anmut hatten sie vordem nie bemerkt, erst in der Mädchenrolle schälte sie sich sozusagen aus dem Ei und entzückte alle. Sogar Giovanni verglich ihn im geheimen mit der Blumen-

Anna und fand, daß er lieblicher aussähe und eines herzhaften Bühnenkusses wohl wert sei. Der kleine Peppino mit seinem vogelhaften Stimmchen wurde später ein berühmter Komiker, den niemand von seinen Kollegen mehr zu küssen begehrte, über den aber dafür ganz Italien lachte. Von Giovannis weiterer Entwicklung werden wir noch zu reden haben, sie führte ihn weitab von der Kunst wie vom Brigantentum, dem er in der Kirche San Paolo Maggiore hingebungsvoll obgelegen hatte. Was aber Caruso angeht, so weissagte ihm Maestro Fasanaro nach siegreich bestandener Premiere, daß er unzweifelhaft in einigen Jahren komische Rollen mit Glanz und Bravour auf der Bühne verkörpern werde. Selten ist in einer Kirche so viel gelacht worden wie an jenem Abend, da der Lehrling des Brunnenmachers Giuseppe Palmieri mit kollernder Aufgeblasenheit, dummtäppisch, dabei nicht ohne zwinkernde Schläue, seine fromme Altstimme in den Dienst des biederen Spiels stellte.

Man vergesse nicht, daß wir uns in Italien befinden, dem klassischen Lande theatralischer Kunst. Selbst der Gelehrte, der Priester, ja der trauernde Hinterbliebene wird sich an einer gut gespielten Szene, wo immer sie stattfinden möge, ergötzen und mit kritischem Auge den bloßen Dilettanten, der sich in leerer Routine spreizt, vom befugten Künstler zu unterscheiden wissen. Es gilt dies keinesfalls für die Gebildeten allein, es gilt für das ganze Volk, das wie kaum ein anderes in der Welt unter dem Schutze der Musen steht. Selbst der einfache Mann, wo er in ehrlichem Zorne sein Recht wahrt, tut dies gern in einer Art geheimer Freude an schöner Wirkung, beobachtet den Gegner scharfen Auges und tadelt an ihm eher den mißlungenen Ausdruck als das Gewicht des Vorwurfs. Wo er aber Gelegenheit zur Freude findet, da greift er sie mit jener kindlichen Lust am Leben auf, die für den Fremden, der dieses Land besucht, etwas so bedingungslos Liebenswertes und Gewinnendes hat, und von der er sich nur mit Wehmut seiner strengeren Daseinsebene zuwendet.

So war auch an diesem Abend, als die Räuber in Don Raffaels Garten eindrangen, die heilige Stätte erfüllt von Freude und Gelächter. Die jungen Artisten konnten sich einer Teilnahme an ihren Darbietungen rühmen, die sie zu neuen Taten der Kunst ermunterte, und wenn Giovanni Palma bald aus dem Kreise der jungen Sänger ausschied, so nur wegen seines bereits erwähnten radikalen Stimmwechsels, der ihn lange Zeit hindurch in zwei einander feindlichen Lagen tremolieren ließ. Sein jüngerer Bruder Alessandro aber, auch er durchaus musikalischen Sinnes, war zu wild und zerstreut, um sich der Disziplin eines Chors unterstellen zu können. Bei der kleinen Opera buffa hatte man ihn frühzeitig aus dem Kreise der Darsteller ausscheiden müssen, obwohl er leidenschaftlich gern mitspielen wollte. Indessen konnte er nicht einmal einen Satz auswendig lernen, war überhaupt dermaßen aufgeregt, daß er bei dem bloßen Gedanken an ein Auftreten hemmungslos zu weinen anfing. Auch Peppino war sehr aufgeregt, nur von jener stillen Art, die alle Erregung nach innen preßt, die Nächte aufwogen läßt in fiebernden Traumwellen, doch im Augenblick des Auftritts das Erstaunliche zuwege bringt: verblüffende Verwandlung in das Wesen der gespielten Gestalt.

Am wenigsten Sorgen hatten sich Fasanaro und Campanelli um den kleinen Caruso gemacht. Seine Rolle konnte er nach wenigen Tagen auswendig, die Gesangspartie hatte er vortrefflich studiert, auf den Proben zeigte er eine routinierte Eloquenz, begriff alles, nahm jeden Hinweis mit Verständnis auf und war sozusagen die Stütze des Ensembles. Als aber die Stunde der Aufführung herannahte, erschraken die Lehrer über die Blässe seiner Gesichtsfarbe. Er zitterte an Händen und Füßen und zeigte zur heftigen Besorgnis der Spielleiter einen so rabiaten Drang natürlicher Art, daß er dauernd aus der Garderobe davonlaufen mußte, um einen ferngelegenen Ort, für den man bekanntlich in Kirchen nicht gern Vorsorge trifft, aufzusuchen. Auch kurz vor dem Auftritt war er in Richtung auf diese Lokalität verschwunden, was Fasanaro veranlaßte, ein simples Gerät in Bühnennähe aufzustellen, und ihn begreiflicherweise fürchten ließ, der junge Artista werde zu diesem Zwecke gelegentlich seine Darbietung unterbrechen.

Wunderlicherweise — die Natur des Menschen ist unberechenbar — trat das Gefürchtete nicht ein. Nach Ricos ersten Sätzen parierte die physische Unterwelt gehorsam dem künstlerischen Gebot; robust und munter führte er seine Rolle durch, wie gesagt, aller Welt zum Vergnügen, zum Vergnügen und zum Stolze auch seiner Eltern, die in der Kirche saßen und am Ende des Spiels begeistert in den allgemeinen Jubel einstimmten.

Dieser Aufführung darf man es vielleicht zuschreiben, daß fortan der Werkmeister Marcellino Caruso etwas durch die Finger sah, wenn sein Ältester der Sangeskunst mehr Leidenschaft zuwandte als der Kunst des Brunnenmachens. Wohl verlangte er, daß sein Sohn auch bei diesem Geschäft Sorgfalt und Fleiß zeigte, zumal durch seine Entlohnung die kargen Subsistenzmittel der Familie eine kleine Verbesserung erfuhren. Aber als Italiener gehörte sein Herz der edleren Kunst des Gesanges, und so mochte er auf die Dauer das Lob der Lehrer, die an dem Buben ihre Freude hatten, nicht überhören. Er selber war freilich ein nüchterner Mann, arbeitsam und verläßlich, doch ohne die geringsten künstlerischen Gaben. Eine Leistung dünkte ihn erst dann beachtenswert, wenn sie klingenden Lohn einbrachte; nun, davon sah er bei seinem Sohne einstweilen nicht viel. Was seine Lehrer dem Knaben gelegentlich zusteckten, sollte er behalten, er nahm es ihm nicht weg, aber es konnte ihm auch nicht groß imponieren. Wie nun die Zuhörer das Talent seines Sohnes rühmten und Dr. Niola auf ihn und seine Frau zutrat, um beiden Glück zu wünschen, bauschte väterlicher Stolz ihm die Segel, und er wagte sich weiter auf das Meer der Rhetorik hinaus, als vielleicht ziemlich war. Es lag nahe, sich ein wenig aufzuspielen, wahrscheinlich glaubte er im Augenblick selbst daran, daß er zuerst die glänzenden Gaben des Sohnes erkannt und ihnen liebende Beachtung geschenkt habe. Er log sogar ein bißchen — nur seine Frau merkte es, schwieg aber — und erzählte, daß er vor Jahren einmal bemerkt, wie Rico vor der Tür ihrer Wohnung ein patriotisches Lied auf ergreifende Art gesungen und zu einer gewissen lebendigen Darstellung gebracht habe, so daß die Nachbarn stehengeblieben seien und sogar applaudiert hätten. Auch die komische Begabung seines Sohnes überrasche ihn nicht, o keineswegs, sie entstamme nämlich seiner Familie. Schon sein Onkel Eduardo habe alle Welt durch seine Witze entzückt und mit verstellter Stimme „Damenarien" gesungen. Von ihm habe Rico wohl seine Begabung geerbt. Am Ende war es dem Guten doch nicht so recht wohl beim Blasen dieser Haustrompete. Es fiel ihm auf, daß Dr. Niola gar zu höflich zuhörte und Anna, seine Frau, stumm zu Boden sah; er gab also ohne Überleitung zu verstehen, daß ein guter Handwerker, der es zu einem sicheren Einkommen gebracht habe, am Ende einem Künstler nicht nachstünde und er die Hoffnung hege, Rico einst in der Fabrik des Herrn Meuricoffre in guter Position wissen zu können.

Dr. Niola nickte ein paarmal und fragte, das Thema wechselnd, wie es mit der Gesundheit seiner Frau stünde, ihre Wangenröte sei wohl mehr ein Zeichen freudiger Erregung als körperlicher Frische. Es bedarf der Erwähnung, daß

Anna Caruso sich von der Geburt ihres einundzwanzigsten Kindes, der kleinen Assunta, nie erholt hatte und seitdem oft bettlägerig war. Sie wußte dem Arzte freundlich zu antworten, und Vater Caruso hatte Zeit, darüber nachzudenken, daß nicht eigentlich er, sondern sie auf ihre still beobachtende Art die Begabung des Knaben erspürt und durch freundlichen Zuspruch gefördert hatte. Ihm war das anmutige Geschmetter des Burschen eher als ein nichtsnutziges Zeichen leichter Lebensauffassung erschienen. Erst als er Solist im Kirchenchor des Paters Bronzetti geworden, nickte der Vater befriedigt: jetzt diente seine Stimme wenigstens einem erbaulichen Zwecke. Anna dagegen, sein Weib, hatte schon früh in den Fähigkeiten des Knaben das Anzeichen einer künftigen Berufung erblicken wollen. Hoffart, seiner Meinung nach, nichts als weibliche Eitelkeit! Und nun saß er selber inmitten ergötzter Zuhörer und war stolz auf seinen Ältesten. Ob wohl Mütter mehr von den verborgenen Schätzen ihrer Söhne ahnen als Väter? Warum eigentlich? Sie waren doch sonst bedürftigen Geistes und mußten alle naselang über die Zusammenhänge der Welt belehrt werden! Dennoch erinnerte er sich, daß seine Frau, wenn eins der einundzwanzig Kinder gestorben war (welches betrübliche Ereignis achtzehnmal in ihrer Ehe eintrat), tränenden Auges geflüstert hatte: „Man muß dankbar sein, daß noch Rico lebt."

Etwas scheu blickte er sie von der Seite an. Sie hatte das schmale, knochige Antlitz aufmerksam dem Arzte zugewandt. Die hektische Röte war einer ungesunden Blutleere gewichen. Die großen herrlichen Augen, in die er sich vor mehr als zwanzig Jahren so wild vergafft hatte, erschienen ihm traurig und leidvoll. Er fand zum erstenmal, daß eine versteckte, aber hartnäckige Ähnlichkeit sie mit dem Jungen verband. Das waren Ricos Augen, brennend und tief; und ihr Mund, gehärtet wie Ton im Glutofen des Lebens, glich er nicht auch dem des Sohnes, wenn er schweigend vor einer Arbeit saß oder einer väterlichen Mahnrede erbötig lauschte? Ja, Ricos Art, gespannt den Sprecher zu betrachten, er fand sie wieder in ihrer aufmerksamen Ruhe. Und wenn er des Knaben gutmütiger und jedem Streit abholder Sinnesart gedachte, so wußte er nun, daß es gerade diese war, die ihm das Leben mit seiner Frau bei aller Fülle der Sorgen so seltsam leicht gemacht hatte.

Marcellino fühlte sich ergriffen und etwas durcheinandergebracht. Die Eindrücke des Abends hatten ihn aus seinem gewohnten Gleis von Arbeit, Piazza, Osteria und Schlaf geworfen. Ihm schoß sogar flüchtig der schlechte Gedanke durch den Kopf, daß Rico gar nicht sein Sohn sein könnte, obwohl es dummes Zeug war, solches zu vermuten, da seine Frau über all ihrer Arbeit nicht einmal Zeit gehabt hätte, andere Männer anzusehen. Da war denn sogleich eine andere Erinnerung zur Seite: bei der Geburt des Jungen hatte ihm nicht seine Mutter die Brust gegeben, sondern eine hochgeborene Frau, Signora Rosa Baretti, dies aus schwesterlicher Neigung für die schwache Wöchnerin getan. Er sah sie noch vor sich, die schöne Frau, üppig und hochgewachsen, der er selber täglich das Kind brachte, damit sie es an ihren Busen legte. Er fühlte das Bedürfnis, davon zu sprechen und den Arzt zu fragen, ob wohl durch die Muttermilch sich auch besondere Eigenschaften auf das von ihr ernährte Kind verpflanzen könnten.

Dr. Niolas gütiges Gesicht lächelte ein wenig, er schob seine Brille zurecht, kratzte sich den Bart und erklärte dann, daß die Wissenschaft hier noch zu keinem endgültigen Ergebnis gekommen sei.

In diesem Augenblick trat Rico auf die Gruppe zu, mager, mit wildem Haarschopf und heißerregten Augen, die schmalen Lippen noch etwas gefärbt von der Schminke, ein seliger Knabe, der sich nicht anders zu helfen wußte, als sogleich seiner Mutter um den Hals zu fliegen und hilflos zu schluchzen.

II

Wir haben uns ein wenig umständlich zurückliegender Ereignisse erinnert und darüber die Gegenwart vergessen, in der die Buben auf das Stichwort warten, das sie aus dem Respektskreis der Erwachsenen befreien soll. Geben wir es ihnen. Im Augenblick kümmert sich niemand um die beiden. Sie haben eine Weile gelangweilt auf der Kirchentreppe gestanden und lenken nun mit entschlossener Wendung ins Gewühl der Straße ein. Wie war es gleich? Sollte sich nicht einer von ihnen am Montag abend acht Uhr bei der strengen schwarzen Dame einfinden? Morgen schon! Aber vom Sonntag nachmittag aus gesehen liegt der Montag noch fern; jedenfalls wollte sich Rico dieser störenden Verabredung nicht mehr erinnern, als er mit dem Freunde die lärmende Via Toledo entlanglief. Er hatte ein paar Soldi in der Tasche, verdientes Geld, vom guten Pater mit der Mahnung in die Hand gedrückt, es zu sparen für karge Zeiten. Aber Geld, das man nicht ausgibt, ist weniger nütze als ein Stein. Außerdem verspürte er Durst und lud Giovanni in eine kleine Gelateria ein, wo sie stehenden Fußes köstliches Zitroneneis (Giovanni wählte Erdbeer) in spitzen Teigtüten verschlangen. Auch die Teigtüten verspeisten sie mit Genuß, und weil es so gut geschmeckt und jeder das seine dem andern gerühmt hatte, ließen sie sich noch einmal das gleiche geben, nur daß Giovanni jetzt Zitrone und Rico Erdbeer wählte.

Danach wanderten sie laut schwatzend die Via Toledo hinunter bis zur Piazza del Plebiscito, wo ihnen über-

raschend ein Trupp musizierender Marinesoldaten begegnete, deren aufmunterndes Blech-, Trommel- und
Triangelgeschmetter mit knatternden Wohllauten einen
lustigen Marsch in den tiefblauen Frühlingshimmel schickte.

Sonntäglich-müßiges Volk, gefesselt von der strammen
Kunstübung, war, sofern es nicht Zeit fand, den musi-
zierenden Soldaten zu folgen, stehengeblieben, um die
Trikolore des Vaterlandes zu grüßen, welche ein hochgewachsener Fähnrich mit dem Ernst eines Standbildes an
ihnen vorübertrug. Giovanni und Rico hielten sich eng an
die marschierende Kolonne und nahmen, wie dies wohl
seit Jahrtausenden landesüblich war, den Tritt der Mar-
schierer auf. Giovanni, der vorzüglich pfeifen konnte,
pfiff aus Leibeskräften mit, obwohl der schöne zimbeln-
und paukenrasselnde Lärm sein Geflöte übertönte. So
näherten sie sich dem Marinearsenal, und es hätte nur
immer so weitergehen können im lenzlichen Geklingel
und Geblase — da gab es zu ihrer Verwunderung gleichsam einen musikalischen Knall, hart und abschließend; die
Kolonne stand wie eine Mauer, und in das jäh eingetretene
Schweigen flogen nur noch Giovannis Pfeiftöne wie Sper-
linge, um auch ihrerseits sogleich respektvoll dem Kom-
mando zu parieren. Eine wohllautende und ungemein
schallkräftige Stimme gab kurze Befehle, die dann leider
die endgültige Auflösung des taktfesten Zaubers zur Folge
hatten. Die Soldaten zerstreuten sich, und die beiden Freunde liefen die Via Cesario Console hinunter, dem Meere
zu, das seine fleckenlose, sanft atmende Bläue in sonntäg-
lichem Glanze vor ihnen ausbreitete.

Giovanni, der seit dem Verlust seiner Kinderstimme gelegentlich unbegreiflichen Gefühlsanwandlungen unter-
worfen war, blieb stehen und gestand, daß er am liebsten
Meerfahrer werden würde.

„Fischer?" fragte Rico.

„Nein, Meerfahrer wie Marco Polo, der aus Venedig aufgebrochen war und fremde Kontinente entdeckt hatte. Hast du noch nie etwas von Marco Polo gehört?" (Er hatte kürzlich gerade in einem mit vielen Illustrationen geschmückten Buche eine patriotisch und abenteuerlich verbrämte Geschichte des kühnen Mannes gelesen.) Rico, der ungern Bücher las, weil die allermeisten ihn langweilten, fürchtete, Giovanni werde ihm jetzt den ganzen Inhalt umständlich erzählen. Um ihn abzulenken, sagte er auf gut Glück: „Natürlich! Marco Polo heißt doch der dicke Schoner, der an der Masaniello-Mole schaukelte. Vorgestern ist er wieder abgefahren."

„Den meine ich nicht", gab Giovanni zurück, „aber er ist nach dem großen Venezianer benannt, einem edlen Manne, klug und kühn, dem Italien viel Ruhm verdankt." Der Satz roch noch etwas nach dem schlechten Papier, auf dem er gedruckt gewesen, weshalb Rico nach seiner Gewohnheit den rechten Mundwinkel etwas spöttisch emporzog und zur Antwort gab: „Und was wird deine Blumen-Anna tun, wenn du über die Weltmeere segelst?" Er bereute es gleich darauf, die Frage gestellt zu haben, denn Giovanni, ohnehin durch den Anblick des Meeres in seinen Gefühlen bewegt, wandte sich mit einer Geste von ergreifender Theatralik dem Freunde zu, herrschte ihn an, zu schweigen und den Namen nie wieder auszusprechen. Leider handelte er selber nicht nach seinem vernünftigen Gebot, sondern ließ sogleich Rico in die Tiefen einer ersten Enttäuschung blicken: das Mädchen Anna gehe mit einem Kerl, der von Castellamare mit seinem Esel mehrmals in der Woche zum Hafen gewackelt komme, einem so kleinen jämmerlichen Esel — Giovanni wies ein winziges Maß —, ein schmutziger Geselle, dessen krächzendes „Aa!" ihm noch in den Ohren klinge (Giovanni ahmte den landesüblichen Treiberruf dadurch besonders wirkungsvoll nach, daß er im Diskant einsetzte und elegant in den Baß umschlug, wobei ihm sein Stimmbruch vorzügliche Dienste leistete). Dieser Vater eines Esels habe am letztvergangenen Sonnabend mit Anna in einer dreckigen Osteria der Calle Annunziata gesessen, den Arm um ihre Hüfte gelegt, die trunkenen Augen dumm geradeaus gerichtet. Übrigens sei es ein schwächlicher Bursche, und er halte es für ausgemacht, daß er ihn zu Boden schmettern könne wie einen Käse.

Rico hatte beide Hände in die Taschen gesteckt und fühlte sich plötzlich dem Freunde auf eine milde und versöhnliche Art überlegen. Er ließ seine dunklen Augen über die Seidenfläche der blauen Bucht gehen, spuckte in der Richtung auf das Castello dell'Ovo aus, worin er — in Parenthese — eine verblüffende Technik bewies, und ließ sich nach einer kurzen Pause also vernehmen: „Und sie bewegt sich doch, sagte Galilei!"

„Was soll das heißen?" fragte Giovanni mißtrauisch.

„Und sie schielt doch! Das soll es heißen. Hab' ich recht?"

Giovanni funkelte ihn an, blieb stehen und rief: „Corpo di Bacco, sie schielt!"

Rico zog den rechten Mundwinkel spöttisch empor, legte seinen Arm in den des Freundes und erwiderte sanft: „Siehst du, Giovanni, darum konntest du es auch nicht bemerken, daß sie die ganze Zeit nicht dich, sondern den Eseltreiber angesehen hatte."

Giovanni lachte schallend auf, auch Rico stimmte in das Lachen ein. Und so liefen sie befreit von Liebeskummer die Meerpromenade entlang, sahen den Anglern zu, die bewegungslos und geduldig wie Schildkröten auf das Anzucken der Angel warteten, und blieben neugierig stehen, als eine elegante Equipage vor dem Hotel Vesuvio anhielt.

Ein Herr in grauem Zylinder, taubengrauem Gehrock und mit blitzenden Lackstiefeletten half einer von Seide,

Straußenfedern und Rüschen umglitzerten Dame aus dem Fond des Wagens. Ein weißer Schleier verhüllte ihr Antlitz gerade so weit, daß man schließen konnte, es sei von ungewöhnlicher Schönheit.

„Eine Prinzessin", flüsterte Giovanni und starrte sie auf eine Art an, die Steine zum Schmelzen bringen konnte.

„Sie riecht", hauchte Rico und schnupperte den Duft von Flieder und Rosen ein, der wie unsichtbares Gewölk sie umgab, als sie an der Seite des Herrn im grauen Zylinder dem Portal des Hotels zustöckelte. Sie hatte das schaumige Kleid gerafft, damit es nicht vom Staube der Straße befleckt werde. So vermochten die Knaben das feine Knöchelgelenk ihres Fußes auf hohem Pariser Schuh mit flüchtigem Blicke zu erhaschen. Und es war nicht nur Giovanni, der darauf starrte. Auch Ricos paillettenblanke Augen brannten dorthin, wo der rosenfarbene Saum des Kleides das Wunder eines Frauenfußes sichtbar machte. Übrigens waren noch andere Spaziergänger stehengeblieben.

Ein Hotelboy hatte ehrfürchtig den Wagenschlag hinter dem erlauchten Paar geschlossen, und der livrierte Kutscher ließ auf virtuose Art die Peitsche knallen, um von der olympischen Höhe seines Sitzes durch diesen leichten Donner das neugierige Volk aus dem Wege zu treiben.

In dem Augenblick nun, da ein Diener des Hotels die Pforte dem Paare mit ehrfürchtig entblößtem Haupte öffnete, entfiel der Dame ein Taschentuch, winzig wie das Blatt einer weißen Rose, umsäumt von Spitzen, ein unbegreifliches Ding, das irgendwo im Himmel droben gewebt worden war und eigentlich, statt zur Erde zu sinken, in das Azur des Äthers hätte entschweben müssen.

Der Hotelboy raste darauf zu, doch mit einem raubtierhaften Satze war Rico zur Stelle, stieß den galonierten Knaben mit einem Faustschlag fort und ergriff das Tüchlein, um es gerade noch in dem Augenblick, da die hohe Frau durch das Portal schritt, ihr schweigend zu reichen.

Sie blieb einen Moment stehen, ehe sie den Vorgang begriff, dann nahm sie lächelnd das Tüchlein, ihr verschleiertes Auge sah dem Jungen ins Gesicht und schien ein, zwei Sekunden über irgend etwas in seinem Blick zu staunen. Doch schon hatte der taubengraue Begleiter den Vorgang in seiner Bedeutung erfaßt. Er griff in eine für solche Zwecke stets mit Kleingeld gefüllte Westentasche und reichte ihm mit lässiger Hand ein paar Centesimi. Rico nahm sie wortlos und gab sie dem Hotelboy, der zornig den Vorgang mit gezischtem Fluche begleitet hatte und nun verblüfft das Trinkgeld einsteckte.

„Eccellente, vortrefflich!" ließ sich die Stimme eines müßigen Zuschauers vernehmen. „Das hast du gut gemacht, ragazzo! Ein Neapolitaner ist Kavalier und läßt sich für den Dienst bei einer schönen Dame nicht bezahlen." Sein Witz wurde belacht, nur Rico kehrte finsteren Blickes zu Giovanni zurück, der diese Szene mit atemlosem Staunen begleitet hatte.

„Komm", sagte er, „gehen wir weiter."

„Warum hast du das Geld nicht genommen?" fragte Giovanni schüchtern, und obwohl er ein gutes Stück größer was als Rico, schien es doch, als sähe er bei seiner Frage andächtig zu ihm empor.

„Du hast es ja gehört", antwortete Rico lässig.

„Wieviel hat er denn gegeben?"

„Ich habe nicht hingesehen."

„Das war mindestens eine Herzogin, was denkst du?"

Rico antwortete nicht. Sie schritten weiter, vorbei an den Hotelpalästen, vor denen hie und da Tische und Stühle aufgestellt waren, an denen modisch gekleidete Leute mit übereinandergeschlagenen Beinen saßen, rauchten, Kaffee tranken oder Eis löffelten.

Nach einer guten Weile des Schweigens fragte Rico: „Giovanni, sage die Wahrheit und lüge nicht. Du warst dabei, als ich den Pförtner in den ‚Briganti nel giardino di Don Raffaele' sang, glaubst du, daß ich einmal ein berühmter Sänger sein und mit einer feinen Kutsche vor dem Hotel Vesuvio vorfahren werde?" Im Geiste fügte er hinzu: Mit einer solchen Himmelserscheinung wie diese Dame, doch er ließ den maßlosen Gedanken nicht laut werden.

Begeistert antwortete Giovanni: „Sicher, Rico, ich glaube es, denn du hast damals am besten gespielt von uns allen."

„Das ist nicht wahr. Peppino war besser."

„Ja, Peppino", meinte Giovanni versonnen, „der hat es wunderbar gemacht. Wie ein Mädchen sah er aus, aber Peppino ist ja noch ein Kind, da kann man nichts sagen. Du aber, Rico, bist doch schon Kontraaltist in Pater Bronzettis Chor."

„Das ist gar nichts", gab Rico düster zurück. „Außerdem kann ich nach dem Stimmwechsel meine Stimme verlieren."

Giovanni wandte sein hübsches braunes Gesicht dem Freunde zu: „Willst du denn Sänger werden?"

Rico nickte. „Mein Vater weiß es noch nicht, aber Mammina weiß es und sagt, ich solle es keinem weitersagen. Auch du darfst es keinem Menschen weitersagen! Weißt du, daß ich schon die große Arie aus der ‚Martha' und die Ballade des Herzogs aus ‚Rigoletto' kann? Ich werde die ganze Oper studieren."

„Das ist ja großartig, Rico!" rief Giovanni ergriffen. „Ich schwöre dir, ich sage es niemandem weiter. Aber wenn du einmal Sänger wirst und am Teatro San Carlo auftrittst, läßt du mich dann dein Sekretär sein?"

„Ja", sagte Rico, „du sollst mein Sekretär sein." Es

war ein Wort, gleich dem Verleihen eines Diploms, und man sagt nicht zuviel mit der Behauptung, daß Giovanni sein Diplom mit einer unsichtbaren Verbeugung entgegennahm.

Schon während der letzten Sätze hatten sie das wimmernde Singen einer Säge, die zum Streichinstrument befördert war, und zugleich mit ihr das Organ eines Straßensängers vernommen, der vor einem der Cafés sich mit quäkender Routine produzierte. Während sein ungemein flacher Ton auf eitle und kokette Art das Santa-Lucia-Lied in die Ohren der Ortsfremden einschmalzte, liefen seine schlauen Landstreicheraugen flink wie Mäuse über die Gesichter der Zuhörer, um jetzt schon den vermutlichen Gewinn aus dem Vortrag an Hand des ihm entgegengebrachten Interesses zu überschlagen. Gelegentlich legte er seinen Kopf genießerisch zur Seite, ja, er scheute nicht den Ausdruck einer verlogenen Melancholie, damit die törichten Fremden sich auch recht bewußt würden, daß es wirklich Neapel war, darin sie sich in seligem Nichtstun schaukeln durften. Indessen mangelte seiner billigen Theatralik nicht ein gewisser humoristischer Reiz, etwa, wenn er mitten in einer unerträglich gedehnten Fermate blitzartig einer schönen Dame einen adoranten Blick zuwarf oder nach Beendigung seiner Darbietung die lächerliche Säge wie eine Hellebarde abspreizte, um, die Hand am Busen, den dürftigen Beifall mit tiefer Verbeugung zu quittieren.

Rico hatte sich mit eigentümlich verfinstertem Gesichtsausdruck in der Nähe des Straßenkomödianten aufgestellt. Als jener nun mit serviler Miene die schmierige Mütze den Gästen vors Gesicht hielt, um den Lohn für seine Afterkunst zu ernten, drehte er sich dem Freunde zu und sagte: „Gehen wir weiter, Giovanni!"

„Wie fandest du seinen Gesang?" fragte Giovanni.

Rico sah mit einem Blick, der keines Wortes bedurfte, dem Frager ins Gesicht, machte mit der Schulter eine Geste, als lasse er eine tote Ratte unbeachtet am Wege liegen, und hub erst nach einer geraumen Zeit zu sprechen an. „Ich kann meinen Vater verstehen. Er hört doch nur solche Leute. Da ist es besser, seinen Sohn Brunnenmacher werden zu lassen. Aber das schwöre ich dir, ehe ich wie so einer auf den Straßen singe, springe ich in den Krater des Vesuvs!" Er hatte sich umgedreht und wies mit ausgestrecktem Arm auf den Berg, aus dessen stumpfem Gipfel die Rauchfahne landwärts wie ein weißer Schleier wehte und sanft in der aufsteigenden Dämmerung zerfloß.

Giovanni folgte dem Arm des Freundes, und weil ihm eine lebhafte Phantasie eignete, sah er auch sogleich Rico vor dem rauchenden Kratersee stehen und sich in den glühenden Abgrund stürzen, obwohl dies, wie er wußte, eigentlich schwierig und, realistisch betrachtet, schon wegen der betäubenden Gase kaum möglich war. Dennoch hatte das Bild etwas Berauschendes, es war von düsterer Tragik, kurzum, großartig. In der Schule hatte er einmal etwas von einem Philosophen gehört, der im Ätna auf diese Art verschwunden sein sollte, doch ein Philosoph ist kein Sänger, und so mochte es um jenen nicht schade sein. Weil er aber an Rico glaubte und überhaupt ein Bedürfnis fühlte, zu lieben und zu verehren, hielt er es für notwendig, ihm Trost zuzusprechen. Dies geschah am besten durch einen ablenkenden und praktischen Vorschlag. „Schau, Carusiello", sagte er, „der Kerl mit der Säge ist ja gar kein Künstler, vielleicht singt er überhaupt nur sonntags und fährt in der Woche mit einem ganz kleinen Esel spazieren, so wie der andere, von dem ich nicht sprechen möchte, weil ich ihn verachte. Du solltest dich also mit ihm nicht vergleichen, sondern einfach zum Spaß dich vor ein Café stellen und eine Arie singen. Paß auf, was dann passiert. Ich wette, der Esel mit der Säge wird ausgepfiffen und zerplatzt vor Neid in alle vier Winde. Ich aber sammle Geld ein, und was wir kriegen, teilen wir uns."

Die Logik, welche diesem Vorschlag zugrunde lag, war nun zweifellos brüchig, weil sein Freund ja gerade darauf Wert legte, nicht als Straßensänger aufzutreten, doch der Mensch handelt nun einmal nicht logisch. Vielleicht aber sollten wir nicht oberflächlich das Widersinnige seines „Trostes" belächeln, sondern uns vielmehr erinnern, daß es im Leben gerade diese widersinnigen, unlogischen und bodenlosen Entschlüsse sind, die das Erwünschte hervorrufen und es wie durch einen Zauber ins Leben stellen, während es einer logisch handelnden Vernunft nie gelungen wäre, das Schiffchen flottzumachen.

Was in aller Welt aber war es, das Rico so schnell aus dem Sattel seines Stolzes werfen konnte? Was sprang aus Giovannis abenteuerlichem Vorschlag in ihn über, das ihn seinen noch vor wenigen Sekunden beim Krater des Vesuvs gleichwie beim Barte des Propheten geleisteten Schwur vergessen machte? Es mußte wohl ein Funke sein, ein Glutspritzer, kurz, etwas Vesuvisches — wie ja alle Neapolitaner Kinder des königlichen und unberechenbaren Berges sind und von seiner Natur mehr in sich verborgen tragen als von der Weite des Meeres —, und dieser etwas vulkanischen Art durfte man es zuschreiben, daß Giovannis blind gefeuerter Schuß in seines Freundes Seele sogleich ein Echo fand.

Rico starrte ihn mit wildem Ernst an, und dieser starre und augenfunkelnde Ernst mochte noch dem feierlichen Schwur zugehören; dann aber trat in sein Gesicht ein verschmitztes, ganz und gar jungenhaftes Lächeln, sein großer Mund entblößte eine Reihe gesunder Zähne, mit denen er sich, froh über das Gelungene der Idee, auf die Unterlippe biß. „Giovanni, soll ich?" stieß er heraus.

„Ja!" stimmte der Freund begeistert zu.

„Wo?"

„Hier auf der Stelle."

Zwischen dem Café und dem Platze, wo sie standen, befand sich nur die Straße, was Rico nicht unlieb war, weil sie zwischen ihn und die aufdringliche Art des Bettelmusikanten einen gewissen symbolhaften Abstand legte. Ohne noch lange zu überlegen, lehnte er sich mit dem Rücken gegen die Steinbrüstung der Promenade, steckte beide Hände in die Hosentaschen, hob den braunen Bubenkopf schräg empor und sang.

> „M'apparì tutt' amor
> il mio sguardo l'incontrò —"

Er sang die große Arie des Lyonel aus Flotows Oper „Martha", so wie er sie mit den Maestri Schirardi und de Lutio studiert hatte, genau auf Tempi und Atemführung achtend, sauber und musikalisch. Sang sie mit dem leidenschaftlichen und keuschen Wohllaut seiner knabenhaftrauhen Altstimme, die ein wenig an das abendliche Lied einer Amsel gemahnte. Der sanfte Opalglanz des verdämmernden Meeres und der flötend-sehnsuchtsvolle Charakter der Komposition verbanden sich in dieser Stunde zu glücklicher Einheit. Giovanni fühlte die erregte Befriedigung eines Impresarios, als er bemerkte, wie die Spaziergänger stehenblieben, wie drüben vom Café die Aufmerksamkeit der Gäste sich mehr und mehr dem Gesange seines Freundes zuwandte und am Ende ein prasselnder Beifall, vermischt mit lauten Bravo- und Da-capo-Rufen, die Darbietung lohnte.

„Verbeug dich!" flüsterte er Rico zu, der auch sogleich mit der lächelnden Routine eines verwöhnten Bühnenkünstlers einige Schritte vortrat und sich herablassend verneigte.

Er hatte das Glück gehabt, mit dem Vortrag dieser Arie aus einer deutschen Oper eine Gruppe von Caféhausgästen besonders zu entzücken. Sie riefen ihm etwas hinüber, das er nicht verstand, was aber Giovanni mit kommerziellem Scharfsinn für die gemeinsame Kasse auszubeuten wußte, indem er sogleich hinlief und in seine kleine braune Hand eine Fülle von Silbermünzen sammelte.

Rico lächelte etwas betreten, als aus dem Kreise der nächsten Zuhörer ermunternde Rufe schallten und ein gutgekleideter älterer Herr ihn mit wohltönendem Organ aufforderte, eine Canzone d'amore zum besten zu geben.

Gut denn, er war nicht umsonst Italiener, um nicht über ein funkelndes Repertoire von verliebten Liedern zu verfügen. Zudem fühlte er sich vom Fieber der Produktion ergriffen, wie auf einer Welle emporgehoben vom Rausche weltvergessender Sangesfreude, diesem Urausdruck aller menschlichen Kultur. Abermals den dunkellockigen Kopf kokett zurückwerfend, begann er mit der gespielten Liebessehnsucht des noch unerweckten Knaben eine Serenade vorzutragen:

> „Le cose belle che volevo dirti
>   se l'è bevute il mare;
> bisognava di perle a popolare
>   le sue squallide sirti.
> Le parole più tenere e amorose
>   che ti volevo dire
> se l'è rubate il lido per fiorire
>   le sue siepi di rose ...“

Doch wie diese Verse gleich silbernen Tropfen durch seine Kehle rannen, war es ihm, als verstände er sie heute zum ersten Male. Sich selbst zu wunderlichem Glücke begriff er den Sinn der schwärmerischen Serenade und sang sie geschlossenen Lides empor zum Balkon einer engelhaft Schönen, deren Auge das seine erkannt hatte, als er ihr das duftende Spitzentuch reichte. Aus aufflutender Sehnsucht fiel seine Stimme sanft ab in wehmutvolle Andacht:

„E quelle che il desio non dettò, quelle
dell'anima, incorrotte.
O mia dolcezza, le ghermi la notte
per vestirsi di stelle."

So schöne Dinge wollt' ich dir verkünden,
sie hat das Meer getrunken . . .
Als Perlen auf die Ufer hingesunken,
kannst du sie wiederfinden.

Und Worte, tief, im zärtlichsten Entzücken,
ich wollt' sie dir entdecken;
der Strand nahm sie mir fort, um seine Hecken
mit Rosen rings zu schmücken.

Und die mein Sehnen dir verschwieg, die stillen,
an die noch nichts gerührt:
sie hat als Sterne, Lieb, die Nacht entführet,
sich darin einzuhüllen.

(Vittoria Agonoor-Pompili. Nachdichtung von Nino Erné.)

Es war zu seinem Glücke, daß er während der letzten Strophe die Augen geschlossen hatte und sie nun erst öffnete, als der laute Beifall höchst animierter Zuhörer Giovanni jeder Mühe des Einsammelns enthob, denn in seine Mütze, die er auf die Straße gelegt, regneten nur so die Münzen. Es war zu Ricos Glücke, sage ich, denn wenn er während des Liedes gesehen, was er nun sah, würde er wohl seine lyrische Verzückung vorzeitig abgebrochen haben. Neben dem fremden Herrn, der ihn zu diesem Vortrag angeregt hatte, stand eine hochgewachsene Dame in strengem Schwarz. Über den schmalen Schultern hing eine füllige Straußenfederboa bis zur überraschend dünnen

Taille, aus der glockenartig der Rock zu den unsichtbaren Stiefeln hinabwallte. Ihre dunklen Augen waren mit ernster Mißbilligung auf ihn gerichtet, und die statuarische Bewegungslosigkeit ihrer Erscheinung erhielt dadurch etwas schreckhaft Faszinierendes, daß sie mehrmals in langsamer Zeitfolge mit dem Haupte nickte. Nicht ermunternd nickte sie ihm zu, sondern richterlich, streng verurteilend und mit einem objektiv-kalten Bedauern, das ihn schlangenhaft bannte und unfähig machte, für den Applaus seines Publikums zu danken. Die sonntäglichen Spaziergänger bewiesen im Gegensatz zu ihrer Bildsäulenruhe dadurch eine vorurteilslose Teilnahme, daß sie dem jungen Sänger Scherze und Lobesworte zuriefen und einander in bewegter Schenkungsfreude überboten. So fiel, da Rico wie gelähmt auf die schwarze Marmorfigur starrte, Giovanni die Beantwortung des Beifalls zu. Er gab mit allerhand lustigem Unsinn seine Freude kund und konnte nicht recht begreifen, warum der Freund an seinem Erfolge keinen rechten Anteil nahm.

Wenn dieser vielleicht erwartet hatte, daß die Dame auf ihn zutreten und ihn mit der Strenge einer Priesterin rügen werde, so irrte er. Sie hob nur ein wenig die linke Hand und winkte. Der Bann löste sich, Rico stand vor ihr, den Blick, noch ehe er den Spruch vernommen, schuldbewußt zu Boden gerichtet. Hinter dem Schleiervorhang öffnete sich ein gemmenhaft geschnittener Mund und fragte leise: „Bist du nicht Caruso, der Kontraaltist in Pater Bronzettis Chor?"

„Jawohl, Signora."

„Dein Vorname?"

„Errico."

„Sprich deutlich."

„Er–ri–co."

„So, so! Also du singst nachmittags auf der Empore

eines Gotteshauses und abends auf der Straße?" Die Worte schwirrten wie Pfeile an ihm vorbei, vielmehr sie trafen, oh, er fühlte sie und bereute tief, Giovannis wahnwitzigen Vorschlag befolgt zu haben. Schweigend sah er zu Boden.

„Antworte!" heischte die Dame.

„Ich tat es zum ersten Mal, Signora."

„Und — zum letzten. Verstehst du mich?"

„Ja, Signora."

„Andernfalls brauchst du nicht morgen um acht Uhr in mein Studio zu kommen. Wo wohne ich?"

„Piazza dei Martiri 4", rasselte Rico mit belegter Stimme.

„Das hast du unerträglich neapolitanisch gedudelt. Und du willst Sänger werden?" Damit drehte sie sich um und schritt in stolzer Gelassenheit des Wegs, auf die Anlagen der Villa Comunale zu, deren Palmen erhaben wie sie das Fächerhaupt in den Himmel hoben.

Die Zuhörer verliefen sich. Giovanni wies strahlend dem Freunde die Fülle ihrer Einnahme und war in heißem Eifer dabei, Kasse zu machen, zu zählen und zu teilen. Während er die Silber- und Kupfermünzen auf der Steinbrüstung sortierte und Rico ihm mit stumpfem Interesse zusah, näherte sich ihnen ein Herr. Es war derselbe, dessen Zuruf den kleinen Sänger zum Anstimmen der Liebeskanzone ermuntert hatte, ein wohlgekleideter, angenehmer Herr, der sich den Schnurrbart strich und eine Weile den Knaben zusah.

„Sieh da", sagte er mit tönendem und sattem Organ, „sieh da, es hat sich gelohnt. Nun, ich gratuliere. Nicht zuletzt auch deswegen, weil du zweifelsohne nicht im Besitze einer ‚tessera', eines Scheines, bist, der dir gestattet, auf den Promenaden deine hübsche Stimme ertönen zu lassen. Die Polizei, angewiesen, einen solchen zu fordern, wo sie dessen Fehlen vermutet, war wieder einmal weit fort — ja, staune nur", unterbrach er sich, zu Giovanni gewandt, „das ist eine Silberlira, und auch diese Münze dort erweist sich als eine solche; man ist nicht kleinlich gewesen, man hat gezeigt, daß man für eine gute Stimme ein Ohr besitzt. Vielleicht kamen die Lire von jungen Damen, hübschen Fräuleins, denen die Kanzone ein wenig ans Herz ging."

Giovanni lachte dumm-verschmitzt, schließlich verstand er schon etwas von Mädchen und hatte seinen ersten Liebeskummer hinter sich. Rico dagegen schaute mit finsterem Interesse seitwärts aus den Augenwinkeln auf das Geld und würdigte den Herrn keines Blickes.

Dieser wandte sich nun direkt an ihn und sagte: „Die trauernde Zypresse, ich glaube sie erkannt zu haben, hat dir, sah ich recht, deine gute Laune genommen? Das sollte nicht sein. Sie versteht nichts von Liebesliedern, hat wohl ihren Mann ins Grab geärgert und möchte es mit allen übrigen ebenso machen. Es gibt aber in Neapel noch genug, die etwas davon verstehen, und auch junge Herren gibt es genug, die unter gewissen Fenstern nicht ungern ihre Stimme erschallen ließen, falls sie nur einen zugkräftigen und amourösen Tenor besäßen! Diese Herren kommen manchmal zu mir und klagen mir ihr Leid, und ich weiß ihnen den und jenen namhaft zu machen, damit er an ihrer Stelle im kupplerischen Dunkel der Nacht zu den Balkons emporflötet. Verstehst du, was ich meine? Dafür bedarf es keines Scheins, sondern nur einer guten Empfehlung, die dir Luigi Gregorio Proboscide wohl zu geben wüßte. Dies ist mein Name, Luigi Gregorio Proboscide. Den deinen kenne ich bereits, ich vernahm ihn während deiner Unterhaltung mit der strengen Witwe und merkte ihn mir. Du könntest dir viel Geld verdienen, ragazzo, weit mehr als das, was da liegt, und vor allem auf eine noble und unauffällige Art, denn niemand sähe dich. Nun, wie denkst du darüber?"

Rico blickte schweigend zu dem Herrn auf. Seine Kohlenaugen gingen mißtrauisch über das rundbackige Antlitz, über Schnurrbart und gutrasiertes Kinn, über seinen hohen steifen Kragen und die Koralle in der Krawatte. Er bemerkte, daß Signor Proboscide aus der Brusttasche ein überfülltes Portefeuille zog, mit ruhiger Hand ihm eine Karte entnahm und, sie zwischen Daumen und Zeigefinger haltend, sich also vernehmen ließ: „Der kleine Fisch beißt nicht an. Das gefällt mir. Er zeigt Charakter. Vortrefflich! Er ist ein echter Neapolitaner. Oder ... ist dein Charakter nur Furcht vor der da?" Er wies mit einer verächtlichen Kopfbewegung in Richtung auf die Piazza Vittoria. „Das wäre bedauerlich, denn es würde dich nicht nur um meine Achtung, sondern auch um gute Einnahmen bringen. Hier, junger Freund, hier ist meine Karte. Nimm sie, verliere sie nicht. Du brauchst in dieser Stunde mir deine Entscheidung nicht kundzugeben. Doch überlege dir inzwischen, wie lustig es ist, an Stelle verliebter Hähne, die nur gerade eben zu krähen vermögen, ein schönes Lied zu einer noch schöneren Frau hinaufzusingen. In milder Nacht! Dein Honorar erhältst du von mir."

Er hob den feinbehandschuhten Finger zum Gruß an den Hutrand und schien sich empfehlen zu wollen. Da stellte Giovanni eine Frage, die bewies, daß er nicht nur Geld zu zählen verstand.

„Signor Proboscide", versetzte er, und zum Glück klang seine Stimme tief und fast so gewölbt wie die des Angeredeten, „Signor Proboscide, wie soll denn Errico mit seinem Alt erwachsene Männer vortäuschen? Die Mädchen merken doch gleich den Unterschied, auch in der Nacht!"

Herr Proboscide fuhr lachend vom Hinterkopf her über Giovannis Haar, daß es ihm wild und wuschelig in die Stirn hing. „Gut gefragt", sagte er, „freilich ohne Kenntnis der besonderen Umstände. Worauf es ankommt, junger Mann, ist dies: die Damen sollen durch ein schön gesungenes Lied aus ihrem Hinterhalt gelockt werden. Neugierig und erstaunt treten sie ans Fenster, öffnen es, lauschen, und sieh da —, wenn das Lied beendet, erblickt ihr Auge den Anbeter, der sich inzwischen verborgen gehalten. Ich gestehe dir zu, daß es besser wäre, dein Freund nennte schon einen weichen Tenor sein eigen, auch mein Honorar wäre entsprechend höher. Gleichwohl, mit einer Knabenstimme mag es einmal gehen, falls sie wie diese ist. Also? Wenn du willst, kannst du dir gleich morgen eine hübsche Silberlira verdienen. Du hast meine Karte, ich wohne Vico Colonne Cariati, Numero 33. A rivederci!"

„A rivederci, signore!" gab Giovanni höflich zurück. Rico preßte ein „Addio" durch die Zähne. Das war alles, was er auf diese Offerte zu entgegnen hatte.

„Du bist dumm, Carusiello!" sagte Giovanni, setzte sich seine Mütze schief aufs linke Ohr und schob dem Freunde einen hübschen kleinen Stoß abgezählter Münzen hin, „du solltest zugreifen und Geld verdienen und dich nicht um die schwarze Dame kümmern. Damit hast du doch nur Ärger."

Rico stand abgewandt. Sein Auge ging auf den Vesuv, in dessen Schluchten und Halden das samtene Blau des Abends langsam zum rauchenden Gipfel emporstieg. Der Rosenschimmer der absinkenden Sonne blinkte auf den höchsten Felsen, und wie Giovanni das Antlitz des Freundes suchte, da sah er auch auf ihm einen Schimmer: aus den in Tränen verschwimmenden Augen lief Tropfen auf Tropfen über die braunen Wangen hinab.

„Rico", flüsterte er entsetzt, „was hast du?"

Er antwortete nicht, drehte sich jäh um und rannte davon. Giovanni konnte ihm nicht einmal folgen, er mußte erst des Freundes Anteil am Konzerterlös in Sicherheit bringen. Denn schon hatte sich ein Bettler mit klebriger Neugier der Szene zugesellt und grinsend um Berücksichtigung seiner Interessen ersucht.

„Mach, daß du davonkommst!" schrie Giovanni zornig und fühlte Kraft in sich, auch diesen Überflüssigen zu Boden zu schmettern wie einen Käse.

III

Auf einem Messingschild ist in feiner Kursivschrift der Name „Tivaldi" zu lesen, darunter befindet sich ein Porzellanknopf. Ein magerer, jedoch auffallend sauberer Finger drückt zögernd auf den Knopf, und hinter der Wohnungstür erklingt ein schnurrender Laut. Es ist also keine gewöhnliche Klingel, die Ricos Finger in Bewegung gesetzt hat, sondern eine gedämpfte, herrschaftliche, eine Klingel für empfindliche Nerven.

Er wird von einer älteren Person in schneeiger Laboratoriumsschürze eingelassen. Anscheinend weiß sie Bescheid, denn sie führt ihn gleich in den Salotto, ein mit Teppichen dick ausgelegtes Zimmer voller Bilder in goldglänzenden breiten Rahmen. Jedes Plätzchen ist ausgenutzt. Da gibt es Blumenständer mit Palmen, Konsolen, Regale, Tischchen und eine ungeheure Menge kleiner Gegenstände wie Vasen, Tassen, Elfenbein-Nippes, antike Miniatursäulen, Porzellangruppen und winzige Büsten. Sie befinden sich zum Teil in einer Glasvitrine, teils stehen sie frei herum und warten auf Bestaubung, die denn freilich hier am Orte auch für das schärfste Auge nicht erkennbar ist. O nein, alles blitzt von Sauberkeit. Der Salon läßt den Blick frei in ein Musikzimmer. Beide Räume trennt ein burgunderroter Plüschvorhang, der durch eine gold-

Enrico Caruso

Seine einzige Schwester
Assunta

Sein V

Seine Mutter

Carusos Familie

verbrämte Kordel locker gerafft und mit Fransen geschmückt ist.

Rico hat noch nie einen solchen Salon gesehen, er dünkt ihm reich und von erlesener Schönheit. Er möchte wohl gern den einen oder anderen Gegenstand betrachten, doch kaum, daß er selber sich ein wenig umgeschaut hat, erscheint Signora Tivaldi zwischen den Portieren, großäugig, marmorhaft, steil aufgerichtet, indessen nicht schwarz verhüllt, wie er erwartet hatte, sondern in einem hochgeschlossenen dunkelbraunen Seidenkleid. Ihr Antlitz, unverschleiert, zeigt zu des Knaben Verwunderung ein flüchtiges Lächeln, das indessen sofort, nachdem sie ihm ihre kühle Hand zur Begrüßung gereicht, wieder verschwindet. Er sieht nun deutlich ihre Züge, in die das beginnende Alter mit spitzem Griffel dünne Runzeln gezeichnet hat, sieht auch eine warzenhafte Verknotung auf der rechten Wange und eine goldene Kette, welche tief über die glatte Büste hinunterhängt und dort, wo sich die Enden zusammenschließen, ein Lorgnon trägt. Mehr zu betrachten, ist ihm nicht bebeschieden, denn Signora Tivaldi dreht sich um, schreitet voraus und weist ihm im Musikzimmer einen Stuhl an, auf dem er sich mit beklommener Andacht niederläßt.

Sie selber hat in seiner Nähe an einem Sekretär Platz genommen, wo wenige Gegenstände in vorbildlicher Ordnung der Benutzung harren. Ihre schmale Hand greift nach einem Federhalter, sie taucht ihn ein, schlägt ein Buch auf und schreibt mit kratzendem Geräusch auf das blütenweiße Papier der ersten Seite einige Zeilen. Ihr Auge blickt ihn durchdringend an. Sie fragt:

„Du heißt Caruso?"

„Ja, Signora."

„Bleib sitzen, doch antworte klar und genau. Dein Vorname?"

„Er—ri—co."

„Geboren?"

„Ja, Signora."

„Wann geboren?"

„Den 27. Februar 1873."

„Wo?"

„In der Strada San Giovanni agli otto Calli Nr. 7, erster Stock."

„Also in Neapel. Nun, das hört man dir an. Deine Eltern leben noch?"

„Ja, Signora." – „Geschwister?"

„Zwei. Giovanni und Assunta."

„Va bene." Die Dame putzte die Stahlfeder mit einem ledernen Tintenwischer ab und legte sie fort. Dann stand sie auf. Auch Errico erhob sich.

„Bleib sitzen", befahl sie. Er nahm wieder gehorsam Platz und folgte mit seinen Kohlenaugen ihrem merkwürdig rauschenden Gang, der sie zum Flügel führte, einem mahagonifarbenen, mit zahllosen Photographien bedeckten Instrument. Dort lag ein Buch. Sie nahm es, schlug es auf und sagte: „Falls du einmal ein Sänger werden willst, denn noch bist du keiner, mußt du etwas lernen, von dem du noch sehr wenig verstehst: Sprechen! Das Italienische ist die wohllautendste Sprache der Welt, doch übel artikuliert klingt sie barbarisch wie nur irgendeine andere, die nicht gleich der unsern aus dem Boden einer uralten Kultur erwachsen ist. In diesem Buche, das ich in der Hand halte, schau her, befinden sich Sprechübungen, welche du lernen wirst, ehe du einen Ton singst. In ihm hat der Verfasser Worte, Sätze, Verse lediglich zu dem Zwecke zusammengestellt, die Zunge frei zu machen von den Mißtönen des Dialekts. Ich werde sie dir vorsprechen, und du wirst sie nachsprechen, abschreiben und daheim dir zu eigen machen, um sie mir in der nächsten Stunde auswendig vorzutragen. Hast du mich verstanden?"

„Ja, Signora."
„Wir fangen an."

Das war eine so apodiktische Erklärung, dogmatisch eindeutig und gegen jede Möglichkeit eines Widerspruchs durch den harten und geschliffenen Glasklang ihrer Sprechart gesichert, daß Rico nichts anderes übrigblieb, als militärisch gehorsam auf diesem Kasernenhof der Sprache Order zu parieren. Zu Hilfe kam ihm hierbei ein von Natur vorhandener guter Wille. Sein Entschluß zu lernen war von Anfang an nicht eine Frucht väterlicher Ermahnung gewesen, sondern ursprüngliche Anlage, fast eine Leidenschaft, die freilich gelegentlich in eine totale Indolenz, ja in passive Abwehr umschlagen konnte, wenn die Überspannung sich lockerte oder der Lehrer ihn in seiner Gutwilligkeit mißverstand. Doch konnte hiervon noch nicht die Rede sein, weil zwischen ihm und der Dame Tivaldi keinerlei Beziehungen persönlicher Art bestanden. Sie gefiel ihm nicht, was tat das! Auch eine Lokomotive hatte nicht seine Sympathie, und doch würde er sich einer solchen zum Zwecke einer Reise ohne weiteres anvertraut haben. Seine friedliebende Natur unterstellte ihr zunächst die besten Absichten, zudem war er gescheit genug, zu wissen, daß sie nicht zu höchst eigenem Genusse diese Stunden gab, sondern, um ihm Förderliches und Notwendiges beizubringen.

So sprach er mit der Sorgfalt eines Taubstummen, den man das Wunder der Artikulation mit Geduld und Zähigkeit lehrt, Worte und Sätze nach, die ihre gemmenschmalen Lippen vorformten, lernte den bequemen neapolitanischen Dialekt, der so flockig und rasch von der Zunge lief, akademisch verabscheuen und paukte daheim sinnlose Verse, um gewisse Schwierigkeiten der Modulation, mit denen er zu kämpfen hatte, endgültig zu überwinden.

Freilich, waren ihm sonst die Wege zu seinen Lehrern eine Freude gewesen, so konnte hiervon nicht mehr die

Rede sein. Sogar in der Werkstatt des Brunnenmachers fühlte er sich weit wohler als in dem entstaubten Museum der Piazza dei Martiri 4, wo kühle Musterhaftigkeit und nadelspitze Akkuratesse regierten. Ob seine Lehrerin mit ihm zufrieden war, erfuhr er nicht. Er konnte es höchstens auf einem Umwege daraus schließen, daß Dr. Niola, dem er daheim begegnete, ihn lobend auf die Schulter klopfte und einen „mitragliere linguale" (zu deutsch etwa: einen Zungenmaschinengewehrschützen) nannte.

Nun, das war recht hübsch, machte auch wieder Mut zum nächsten Weg auf den Schießstand, doch Liebe zur Sache erzeugte auch dieses humoristische Lob nicht.

Es entsprach nicht Ricos Art, darüber viele Worte zu verlieren. Wohl drängte es ihn manchmal, seine Gedanken der Mutter zu verraten, die ihn ganz gewiß verstanden hätte, aber Mammina war krank, mußte — wiewohl sie sich auf das heftigste dagegen wehrte — häufig das Bett hüten, man hatte sie zu schonen, und so log er ihr vor, daß alles aufs beste stünde und er bei Signora Tivaldi viel lerne. Wieviel er lernte, wußte er freilich selber nicht, weil seine Lehrerin ihn die Stationen der Entwicklung nicht wahrnehmen ließ und es mit Sorgfalt darauf anlegte, bei dem Schüler Unlust zu erzeugen. Dies war ihr pädagogischer Grundsatz: nur was man sich gegen die Trägheit der Natur, gegen das Vergnügen gleichsam mit Schmerzen und geballten Fäusten aneigne, sei unverlierbarer Besitz. Nur Erlittenes behalte Wert im Leben. Gelegentlich aber gab sie ihm Einblick in ihr Wissen um das Geheimnis der Sprache, trat vergleichsweise vom behandelten Gegenstande zurück und brachte, das Lorgnon in der Linken, das strenge Auge starr über ihn hinweg gegen die spitzendurchbrochenen Stores vor dem Fenster gerichtet, etwa folgendes zu Gehör:

Vollendete Artikulation, Wohllaut der Sprache, höchste

Präzision des Ausdrucks sei, weit mehr als eine Technik, der sicheren Hand des Zeichners zu vergleichen, es sei ein Machtmittel! Und zwar eins von besonders edler Art, wahrhaft geistiger Herkunft. Die große mittelländische Kultur wäre nie zu dieser mächtigen Entfaltung erblüht ohne die jahrhundertelange Ohr- und Zungenschulung durch die griechische Rhetorik. Wohl habe diese in späten Jahrhunderten das Wesentliche der Sprechkunst verkannt, aus ihr eine bloße Artistik gemacht und sie zur leeren Wortfabrikation erniedrigt. Dennoch gehe alle Sprachfreudigkeit und alle Sprachkunst der lateinischen Rasse auf das tiefsinnige Wissen der Griechen um die Schönheit des Wortes zurück. Weder in der Dichtkunst noch in der Philosophie noch — merke auf! — in der Kunst des Gesanges gebe es eine höchste Wirkung ohne die cultura linguale, den geschliffenen Kristall der vollendeten Sprache. Erst er bringe das Bild, den Gedanken, den Ton zu jener geheimnisvollen und tiefgreifenden Wirkung, die man in einem unaufgeklärten Zeitalter magisch genannt habe. Sie sei indessen das Gegenteil aller Magie, nämlich höchste Ordnung, der kosmischen Ordnung und Gesetzlichkeit verwandt, und somit ein Geschenk der Götter, das wir zu bewahren und zu pflegen hätten. Was besage schon die Stimme allein, wenn sie nicht getragen werde von der sauberen Ziselierkunst der Zunge, die nichts verschlucke, nichts verwische und verschleife und so die Pracht des Tons erst recht eigentlich aus der niederen Sphäre des Animalischen befreie? Auch ein brüllender Stier zeige einen herrlichen Baß, sie, Sprecherin, habe noch keines Rindes Stimme vernommen, die nicht schöner gewesen wäre als jedes Menschen Stimme (hier lachte Rico ein wenig, was die Lehrerin indessen nicht beachtete), dennoch habe selbst prächtigstes Gebrüll mit dem, was Kunst sei, nichts gemein. Nicht einmal der liebliche Ge-

sang der Vögel, der uns an heiteren Frühlingsabenden so
innig ans Herz rühre (an dieser Stelle blickte Rico erstaunt Signora Tivaldis marmorne Züge an), nicht einmal
dieser könne ernsthaft mit dem verglichen werden, was
menschlicher Gesang, der auf vollendeter Meisterung
des Wortes beruhe, im Hörer hervorrufe. Darum, so
schloß sie, habe er dem Ton allein zu mißtrauen! Der Ton
sei ein Verführer und Betrüger, scharmant und gelegentlich
wohl flüchtig fesselnd, nie aber vermöge er Sänger und
Hörer zu der Einheit edler Ergriffenheit zu verbinden, um
derentwillen allein es sich lohne, seine Stimme zu erheben.

Es bleibt die Frage, ob Signora Tivaldi sich bewußt
gewesen ist, daß ihr Schüler nur das wenigste von dem,
was sie ihm da vortrug, begriff. Doch mit letzter Sicherheit war es nicht einmal deutlich, ob sie dies überhaupt
beabsichtigte. Obzwar nun der Inhalt ihres Kollegs zu
beträchtlichen Teilen ins Leere gesprochen wurde, ging
dennoch von diesen unpathetisch und kühl gehaltenen
Ausführungen eine eigentümliche Wirkung auf Errico
aus. Er konnte sich nicht verhehlen, daß sie ihn mit einer
besonderen Spannung erfüllten, aufhorchen machten auf
den spiegelnden Glanz ihrer Diktion und, ohne den Verstand im geringsten zu berühren, gleich wie durch eine
Hintertür in ihn eindrangen.

Man darf wohl annehmen, daß alles, was ihn damals ergriff, den Weg über das Gehör nahm, obwohl, wie wir
wissen, auch sein Auge schon geschärft war; doch diente
es wesentlich dazu, Abstand zu gewinnen zur verwirrenden
Welt der Erscheinungen und durch eine heitere Auslese
ihres Bestandes sich ihres Druckes zu entlasten. Das Gehör
hingegen hatte sich bei ihm zu einem Organ entwickelt, das
in unmittelbarem Kontakt mit der Seele stand. Bedrängte
ihn ein Übermaß der Gefühle, so war es ihm gemäß, über
ein Lied, eine Arie, oft nur eine selbsterfundene Melodie

hin ihnen ein Gefälle zu verschaffen und so wortlosen Ausdruck und gestaltloses Leben zu verleihen. Doch merkwürdigerweise war auch der umgekehrte Weg gangbar. Die glänzende Darlegung der gefürchteten Lehrerin übertrug sich selbsttätig über den komplizierten Mechanismus des Ohrs in einen Bezirk, der seelische Schwingungen hervorrief. Nicht ihre Stimme fesselte ihn, vielmehr mißfiel ihm an dieser eine gewisse glasharte und unbiegsame Tonarmut; nein, was sein Ohr entzückte, war die stakkatierende Zungenfertigkeit und rhythmische Eleganz einer Sprechkunst, die plastisch und mit virtuoser Sicherheit Bilder und Gedanken miteinander verknüpfte. Das war etwas Neues, das hatte er in seiner Umwelt nie vernommen. Jahre später, als er zum erstenmal das erregende Perlengeriesel von Bachs Wohltemperiertem Klavier kennenlernte, fühlte er sich dabei an Signora Tivaldis wohltemperierte und dennoch eigentümlich nervenerregende Wortbrillanz erinnert. Durch das Ohr sog er ihre Lehre in die Tiefen des Unbewußten ein, wo sie gehorsam ruhte, um zu gegebener Stunde erweckt zu werden.

So geschah es doch, daß bei aller entschiedenen Unlust, welche der eigentliche Lehrgang in ihm erzeugte, jedesmal, wenn er den Salotto mit den zahllosen entstaubten und in peinlicher Ordnung aufgestellten Gegenständen betrat, sich der Wunsch einstellte, die Dame möge wieder über seinen Kopf hinweg an die Stores vor dem Fenster eine ihrer Wortkoloraturen richten.

In dieser Stimmung zwischen Erwartung und Mißvergnügen hätten sich die Stunden bei Signora Tivaldi noch über manchen Monat hinziehen können. Da machte ein Vorgang, der auf den ersten Blick ohne große Bedeutung schien, ihnen ein überraschendes Ende.

Doch ehe wir von ihm sprechen, ist es nötig, gewisser Ereignisse Erwähnung zu tun, die ihm vorausgingen und recht eigentlich zum Anlaß des heillosen Zerwürfnisses zwischen Schüler und Lehrerin wurden.

Eines Nachmittags, als Rico von der Arbeitsstätte heimkehrte, wo er unter Leitung eines älteren Fachmannes nach allen Regeln dieses hygienischen Gewerbes einen öffentlichen Brunnen zu setzen hatte, fand er die Wohnungstür offen. Erstaunt trat er ein, ging in die Küche, die der Familie als Wohn- und Speiseraum diente, und sah seine Mutter auf den Steinfliesen ausgestreckt, einen zerbrochenen Krug mit verschütteter Milch neben sich.

Sekundenlang stand er wie gelähmt. Dann schrie er auf: „Mammina, Mammina, was ist dir?" Er versuchte, die magere kleine Gestalt fortzutragen. Es gelang ihm kaum, sie auch nur vom Boden aufzurichten. Und doch war es ihm sonst in Augenblicken aufwallender und stolzer Kindesliebe nicht schwergefallen, sie ohne viel Kraftaufwand in seine Arme zu schließen und emporzuheben. Diese steinerne Schwere und unheimliche Ruhe der Gestürzten erfüllte ihn mit Schrecken. Er schrie nach dem Vater. Niemand hörte ihn. Er mochte sich noch in der Fabrik befinden, und Giovanni, sein jüngerer Bruder, ein muskelstarker Junge, mußte wohl mit dem sechsjährigen Schwesterchen Assunta auf eine Besorgung geschickt worden sein. Die Wohnung war leer. Wieder lief er zitternd vor Angst, die Mutter könne tot sein, in die Küche zurück. Da sah er, daß sie sich auf den rechten Arm zu stützen versuchte, blutleer das Antlitz, den schmalen Mund in mühsamer Atmung geöffnet. Ihre Augen bemerkten das Entsetzen im Blick des Knaben. Sie lächelte. Er kniete nieder, brach in stummes Schluchzen aus und versuchte abermals, ihr aufzuhelfen. Es glückte, weil sie selber alle Kraft zusammennahm. Er führte sie zu ihrem Bett, auf das sie in neuerlicher Schwäche niederfiel.

Ihre magere Hand, die Ricos Finger furchtsam umklammert hielt, war kalt. Unter ihren Augen lagen bläuliche Schatten, das fleischlose Gesicht zeigte eine gelbliche Farbe. Er wollte zu Dr. Niola laufen, doch sie schlug die Augen auf, die übermäßig groß in dem wächsernen Antlitz brannten, und tastete nach seiner Hand. „Mir ist schon besser", flüsterte sie und zwang sich abermals ein Lächeln ab, das ihren Zügen einen rührend-verquälten Ausdruck gab. „Sag niemandem etwas ... hörst du? Ich glitt wohl nur aus ... hab keine Angst um mich."

Rico schluckte und wollte sprechen. Um seine Kehle lag ein Stahlring. Er konnte nicht einmal ein Tier leiden sehen, und dies war seine Mutter, sein heiligster und geheimster Besitz. Zum erstenmal erkannte er die unerbittlichen Runen, die das Leben ihr in Stirn, Schläfen und Wangen wie mit spitzem Messer geschnitten und zu Narben hatte gerinnen lassen, unergründliches und erhabenes Arabeskenwerk des Leids. Er beugte sich über die eingesunkene Schläfe und preßte seine Lippen auf das bläuliche Geäder. „Du darfst nicht sterben, Mammina", hauchte er, „ich ... bitte dich. Ich brauche dich noch so sehr."

Sie schüttelte langsam den Kopf: „Ich sterbe nicht, Rico. Ich darf ja noch nicht von dir gehen." Ihre Hand versuchte, ihm über den wirren schwarzen Haarschopf zu streichen. Leise sagte sie: „Heute nacht hast du im Traum gesungen ... die Heilige Jungfrau hat dir eine schöne Stimme gegeben."

Ricos Tränen flossen über die braunen Wangen. Er preßte sein Gesicht auf das Kissen. Ganz nah war es nun an dem der Mutter. Was sollte er ihr sagen? Sie hörte ja alles. „Du mein Kleiner", sprach sie, und sein Ohr spürte den matten Atem wie den Hauch aus eines Vogels Lunge, „du mußt sehr stark werden für dieses Leben ... und demütig vor Gott ... und nie verzagen. Ich höre dich, auch wenn ich nicht mehr da bin."

Sein schmaler Rücken zuckte.

Die Augen der Mutter starrten groß und dunkel über ihn hinweg in das dürftige Gemach und auf die alte geblümte Tapete, darauf in einfachem Rahmen zwei Gravuren hingen, die das Relief zweier schwebender Frauengestalten mit Engelsflügeln zeigten. Eins hieß „Der Tag" und das andere „Die Nacht". Der Tag schüttelte aus dem Füllhorn des Lebens Blumen, hell war des Engels Antlitz. Aber die Nacht hielt das Haupt gesenkt, und die Trauer der Unendlichkeit, in der alle Sonnen nur wie Lichtpunkte sich in Gottes schwarzem Raum verloren, wehte kühl aus ihrem Schleier auf sie herab.

Einmal wird der Engel herniederschweben und sie unter seinen Schleier nehmen und dorthin führen, wo es keine Schmerzen mehr gibt und keine Trauer, keinen Hunger und keine Angst. Sie wird ihn verlassen, den sie liebt, aber ihre Liebe wird ihn nicht verlassen. Dann erst wird sie ganz frei sein in ihrer hütenden Kraft und ihn davor bewahren, daß er sich verliert in Hochmut und in Sünde, den beiden Verführern aller Großen. Wie ein Licht wird sie vergehen. Vergehen, um zu leuchten aus seiner Stimme. Sie wird vergessen sein, wie es das Los aller Mütter ist, vergessen zu werden. Sterben im Kinde wird sie und wiederauferstehen in der Seele seiner Stimme.

So emporblickend zum Engel der Nacht, spürte sie sich wie Tau verdunsten, wenn langsam die Sonne emporsteigt über den Weinbergen. Spürte es dunkler werden in sich, wo doch der Tag schon die Vögel weckte und die Schiffer heimkehrten mit gefüllten Netzen. Wie gut und warm war dies Versinken im Licht, ohne Spur und ohne Namen.

Da war ihr, als schlüge eines Kindes Ruf an ihr Ohr. Ein Mund preßte sich auf ihren erkaltenden. Eine unsägliche Lust erfüllte sie. Die Augen öffnend, sah sie des Knaben

Gesicht dicht über dem ihren. Ganz nahe fühlte sie den warmen Hauch seines Lebens, der in sie einsank wie ein Lichtstrom. Wohin hatte sie fliehen wollen? Aller Glanz des Paradieses ist nur ein Funke gegen den Quell der Liebe aus eines Kindes Augen. Was fürchtest du den Werktag und die klappernde Mühle deiner Arbeit, solange einer da ist, für den du dich rühren kannst? Steh auf und geh an deine Pflicht! Bald wird der Vater heimkehren und fragen, wo die abendliche Minestra für ihn bereitet ist. Giovanni wird kommen und hungrig sein. Und Assunta muß ihre Milchsuppe haben.

Sie schrak auf, so heftig, daß Rico zusammenfuhr und sie anstarrte. Sie versuchte sogar, sich aufzurichten. „Rico", stieß sie heraus, „der Krug ist zerbrochen! Und die Milch... Vater darf es nicht wissen."

„Ich schaffe alles fort, Mammina! Niemand soll etwas erfahren. Ich kaufe auch einen neuen Krug. Ein Herr hat mir versprochen, daß er mir viel Geld zahlt, wenn ich für andere vor den Fenstern singe."

Er nickt ihr zu und läuft in die Küche. Ein Scheuertuch, wo ist es? Dort über dem Eimer. Er nimmt es und überlegt, ob er zuerst die Scherben auflesen und dann die Milch aufwischen soll. Oder umgekehrt? Da hört er etwas. Er lauscht. Ein Schlüssel wird ins Türschloß gesteckt. Der Vater ist gekommen.

Langsam, wie es seine Art war, öffnete Marcellino Caruso die Wohnungstür, drückte sie sorgfältig zu und begab sich in die Küche.

In der Tür blieb er stehen. Seine Augen sahen die Scherben, die ausgegossene Milch — sahen Errico, der bestrebt war, das Unglück mittels eines Scheuerlappens ins Nichtsein umzulügen.

Untersetzt und breitschultrig stand er da, auf dem Kopfe einen steifen Hut, den er meist auch in der Wohnung zu tragen pflegte. Rico blickte kurz auf und wischte weiter. Aber das Schweigen des Vaters beunruhigte ihn. Er blinzelte flüchtig nach ihm hin und bemerkte etwas Ungutes, Gefährliches. Des Vaters rechter Mundwinkel hob sich ein wenig, so daß unter dem seitlich abgebürsteten Schnurrbart der Eckzahn zu sehen war. Mit einem kurzen Ruck des Kopfes winkte er seinen Sohn heran. Dann hob er den Arm, holte aus und traf mit der Sicherheit eines geübten Schützen Ricos linke Wange.

„Das für die Scherben und die Milch", sagte er, machte kehrt und begab sich mit gelassenem Schritt ins Schlafzimmer.

Rico stand unbeweglich. Die Wange brannte beträchtlich, aber es war ein ehrenvoller Schmerz. Er horchte nach dem Schlafzimmer hin. Plötzlich hörte er abermals des Vaters Stimme, nun aber klagend aufgebäumt, fast als sänge er unrein ein Rezitativ. Gleich darauf kehrte er zurück und schrie ihn an: „Rasch, hol den Doktor! Bist du wahnsinnig, daß du Scherben sammelst, während nebenan deine Mutter ihre Seele aushaucht? Hast du kein Herz im Leibe?" Sein Hut saß schief, er machte den Eindruck eines reichlich verstörten Mannes. Einen etwas unwürdigen Eindruck, wie Rico feststellte, als er die Treppe hinunterflog.

Eine halbe Stunde später erschien Dr. Niola. Doch Anna war schon auf den Beinen und damit beschäftigt, der Familie das Abendessen zu bereiten. Giovanni und Assunta saßen auf der Bank am Küchentisch und machten Schulaufgaben. Assunta schrieb mit quietschendem Griffel auf einer Schiefertafel. Errico half der Mutter, angstvoll jeden ihrer Schritte überwachend. Dann läutete es, er rannte zur Tür und führte den Arzt in die Küche.

„Buona sera" (guten Abend), sagte Dr. Niola mit seiner freundlichen warmen Stimme, reichte Frau Caruso die Hand, hielt sie fest und fühlte nach ihrem Puls. Er nickte mehrmals,

als wolle er andeuten, daß er sich das alles so und nicht anders gedacht habe, ließ auch das magere Gelenk gar nicht erst los, sondern führte sie mit sanfter Gewalt ins Schlafzimmer. „Und wenn Sie aufstehen, ehe ich es erlaubt habe, komme ich nie wieder in Ihr Haus", sagte er, setzte sich auf den Rand des Bettes und holte das Hörrohr aus einer Tasche seines Gehrocks.

Marcellino Caruso hockte derweil in einem Winkel des Salotto — so nannte er den ärmlichen Raum, in dem ein paar altmodische Plüschmöbel um einen Tisch standen und Errico zu schlafen pflegte —, die Ellenbogen auf die Knie und den Kopf in die Hände gestützt, saß er so da und verwünschte sein Schicksal, das es darauf angelegt hatte, ihn mit Sorgen und Ängsten zu peinigen.

Als der Arzt zu ihm trat, erhob er sich und sah ihn mit aufgerissenen Augen an. Er machte einen bemitleidenswerten und kläglichen Eindruck, verwühlt die Haare, zerdrückt der Bart, der Mund angstvoll geöffnet.

Dr. Niola nahm seinen Stock, den er auf den Tisch gelegt hatte, an sich, hob ihn in Gesichtshöhe und drückte das bärtige Kinn auf den Griff. Er ließ einen insektenhaften Brummton vernehmen, berührte danach mit der Elfenbeinkrücke leicht die Schulter des ramponierten Mannes und sagte, daß er morgen wiederkommen werde. Bis dahin habe die Kranke das Bett nicht zu verlassen. Im folgenden gab er einen kurzen Bericht über den Zustand Frau Carusos und nannte ihn ernst, jawohl ernst, er halte es für seine Pflicht, dem Gatten nichts vorzuspiegeln.

Der Mann heulte kurz auf und hob sogar die Arme etwas empor, als wolle er einen Ball auffangen, den man ihm zugeworfen. Seine linke Hose hatte sich in den Schnürstiefel geklemmt, was sein kümmerliches Aussehen noch verstärkte, gleich als nähme auch seine Garderobe Anteil am Schmerz, den er empfand.

Dr. Niola betrachtete ihn mit einer Mischung aus Abneigung und Mitleid: er war ein tüchtiger Arbeiter, fleißig und strebsam, aber seine Nerven hielten nicht viel aus. Über die engen Grenzen seines Tätigkeitsfeldes hatte er nie den Blick erheben können. Er hing mit allen Fasern an der Familie, bereit zu persönlichen Opfern und jeder Entbehrung, doch dafür verlangte er vom Schicksal, daß es ihn mit vulkanischen Eruptionen verschone, denn es war ihm durchaus versagt, vor unvorhergesehenen Ereignissen Entschlußkraft oder Ruhe zu beweisen.

Wie nun der Arzt sagte, daß er morgen wiederkommen werde, schien ihm dies nicht nur ein Anzeichen drohender Gefahr, sondern auch pekuniär von Übel zu sein. Ein Arzt kostet Geld, Krankheit kostet Geld, man arbeitet den ganzen Tag und verdient so wenig, auch was Errico heimbrachte, reichte knapp aus, um das Notwendigste zu bestreiten; ach, warum wurde gerade ihm diese Sorge aufgebürdet, gerade ihm!

„Was soll werden, wenn sie stirbt?" fragte er mit gequältem Gesichtsausdruck den Arzt. Er hob drei Finger seiner rechten Hand und rief: „Drei unmündige Kinder, die von meiner Hände Arbeit ernährt werden müssen! Dazu das Begräbnis mit seinen Kosten! Und ich? Wer denkt noch an mich? Was soll ich tun ohne die Gefährtin meines Lebens? Wie soll ich es ertragen?"

Er drehte sich zum Fenster, damit der andere nicht die Tränen in seinen Augen sähe. Schlechte Nerven, was soll man machen! Schließlich hat man ein Herz in der Brust, ein fühlendes, von der Umwelt verkanntes und rücksichtslos getretenes Herz. Besser wär's, man hätte einen Stein im Busen.

Der Mann litt, wer wollte es abstreiten! Er schluckte die Tränen auf, schämte sich ihrer ein wenig und wünschte zu gleicher Zeit, der Arzt möge gerührt daran erkennen, wie innig er an der Kranken hing, vielleicht würde er dann seine

Rechnung ein wenig herunterschrauben. Diese Rechnung! Er fürchtete sie schon lange. Bereits seit gut zwei Jahren hatte der Doktor keine geschickt und war doch häufig erschienen, um nach seinem Weibe zu schauen. Und morgen wollte er wiederkommen! Gewiß, es war höchst wünschenswert, daß er käme, doch eines Tages würde er, Marcellino Caruso, dies alles bezahlen müssen. Ob er wohl beiläufig danach fragen sollte, was so ein Besuch koste? Nur, um Klarheit zu haben? Besser nicht. Man fragt nicht nach Rechnungen. Es kommt ja wohl auch einmal vor, daß es vergessen wird, eine solche auszustellen.

Dr. Niola klopfte mit seinem Stock auf den Steinboden und versetzte, man müsse nicht gleich das Ärgste befürchten. Gewiß, früher als er würde sie gewiß sterben. Doch wenn er seine Frau am Leben zu erhalten wünsche, so werde er darauf achten müssen, daß sie viel Ruhe habe, körperlich und seelisch. „Lieber Freund", fuhr er fort und berührte mit dem Griff seines Spazierstockes den Rücken des Mannes, „lieber Freund, glaubt mir: einundzwanzig Kinder saugen die Kraft aus dem Leibe einer Frau! Ihr habt daran nicht gedacht und wohl auch nicht überlegt, daß des Mannes Vergnügen nicht von ihm, sondern von seiner Frau bezahlt werden muß."

Errico trat ins Zimmer. Dr. Niola wandte sich nach ihm um und fragte: „Wann wird man den jungen Künstler wieder einmal in der Kirche hören? Die Maiandachten stehen vor der Tür. Da gibt es sicher viel Ruhm für unsereinen?"

Der Knabe hob die ernsten Augen zum Arzte auf, bemüht, in tadelfreiem Italienisch eine präzise Antwort zu geben, die Signora Tivaldi mit Befriedigung erfüllt hätte. Da drehte sich sein Vater um. Abwehrend und beschwörend zugleich hob er beide Handflächen Dr. Niola entgegen und blickte ihn wortlos an.

Der Arzt verstand die Geste. Er lächelte sardonisch, spreizte kurz die linke Hand, klappte sie wieder zusammen und sagte: „Va bene." Danach schürzte er mokant die bärtigen Lippen und drehte sich zur Tür, als wolle er gehen. Dabei fiel sein Auge auf Errico, der die stumme Szene begriffen und mit seinem liebenswürdig-ironischen Emporziehen des rechten Mundwinkels begleitet hatte. Beide blickten einander in die Augen. Die des Arztes hinter der Brille hatten einen bohrenden Ausdruck, gleichsam als senke er an langem Strick ein Gefäß in den Brunnen seiner Seele und höbe es wieder empor, um zu sehen, ob das Wasser in ihm klar sei. Errico fröstelte ein wenig unter diesem Blick, aber er hielt ihn aus. Die blanken Kohlen seiner Iris starrten in die großen und gütigen Züge des Mannes, der ihm in diesen Sekunden etwas befahl, für das es keine Worte gab. Der Arzt nickte, als sei er befriedigt, und gab dem Knaben einen Wink, ihn mit dem Vater allein zu lassen.

„Wie alt ist er jetzt?" fragte er, als Errico sie verlassen hatte.

„Fünfzehn Jahre, Dottore! Er könnte in der Fabrik meines Brotgebers eine Stellung finden, aus deren Erlös seinem Vater eine spürbare, eine nur allzu notwendige Hilfe zuflösse."

Dr. Niola schaute auf einen Öldruck, der in vielfach gekerbtem Holzrahmen über dem steifen, mit schadhaftem rotem Samt überzogenen Sofa hing. „So, so", sagte er, „fünfzehn Jahre. Dann wird er wohl bald Stimmwechsel haben." Er hatte die Betrachtung des Buntdruckes beendet, drehte den Kopf gegen das Fenster, vor dem immer noch Marcellino Caruso lehnte, und sagte: „So ein Stimmwechsel zerbricht die Schale; doch dann weiß man auch, was darunter gewachsen ist."

„Und wenn nichts darunter ist?"

usos Geburtshaus in der Via San Giovanello agli Otto Calli Nr. 7 in Neapel

Carusos Villa Bellosguardo in Florenz

Neapel, die Geburtsstadt

New York, der Schauplatz vieler Triumphe Carusos

Die Brillengläser blitzten zum Fenster hin. „Macht Euch keine Hoffnungen, Caruso. Der Vogel stößt sich aus dem Ei, und er wird fliegen. Auch wenn das Nest ihm keine Wärme gibt. Er wird dann eben fortfliegen und nicht mehr zurückschauen."

Marcellino bemühte sich, die dunklen Worte zu verstehen. Sie klangen nicht gut. Etwas Abschätziges lag in ihnen, etwas Feindliches. „Und wovon sollen wir leben?" fragte er gepreßt. „Rico ist jetzt der Älteste. Des Vaters Stütze und der Erzieher seiner Geschwister, wenn einst die Mutter nicht mehr sein wird — was die Jungfrau und alle Heiligen verhüten mögen!" setzte er sich bekreuzigend hinzu. „Ist es nicht seine Pflicht, daran zu denken? Und nur daran? Dottore", er legte den Kopf fast bittend auf die Seite und preßte seine Rechte auf die Brust, „sagen Sie selber: singen nicht alle hier? In jeder Straße? Vor den Cafés, auf der Piazza, im Fischerboot? Dottore, was ist schon eine schöne Stimme!"

Niola fuhr sich mit der Hand über das Gesicht, als wolle er die Spur dieser Worte fortwischen. Er blickte über des Mannes Kopf zum Fenster hinaus auf die mit Wäsche behängten Balkons des gegenüberliegenden Hauses und sagte langsam:

> „,O Vaterland des Undanks. Dir zum Schaden
> hast du ihn ausgestoßen. Du, das stets
> die Besten mit dem schwersten Schmerz beladen!'

Vielleicht habt Ihr etwas von Michelangelo gehört, dem größten Bildhauer der Welt? Er besang mit diesen Versen einen nicht minder Großen, den Florenz ausgestoßen und zu lebenslänglicher Wanderschaft verdammt hatte. Auch dieser ein Sänger, wenn auch keiner, dessen Kunst im Goldglanz der Kehle lag. Doch es bleibt ein ewiger Makel auf dem Schilde der Stadt Florenz, daß es Dantes Größe verkannt hatte." Er machte eine Pause und richtete den Blick auf den Bewegungslosen am Fenster. „Seht", sagte er, „ich würde Euch manches nachsehen, wenn Ihr in Kapstadt lebtet oder bei den Diamantengräbern in Johannesburg. Aber von einem Neapolitaner verlange ich, daß er sich der Verpflichtung bewußt ist, die darin liegt, auf diesem heiligen Boden leben zu dürfen. Dem Manne in Kapstadt ist es erlaubt, taub zu sein. Ihr habt zu hören! Und wer nicht hört, den trifft ... nicht der Spott seiner Zeit — der gilt wenig —, sondern die Schande der Nachwelt, und davor sollte man sich fürchten. Da geht Ihr nun durch Eure Straßen und Gassen und findet nichts an ihnen. Recht habt Ihr, sie sind häßlich. Unsere Stadt ist arm, aber Ihr solltet zu stolz sein, um diese Armut zur Schau zu tragen, denn Euer Reichtum sind nicht Diamantenfelder, sondern was aus den Tiefen pocht und atmet und in Eurem Blute lebt und wortlos singt: der Adel einer gewaltigen Geschichte. Merkt Euch, Caruso: unser Ich ist nur die Spitze eines Berges, der aus dem Meere ragt und versinken würde in seinen Wogen, wenn der Fuß nicht wäre, der unsichtbar bis zum Grunde reicht. Geschichtlicher Boden ist eine Verpflichtung, mein Freund! Ihr nickt. Ihr wißt darum? Ach, was Ihr schon Wissen nennt! Ich kenne das. Ja, bei Jubiläumsfeiern, wenn es Euch mit Reden und Trompeten in die Ohren geblasen wird. Aber Ihr lebt nicht in diesem Wissen. Ihr sagt voller Verachtung, daß die Männer und Frauen dieser Stadt in jeder Straße singen und daß davon nicht viel Aufhebens und damit nicht viel Geld zu machen sei. Wißt Ihr aber, was es bedeutet? Es bedeutet, daß Gott Euch die Gnade der Stimme gab und dieser Stimme die sanfte und tragende Luft, die den Ton schweben macht, als habe er die Schwingen eines Falken. Oh, des Orpheus Stimme ist den wenigsten verliehen. Millionen mußten gesungen haben, damit einer die Sehnsucht dieser Millionen aus seiner Kehle strömen ließ. Aber Millionen mußten auch ergriffen sein von der Liebe zum Gesang, damit einer die Welt durch ihn ergreifen konnte."

Er hob den großen Kopf und sprach mit tiefer Bewegung, langsam und fast singend die Verse:

„,Mich, den Vergil, der so kühnlich die Lieder von Bäumen und Hirten
knabenverspielt einst verkündet, beschützte indessen die süße
Meerstadt Neapel, umhegt von erlauchter, doch ruhmloser Muse.'

So dichtete einst einer der größten, die Italiens Erde geboren. Hier lebte er, Freund Caruso", Niola klopfte mit dem Stock auf den Fußboden, als habe Vergil in dem gleichen Raume mit ihnen seine Verse gedichtet, „hier, in dieser Meerstadt, die er ruhmlos nannte, die nun aber groß und ruhmvoll geworden ist in der Welt durch ihre Geschichte und durch die Männer, welche mit ihrem Leben diese Geschichte schufen. Und so, wie sie Vergil beschützte, die süße Meerstadt, so habt Ihr den zu beschützen, den Gott Euch ins Nest legte, den jungen Vogel, für dessen Stimme Euer Ohr taub ist. Dixi. Ich habe gesprochen. Nun tut, was Ihr wollt."

Fast ärgerlich über sich selber und seine sonderbare lange Rede, winkte er heftig ab, drehte sich um, suchte mit den kurzsichtigen Augen nach seinem Hute, fand ihn und wandte sich zur Tür.

Marcellinos Blick starrte ihm nach. Leise und stockend fragte er: „Sie glauben, Dottore, daß mein Sohn einst ein großer Sänger werden wird?"

Hart kamen Dr. Niolas Worte zurück: „Euer Sohn? Ich weiß es nicht. Lebt wohl." Er nickte kurz und verließ das Zimmer.

Die Straßen zeigten die vertraute und unentrinnbare Menschenfülle eines Frühlingsnachmittags in Neapel. Die Handwerker klopften und nagelten, wo dies irgend möglich, ihre Reifen und Schuhe im Freien, die Cafés hatten Tische hinausgestellt, die Friseure rasierten ihre Kunden bei offener Ladentür, und wer nichts zu tun hatte, stand herum und stritt aus Freude am Wohlklang erregter Rede mit dem reichen Gebärdenspiel der Menschen, die schon vor zweitausend Jahren diese fruchtbare und vulkanische Erde bewohnt hatten. Über den kahlen Häuserfassaden, zwischen denen in Gassen und Gäßchen die bunte Wäsche wie Banner und Fahnen hing, stand bewegungslos der kobaltblaue Frühlingshimmel. Er tat, was er konnte, um den beschäftigten Leuten den Eindruck eines freundlichen Tages zu vermitteln, doch blieb er von den meisten unbeachtet.

Selbst Rico, der sonst gern Gelegenheit nahm, stehenzubleiben, um sich an etwas Schönem zu erfreuen, bemerkte nichts von ihm, zumal ein Konzert von Gerüchen gerade die Gasse durchzog, in die er einbog. Ein Gerber lud eine Menge von Häuten aus einem Wagen. Daneben war ein Betrieb, der sich mit der Herstellung von Olivenöl befaßte und einen übelduftenden Absud in breitem bräunlichem Rinnsal dorthin abfließen ließ, wo man in Neapel alles hingoß, dessen man nicht mehr bedurfte. Außerdem mußte jemand Lumpen in der Nähe verbrennen, man sah es nicht, aber eine nicht völlig ertötete Nase konnte es wahrnehmen.

Und nun stand er vor dem Eckhaus, in dem Herr Proboscide wohnte. Es war ein langes, unschönes, gleichsam mager in die Höhe geschossenes Gebäude, kein Palazzo. Neben der Eingangstür bemerkte er ein leicht beschädigtes Porzellanschild:

Luigi Gregorio Proboscide
Agenzia
Mediazioni. Consiglii. III Piano

Also das ist er! Vermittlungen, Beratungen ... nun, das
klang vertrauenerweckend. Rico hob den Kopf, schaute die
Fassade empor, deren abgeblätterte Farbe an einen Gorgonzola erinnerte, spie kunstvoll aus und ging hinein.

Langsam stieg er die schmale Steintreppe hinauf. Es
roch auch hier, und zwar nach angebrannter Milch. Das
erinnerte ihn wieder an den zerbrochenen Topf und schien
ihm ein gutes Vorzeichen zu sein. Er hatte sich daran gewöhnt, seine Wege von „Vorzeichen" begleiten zu lassen,
kleine Fragen ans Schicksal zu stellen, die manchmal gut,
manchmal schlecht ausfielen. Es war immerhin eine Hilfe
in dem undurchsichtigen Gestrüpp des Lebens. Wenn er
zum Beispiel zu Signora Tivaldi ging und während des
ganzen Weges keine Katze sah, war dies ein gutes Vorzeichen. Da es nun in Neapel viele Katzen gab, hatte er
aus eigener priesterlicher Vollmacht die Schicksalsfrage
dahin eingeschränkt, daß es eine schwarze Katze sein
mußte. Saß aber die schwarze Katze nur an einer Haustür und rührte sich nicht, so ging die Stunde weder schlecht
noch gut aus. Lief sie ihm über den Weg, so hätte er am
besten gleich wieder umkehren können, dann war nichts
zu hoffen. Eine andere Frage ans Schicksal war das Atem-
anhalten. Gelang es ihm, bei ruhigem Gang bis zur nächsten
Straßenecke durchzuhalten, ohne zu atmen (ausatmen
durfte er), so war dies gut, andernfalls übel. Auch das
Überspringen von Treppenstufen gehörte hierher. Eine
bestimmte Treppe mußte mit einer bestimmten ganz geringen Anzahl von Schritten genommen werden. Er hatte
es auf diesem Gebiete zu einer ungewöhnlichen Schritt-
und Sprungtechnik gebracht, die oft das Erstaunen von
Passanten hervorrief.

Dieser verspielte und bubenhaft-wurstige Aberglaube ermangelte natürlich jeder Logik, was Rico gelegentlich bemerkte, ohne darum von ihm abzulassen. Daß er ihn dennoch einer vergleichsweise niederen Sphäre der menschlichen Geistigkeit zuwies, ergab sich aus folgendem: nie nahm er zu solchen kleinmystischen Alfanzereien seine Zuflucht, wenn es sich um Ernstes handelte, um etwas, das ihm ans Herz griff. In den letzten Jahren, da seine Mutter häufiger erkrankte und der aufgeregte Vater dann sogleich den Sensenmann im Schatten des Zimmers stehen sah, empfand Rico die Notwendigkeit, aus eigener Kraft etwas zu tun, was das Unheil abwenden könnte. Er lief in eine nahe Kirche, deren weihrauchduftende Kühle seine erregten Sinne wunderlich beruhigte, kniete nieder und betete zäh und inbrünstig zur Madonna, sie möge kraft ihres Einflusses bei Gott verhindern, daß man Mammina jetzt schon zu ihm riefe. Alle bedürften ihrer dringlich hier auf Erden, und wenn sie nur leben bleibe, wolle auch er gern etwas opfern, zum Beispiel krank werden oder sogar sterben, falls dies erforderlich und wünschenswert sei.

Doch auch, wenn er sich zu den Choraufführungen des Paters Bronzetti begab und sein Herz beunruhigt klopfte, ob es ihm wohl gelingen werde, die schwierige Solostelle sauber und schön zu singen, auch dann nahm er nie zu den billigen Gassenorakeln: Katzen, Treppenspringen oder Atemgymnastik, seine Zuflucht, sondern tat etwas anderes: er schloß die Lider bis auf einen Spalt und gab sich Mühe, lautlos nach innen zu singen, und zwar nicht das, was er später laut herauszusingen hatte, sondern eine eigene und nur von ihm verstandene Musik, mag auch gerade dies Wort hier fehl am Platze sein, da es nun einmal vom Akustischen nicht zu trennen ist. Dennoch war es „Musik", und sogar eine nahezu engelhafte, ätherisch-lautlose, transzendente Musik, die sein überscharfes Ohr mit allen Schwingungen vernahm und die nicht seine Kehle, sondern seine Seele in den schweigenden Dom des eigensten Selbst hineinsang.

Von alledem hatte er zu niemandem gesprochen und wäre auch außerstande gewesen, es zu tun. Weder von den glühendtropfenden Gebeten für der Mutter Leben noch von dem Goldgeäder lautloser Töne, das er ins Schattenreich seines Innern verströmen ließ. Dagegen versuchte er sowohl seinen Bruder Giovanni wie auch Giovanni Palma und wen immer er sonst seinem Freundeskreise zuzählte, von der Zweckmäßigkeit des Gassenaberglaubens zu überzeugen. Es gelang ihm in hervorragendem Maße, Proselyten zu machen. Giovanni Palma zum Beispiel war, ehe er seine Abschlußprüfung in der Schule bestand, das Treppengeländer hinuntergerutscht, und dies, ohne sich den Steiß zu zerschlagen, worin er ein gutes Omen sah. Es trog ihn nicht, er bestand das Examen.

Weil es nun in dem Treppenhause des Vico Colonne Cariati 33 nach angebrannter Milch roch, sagte sich Errico, daß hier fraglos eine glückverheißende Beziehung zwischen dem auf so traurige Weise zerbrochenen Milchtopf und seinem Entschluß, zu Herrn Proboscide zu gehen, bestehen müsse. Während er seine Füße munter in Bewegung setzte, bemerkte er sowohl auf dem ersten wie auf dem zweiten Treppenabsatz ein Schild, auf dem ein schräg stehender Pfeil den etwa noch Zögernden weiter empor zur Agenzia wies. Schließlich stand er vor der Tür und läutete.

Niemand öffnete.

Zögernd läutete er ein zweites Mal. Schweigen.

Sollte er die angebrannte Milch falsch gedeutet haben? Schon wollte er sich wieder zur Treppe wenden, da vernahm er Schritte hinter der Tür. Sie wurde aufgeschlossen, und eine Frau erschien, eine breithüftige Dame, grauhaarig, eine Haube auf dem Kopfe, mit freundlichen Hängebacken und sanften Augen.

Auf seine schüchterne Frage nach Herrn Proboscide ließ sie ihn in gedämpftem, fast röchelndem Tonfall wissen, daß Herr Proboscide krank sei.

Krank?

Ja. Um was es sich handle?

Errico gab Bescheid: er sei auf den Wunsch von Herrn Proboscide gekommen, der ihm seine Adresse gegeben habe. Er wies die Karte vor, welche der Herr ihm am Sonntag auf der Via Partenope in die Hand gedrückt hatte.

Die Matrone schien sich für die Karte wenig zu interessieren, doch in Ricos Gesicht lag etwas, das sie veranlaßte, ihn einzulassen. Er möge hier warten, sagte sie, sie wolle Herrn Proboscide Mitteilung machen. Sein Name?

Caruso, Errico Caruso.

Sie ließ ihn stehen und kam nach einer Weile mit dem geröchelten Bescheid wieder, daß Herr Proboscide ihn zu sehen wünsche.

Rico trat in ein Zimmer, das auf den ersten Blick sich durch seine gigantische Unordnung empfahl. An den Wänden standen Regale, vollgestopft mit Akten, Büchern, gebündelten Faszikeln. Auf mehreren Sesseln und einem großen, gegen das Fenster zu gestellten Tische lagen ebenfalls Schriften, Briefe, Bücher, Aktendeckel, Papiere und Zeitungen. Nicht viel besser sah es mit dem Rundtisch aus, der zwischen den Sesseln stand: er war bedeckt mit Zeitschriften, dickleibigen Bänden und Mappen, von denen eine geöffnet war und Photographien herausquellen ließ.

„Nicu Carusiello!" rief ihn eine schwache, tonarme und verschleimte Stimme an. Sie rief aus einem als Bett hergerichteten Diwan an der Schmalseite des Zimmers. Rico drehte sich um und erkannte Herrn Proboscide. Vielmehr, er konnte ihn darum erkennen, weil er wußte, daß er es war, denn zweifellos bestand zwischen der ansprechenden Eleganz sowie dem klingenden Organ jenes Herrn, der ihn auf der Via Partenope angeredet hatte, und dem Manne, der bresthaft und brüchig zwischen getürmten Kissen lag, ein auffallender Unterschied. Ja, dieser war krank, man sah es an der ergreifenden Haltung, mit der er beide Arme dem Eintretenden entgegenstreckte. Man sah es an dem Nachttisch, auf dem ein Fieberthermometer lag und Medizinflaschen, Tropfengläser, sogar eine halbausgetrunkene, gelblichen Krankentee enthaltende Tasse samt einer mit schwärzlichen Cachous gefüllten Blechschachtel herumstanden. Man sah es nicht zuletzt an Herrn Proboscides schlechter Rasur: ein weißes Stoppelfeld bedeckte Kinn und Hals. Der Hals stak in einem Umschlag, dem man es wohl vor allem zuschreiben mußte, daß sich Rico eines höchst bejammernswerten Eindrucks nicht erwehren konnte. Auch die Dame, welche ihn eingelassen, zeigte, kaum daß sie des Kranken ansichtig geworden, eine welke, säuerliche Kummermiene. Ihr dickes Kinn, das wie ein Polster zwischen den Hängebacken lag, krauste sich, als werde sie sogleich weinen müssen. „Ecco, giovanotto! So siehst du mich wieder!" bellte Herr Proboscide mit der Stimme eines heiseren Hundes. Er zog ihn heran und nötigte ihn, auf einem Stuhl am Bette Platz zu nehmen. „Catarro!" rief er dumpf. „Sono catarroso catastroficamente io! Mein Katarrh ist eine Katastrophe! Ein Mann wie ich, giovanotto, dem vierundzwanzig Stunden des Tages zu wenig sind, um die Fülle der Arbeit zu leisten! Da liege ich und werde vielleicht nie mehr aufstehen. In meinen Jahren, junger Mann, ist ein Katarrh von diesem Range nicht ungefährlich. Ich habe Fieber." Er hob den Kopf zur Matrone am Fußende des Bettes: „Sprich, Schwester, wieviel Temperatur hast du um sechs gemessen?"

„37,8", gab die graue Dame mit geborstenem Flüstern kund.

„37,8!" wiederholte Herr Proboscide. „Das ist soviel

wie 38,7, wenn man in Betracht zieht, daß ich kein Jüngling mehr bin, dessen Blut heiß durch die Adern läuft."

Rico merkte, daß Herrn Proboscides Organ durch den von ihm angestimmten Klagegesang sichtlich freier wurde. Er räusperte sich mit einem wasserfallähnlichen Geräusch und spie in ein zu diesem Behufe sich im Nachtschrank befindliches Gefäß, das die entsetzte Schwester ihm beflissen reichte. Nach dieser Unterbrechung machte er eine stumme Gebärde, als wollte er sagen: Da hast du es! So steht es mit mir! Er öffnete den Mund und blies ein paarmal rauh den Atem aus, klopfte mit dem Mittelfinger der Rechten auf die Stelle des Nachthemds, welche seine Brust bedeckte, und sah mit erhobenen Stirnfalten zu seiner Schwester auf, die den Blick mit stummem Nicken erwiderte.

„Catarro!" hauchte er und nickte auch seinerseits gottergeben. „Un catarro febbrile, junger Freund. Er will nicht weichen. Seit drei Tagen liege ich, nicht unähnlich einem morschen Brett, den Blick auf die Arbeit gerichtet, welche nach mir schreit. Denn alle kommen zu Luigi Gregorio Proboscide, alle, die Rat brauchen, Rechtshilfe, neue Ideen, praktische Vorschläge, Kredite. Sie kommen, und ich helfe ihnen."

Rico wußte nicht recht, warum er noch hier saß und die tremulierende Leidensarie des katarrhalischen Mannes anhörte. Er gedachte seiner Mutter, die schweigend sich erhoben hatte, um den Ihren das Abendessen zu bereiten. Sein Blick ging abschätzig im Zimmer umher, dessen unbegreifliche Papierfülle ihn fremdartig und bedrückend berührte, und blieb an einer Wanduhr hängen, deren eifriger Pendel im schmalen Glaskasten hin und her schwang. Wie? Schon zehn Minuten nach sieben? Er schrak zusammen. Um halb acht hatte er bei Signora Tivaldi anzutreten. Verwirrt erhob er sich und stotterte, daß er gehen müsse.

Nichts da! Herr Proboscide griff mit einer Gelenkigkeit, die für einen Kranken bemerkenswert war, nach seiner Hand, drückte ihn auf den Stuhl zurück und befahl ihm zu bleiben. Er sei ja eben erst gekommen! Außerdem wolle er sein Repertoire kennen, die Lieder, welche er singe, müsse sein Alter wissen, seine Wohnung, Namen und Beruf des Vaters. Für dies alles sei auf der Stelle ein Akt anzulegen, dessen Deckel den Namen „Caruso" zieren werde. „Reich mir Papier, Teresa", wandte er sich eifrig an die Schwester, „Papier und Bleistift, damit ich vorerst das Nötige vermerke. Dieser junge Mann hat eine Stimme — es ist noch die eines Knaben, aber ein Proboscide versteht sich auf Stimmen, und wenn nicht alles trügt, wird er durch meine Vermittlung sehr bald die Aufmerksamkeit meines Freundes Cavaliere Pandolfo finden, von dem heute noch zu schweigen ich für geboten erachte, da Carusiello ja seine Feuertaufe noch nicht bestanden hat."

Da kroch es wie Stolz in Rico empor. Er sah den kranken Mann mit seinem Kohlenblick von unten an und sagte mit Nachdruck: „Ich bin erster Kontra-Altist in Pater Bronzettis Chor."

„Accidenti!" rief Proboscide mit volltönendem und von keinem Katarrh getrübtem Organ. „Alle Wetter! Das läßt sich hören. Rasch einen Akt anlegen." Knapp und genau stellte er Frage auf Frage, notierte und schaute nur interessiert auf, als seine Schwester das Zimmer verließ.

Er schob das Blatt beiseite und den Bleistift geübt hinter das Ohr, so daß er im dichten Grauhaar wie in einem Futteral steckenblieb, lächelte verschmitzt und sagte, sich die Hände reibend: „Carusiello, mein Freund, ich beglückwünsche dich dazu, daß du den Weg zu Gregorio Proboscide gefunden hast. Er wird dich rufen, wenn es an der Zeit ist. Doch jetzt —", er lauschte, ob wohl die milde Schwester sich dem Zimmer nähere, schüttelte befriedigt den Kopf und griff nach einem Fiasco, der bauchig und halb geleert hinter dem Nachtschrank stand. „Doch jetzt laß uns eins trinken, giovanotto! Ein volles Glas auf gute Gesundheit." Seltsamerweise und wie durch Zauberspruch war auch ein Glas zur Stelle. Er füllte es bis zum Rande und reichte es Rico. Der sah mit verlegenem Schreck auf das Glas und zögerte.

„Du mußt zuerst trinken, damit ich dich nicht anstecke. Trink schnell, mein Sohn, tu mir die Liebe."

Rico nahm einen zögernden Schluck.

„Das ist alles?" fragte Proboscide gekränkt. „Schmeckt dir der Wein nicht? Er ist vorzüglich. Am Vesuv gewachsen, auf Lavaboden, herb und süß zugleich, ein Tropfen, der gesund und froh macht." Rico trank mutig und reichte das halbgeleerte Glas zurück: „Danke, Signor Proboscide, aber ich darf nicht mehr trinken, ich habe noch eine Stunde bei Signora Tivaldi."

Proboscide, der abermals das Glas füllen wollte, hielt mit angewidertem Gesichtsausdruck jäh inne. „Amelia Tivaldi? So so!" Er hob die Brauen empor, daß tiefe Faltengräben auf der Stirn erschienen, lächelte höhnisch und ließ den Wein glucksend in das Glas rinnen. Dann goß er ihn durstig die Kehle hinunter und fuhr, ächzend die Luft ausblasend, fort: „Grüße sie von mir, deine Signora Tivaldi, und sage ihr, sie sei eine Stopfgans. Oder auch eine Essiggurke! Ich überlasse dir die Auswahl." Er füllte nunmehr das Glas mit auffälliger Eile zum drittenmal, trank es wieder leer und versetzte nach kurzem Aufstoßen: „Ich kenne die Dame, und sie kennt mich. Genug von ihr! Also zu der gehst du? Trink noch ein Glas, junger Freund! Nein? Warum nicht? Nun denn, so laß es. Was aber Signora Tivaldi betrifft, so will ich dir nur verraten, daß sie von Stimmen so viel versteht wie ein altes Huhn von Giuseppe Verdi. Ich habe mit Bedacht ein altes Huhn gesagt, denn ein solches ist außerstande, noch etwas hinzuzulernen."

Im Vorzimmer hatte es geläutet. Er unterbrach sich, lauschte und ließ wiederum mit der Fixigkeit eines Illusionisten Fiasco und Glas verschwinden.

Errico erhob sich. Der Wein war ihm etwas in den Kopf gestiegen. Die Uhr zeigte halb acht. Was kann man tun? Die Katastrophe war nicht mehr abzuwenden. Er warf einen Blick auf Herrn Proboscide. Sein Gesicht sah rot und angeregt aus, auch seine Stimme schien aus dem Weingenuß Nutzen gezogen zu haben. Sie zeigte einen vollen und nahezu gesunden Ton.

Aus unerfindlichem Grunde griff Herr Proboscide trotzdem nach der Schachtel mit den schwärzlichen Cachous, bot Rico an und nahm selbst eins auf die Zunge, vielleicht weil er fürchten mochte, daß sein Atem mehr vom Wein verraten könnte, als ihm angenehm war. Sie hinterließen einen erfrischenden Geschmack von Lakritze und Menthol. Rico merkte plötzlich, wie hungrig er war und daß der Wein ihn ganz dumm gemacht hatte. Ob er wohl noch ein paar von den schwarzen Pastillen, die den Mund so angenehm ausputzten, erbitten durfte? Nein, das durfte er nicht. Außerdem mußte er jetzt wirklich daran denken, sich davonzumachen. Es war allerhöchste Zeit.

Abermals wurde diese vernünftige Absicht durchkreuzt. Zugleich mit Herrn Proboscides Schwester war eine junge Dame ins Zimmer geschwebt. In hellem Kostüm, mit Blumenhut und perlgrauer Straußenfederboa, verbreitete sie binnen weniger Sekunden den belebenden Duft von frischen Maiglöckchen. Als sie des bettlägerigen Mannes mit seinem undekorativen Halsschmuck ansichtig wurde, zeigte ihr Antlitz die Bestürzung eines Schutzengels, der nicht sorgfältig genug aufgepaßt hat. Eine blonde Lockensträhne quoll ihr, sicher ohne daß sie es wußte, in lieblicher

Unordnung unter dem Hutrande hervor. Sie riß den roten Mund auf, so daß man einen hellen Aufschrei vermuten konnte, doch statt dessen schüttelte sie nur den Kopf und sagte leise: „Zio! Che stai facendo!" Onkel, was machst denn du da?" Es war eine rhetorische Frage, denn der Onkel wäre selbst außerstande gewesen, ihr zu beantworten, wie er das Unglück mit seinem Katarrh zustande gebracht habe, es war eben da, wie alle Welt feststellen konnte. Ohne Zweifel, der Anblick des bettlägerigen Mannes versetzte das hübsche Fräulein in höfliche Bestürzung. Mit einer Bewegung von melodiöser Grazie streckte sie ihm die Hand hin und bekundete ihre Teilnahme durch einen interpunktionslosen, aber reizend klingenden Satz, der wie ein wasserheller Bach über ihre Lippen perlte. Ohne viel Umstände ließ sie sich auf dem Bettrand nieder. Ihre Hände, die in glänzenden Glacés steckten, hielten seine Rechte fast zärtlich umfaßt. Die freundliche Signora war mit zutraulichem Lächeln der Szene gefolgt. „Wie lange liegt der Arme denn schon?" fragte das Mädchen mit munterer Besorgnis.

Sofort nahm das Gesicht der Tante wieder den Ausdruck säuerlicher Trübsal an. „Drei volle Tage!" gab sie bekümmert und mit gramvoller Stimme zurück, und auch Herrn Proboscides Stimme klang zu Ricos Erstaunen trotz der Cachous dumpf, als käme sie aus einem Kellerloch.

„Drei Tage, mein Kind", wiederholte er, „und Gott allein weiß, wie lange es noch währen wird. Doch laß uns nicht von mir sprechen, einer Ruine, deren Zerfall nur eine Frage der Zeit ist, nein, wehre nicht ab, Stella! Es ist so. Aber hier steht neben dir ein junger Mann, ich stelle ihn dir vor, er heißt Errico Caruso, und dieses liebliche Fräulein ist meine Nichte Stella Guardi, meiner Schwester Tochter, nicht jener Guten, deren mütterlicher Pflege ich es verdanke, daß ich noch lebe, sondern der Gattin des Direttore Amadeo Guardi, eines ausgezeichneten Mannes, dessen

Ruhm zu singen mir nur meine bejammernswerte Lage verbietet. Reicht euch die Hand, Kinder. Der Kleine — ich nenne ihn klein, obwohl er mir schon über die Schulter gucken kann —, der Kleine hat mein Herz gewonnen durch seine Stimme. Ich hörte ihn in der Kathedrale von San Gennaro, sein Alt klang wie der eines Engels."

Rico, der diese übertriebene Vorstellung seiner Person nicht ohne Beklemmung vernommen hatte, reichte dunkel errötend dem jungen Mädchen seine Hand. Neugierig und funkelnd richtete Stella ihre hellblauen Augen auf ihn, schüttelte seine Rechte kameradschaftlich und nickte ihm zu.

Die Uhr im Glaskasten an der Wand hatte inzwischen mit unpersönlicher Sachlichkeit die Zeit abgependelt. Jetzt räusperte sie sich schnurrend, als habe sie nun auch ihrerseits eine beachtenswerte Mitteilung zu machen, und ließ dann einen kurzen, nahezu törichten Schlag hören, der blechern ins Zimmer fiel.

Halb acht, dachte Errico, jetzt steht Frau Tivaldi vom Abendtisch auf und begibt sich in den bis zum Bersten angefüllten Salon, wo ich sie zu erwarten habe. Aber ich stehe hier und schaue einem jungen Mädchen ins Gesicht, das nach Blumen duftet. Bin ich denn ganz närrisch geworden?

„Ja, nun muß ich gehen!" stieß er brüsk heraus und machte vor dem Fräulein eine ungeschickte Verbeugung.

„Ach! Zu deiner Essiggurke!" röchelte Herr Proboscide gekränkt, „geh nur, geh! Verlaß mich und vergiß, daß ich beschlossen habe, dich zu protegieren. Verlaß auch diese reizende junge Dame, die dich wegen deiner Eile, mit der du uns fliehst, erstaunt betrachtet. Eh!" unterbrach er sich vergnügt, „da kommt ja Teresa mit einem ausgeschütteten Füllhorn! Carusiello, schau hin, was sie bringt, und dann sage noch einmal, daß es dich von uns fortzieht!"

Der Kranke hatte sich steil emporgerichtet und beäugte das Tablett, das die gute Schwester, nachdem sie langsamen Schrittes eingetreten, nunmehr lächelnd auf einem Stuhl abstellte (es war der, auf dem Rico vordem gesessen).

Aller Blicke richteten sich auf die reichen Gaben, während die breithüftige Signora sich umschaute, ob sie wohl einen Tisch fände. Alert sprang Stella auf, um ein Tischchen, das mit Zeitungen, Prospekten und Briefen bedeckt war, abzuräumen.

Ein Löwengebrüll erschallte aus dem Bett: „Kind, bei allen Heiligen, rühre die Papiere nicht an!" Sein Organ hatte den alten sonoren Klang wiedergefunden. Die schreckhafte Vorstellung, es könne an dem im Zimmer herrschenden Chaos etwas verändert werden, hatte ihn gesund gemacht.

Verblüfft hielt Stella inne und warf einen Blick auf den Onkel, der beide Arme zum Himmel emporhob.

Schwester Teresa entließ einen langen Seufzer aus ihren Hängebacken und sagte: „Das sieht aus wie Pompeji nach dem Ausbruch des Vesuvs! Da möchte eine wie ich einmal mit Besen und Staublappen hineinfahren, aber man darf ja nicht. Du hast ihn eben schreien gehört, Stellina. So schreit er, wenn ich nur etwas anrühre. Das ist ein Mann!"

„Ja, findest du dich denn selbst darin zurecht, Onkel?" erkundigte sich Stella und warf einen flüchtigen Blick auf Rico, der ganz versunken die Menge der Eßwaren auf dem Tablett betrachtete.

„Ja, ja, ja!" deklamierte Herr Proboscide. „Ich schwöre es euch: ich würde nicht das geringste mehr finden, wenn Tante Teresa ihre sattsam berüchtigte Ordnung auch in meinem Arbeitszimmer einführen wollte."

„So ist es", bestätigte die Schwester und machte den Nachttisch frei. „Er allein findet sich in diesem Sodom und Gomorra zurecht."

„Wechseln wir das Thema!" schlug Herr Proboscide vor, „und erfreuen wir uns alle an dem, was uns gespendet wurde. Stella, greif zu, und Errico, mein kleiner Freund, laß dich nicht nötigen. Hier ist köstlicher Salat, kaltes Huhn, Salami, Gorgonzola, Mortadella. Da dampft eine pasta asciutta, ich sehe Oliven, silberfarbene Sardinen, prächtiges Landbrot, Brezeln und Pilze in Öl. Auch Eier mit feingeringelten Sardellen erblickt mein Auge und die liebliche Pizza mit ihrem harmonischen Dreiklang aus Käse, Anschovis und Tomaten; nur der Wein fehlt. Schwester, wo ist der Wein?"

„Der Arzt hat dir den Wein verboten", versetzte Frau Teresa milde.

Herr Proboscide warf einen belustigten Blick auf Rico und erklärte: „Die Ärzte soll der holen, den ich angesichts so vortrefflicher Gaben nicht nennen möchte. Ich bitte dich, Schwester, kredenze uns wenigstens ein bescheidenes Glas. Diese vertrackte Halskrause stört mich —", er wollte den Umschlag ablösen, doch jetzt schrie Teresa auf und ersuchte ihn mit einer unerwarteten Energie, die Wollpackung unbedingt zu behalten. Unbedingt!

„Gut", ächzte er, „wie ihr mich alle quält! So eßt wenigstens, damit ich eine kleine Freude habe. Hier sind Teller, Gabeln, greift zu, laßt mich sehen, daß es euch schmeckt", und er begann sogleich mit einer Schnelligkeit, die das Staunen der Gäste erregte, einen Berg von pasta asciutta, den er sich auf den Teller getan, zu verschlingen.

Stella hatte mit graziösen Händen verschiedene Gaben auf den Teller gehäuft und ihn mit freundlichem Blaublick Rico gereicht. Er nahm ihn mit geflüstertem Dank.

Inzwischen war von irgendwoher ein zweiter Stuhl herbeigeschafft worden, so daß wenigstens die Gäste bequem sitzen konnten. Schwester Teresa war mit einer

Flasche Capreser Wein erschienen, welche Herr Proboscide mit Ausrufen des Entzückens begrüßte.

So kam es, daß Rico hier, wo er einen Auftrag als Liebessänger unter Balkonen zu erhalten hoffte, inmitten überwältigender Papiermassen und höchst ansprechender Leckereien auf einem Stuhl saß und mit dem Hunger seiner fünfzehn Jahre den Teller, welchen man ihm gereicht, blank putzte. Seine dunklen Augen blickten währenddessen verstohlen nach dem Fräulein, das mit zierlichen Bewegungen, doch jugendlichem Appetit die Salamischeiben in den Mund schob, vom Weißbrot ein Stück abbrach, es als rösch und locker rühmte und mit gesunden Zähnen hineinbiß, während sie mit der Gabel die grünen Oliven aufpickte.

Herr Proboscide hatte sich in dichtes Schweigen eingenebelt. Mitunter hörte man von seiner Ecke aus ein diskretes Aufstoßen oder das sympathische Glucksen des die verhüllte Kehle herabrinnenden Weines. Als die gute Schwester auf eine Weile das Zimmer verlassen hatte, griff er geschwind nach der Flasche, füllte das Glas noch einmal, hob es den Gästen zum Wohl in die Höhe und trank es schweigend leer. Dem Manne ging es gut, soviel durfte man wohl sagen.

Plötzlich erschrak Rico. Stella hatte sich an ihn mit einer Frage gewandt. Sie strich sich mit einer schläfrigen, doch eigentümlich verwirrenden Gebärde über das Haar (den Hut hatte sie schon früher abgesetzt), legte den Kopf ein wenig zur Seite und zeigte eine kleine Parade porzellanweißer Zähne.

„Sie singen?" fragte sie. „Wird man Sie einmal hören?"

Es war das erste Mal, daß jemand ihn mit „Sie" anredete. Und dies tat nicht irgendein beliebiger Mann, sondern ein Fräulein wie dieses, schön und gebildet, die Tochter eines großen Direttore.

„Ja", sagte er leise. „Ich singe am übernächsten Sonntag in der Kirche Santa Maria la Stella —", plötzlich merkte er, daß er ihren Namen genannt hatte, und sah blutrot zu Boden.

Sie nickte lächelnd. „Ich werde da sein", sagte sie.

„Wir werden alle da sein", erklang die satte Stimme Herrn Proboscides, „das laß dir nur gesagt sein, Carusiello — aber warum gehst du schon?" rief er Stella zu, die sich ihren Blumenhut auf den blonden Scheitel setzte. „Du bist ja eben erst gekommen!"

Seine Bitten nützten nichts. Sie erklärte, heim zu müssen, und bis zur Via Concordia sei es auch noch ein Stück Weges.

So nahm denn auch für Rico der Besuch ein Ende. Wie er aber mit scheuem Dank mit Stella zusammen das Zimmer verlassen wollte, zog ihn Herr Proboscide an sich und flüsterte: „Ich habe dich etwas zu fragen."

Das junge Mädchen hatte sie allein gelassen. Herr Proboscide hielt immer noch Ricos Hand in der seinen und sah ihm mit einem Blick in die Augen, der forschend und streng war.

„Also, Kleiner, jetzt heraus mit der Sprache. Du brauchst Geld, nicht wahr?"

Rico erschrak.

„Geld?" flüsterte er. „Ich wollte — ich wollte etwas verdienen, um einen zerbrochenen Milchkrug —"

„Gut!" unterbrach Herr Proboscide. „Ich weiß. Du brauchst dich nicht zu schämen, mein Kind. Wieviel willst du? Wir können das später verrechnen."

Rico schüttelte heftig den Kopf.

„‚Stolz will ich den Spanier', sagt Schiller. Aber es lohnt sich nicht, in dieser Welt stolz zu sein, solange man keine Stiefel zum Wechseln hat. Ich kenne die Armut, mein Kleiner, sie beißt wie Läuse. Jetzt hab' ich mein Aus-

kommen, du siehst es an dem guten Abendessen, aber —
nun genug, ein andermal mehr. Ich denke, wir werden
uns wiedersehen, was meinst du?"

Rico nickte.

„Nun, dann geh zu deiner zischenden Kobra, wie nann-
test du sie? Ein altes Huhn. Ausgezeichnet. Du wirst vergeblich warten, daß sie dir ein Ei in die Hände legt. Und
wenn dich etwas drückt, mein Freund, du weißt, wo Gregorio Proboscide zu finden ist, Vico Colonne Cariati 33.
Geh!" Er gab ihm einen Klaps auf die Wange und schickte
ihn hinaus.

Als Rico an Stellas Seite die Steinstufen hinunterstieg,
schwindelte ihn ein wenig. Einen Augenblick wußte er
nicht, wo er sich befand. Er blieb stehen und sah über seinem Kopfe die trübe Gasflamme flackern. Da drehte sich
Stella um und lächelte ihm zu. Sein Herz klopfte sinnlos.
Es war alles so verändert. Auch auf der Treppe roch es
nicht mehr nach angebrannter Milch, sondern nach Maiglöckchen.

Vor der Haustür reichte sie ihm die Hand.

Er nahm sie, drückte sie mit aller Kraft, machte eine
linkische Verbeugung, drehte sich um und rannte davon.

V

Er rannte durch die Straßen, prallte an Menschen, die
ärgerlich hinter ihm her schimpften, geriet in der Via Toledo
fast unter eine Droschke, verirrte sich, weil er den Weg
zur Piazza dei Martiri abkürzen wollte, kam dann aber
ganz gut bei der Strada di Chiaia heraus, schlängelte sich
mit der Gewandtheit eines Fischleins durch die menschen-
durchflutete Strada Santa Caterina und stand mit fliegendem
Atem um 8.10 Uhr vor Signora Tivaldis Wohnung.

Die Haushälterin in der Laboratoriumsschürze öffnete, hob erstaunt die Brauen, betrachtete ihn und sagte mit kühlem Tonfall, er möge hier warten, sie wolle ihn der Signora melden. Nach einer knappen Minute kehrte sie mit dem Bescheid zurück, er könne gehen.

Gut. Er hatte nichts dagegen, murmelte ein „Guten Abend" und spazierte nach Hause. Er tat es ohne Hast, doch auch ohne sich aufzuhalten. Nur als er am Teatro San Carlo vorüberkam, überflog er mit gerunzeltem Blick den Plakataushang der Stagione, der die Opern nannte, die während dieses Gastspiels gegeben wurden. „Der Barbier von Sevilla" war auch darunter. Aus ihm konnte er zwei Arien auswendig. „Martha" fehlte. Er ging weiter.

Einmal glaubte er in einer Dame, die aus einer Pasticceria trat, Stella zu erkennen. Wieder klopfte sein Herz unsinnig, und dann war die ganze Aufregung überflüssig, die Person erwies sich als eine Fremde, trug sogar ein Pincenez auf der Nase und sah überhaupt nach nichts aus. Er fühlte das Bedürfnis, nachzudenken, doch denken ist schwer, wenn man es nicht gelernt hat. Immer wieder schoben sich Bilder übereinander. Er sah Herrn Proboscide, wie er die pasta asciutta in sich hineinschlang oder den Fiasco hervorzauberte, Stella, die ihm auf der Treppe zulächelte, darüber legten sich Papiermassen, Aktenstöße, Zeitungen, und aus ihnen tauchte Tante Teresas friedfertiges Gesicht auf. Er nannte sie „Tante Teresa", es war am bequemsten so. Dann wieder trat das Bild der Mutter vor sein Auge, ein wehes, aber seltsam entferntes Bild. Er entsandte ein Stoßgebet zur Madonna, und obwohl es jene Madonna war, die in der Kirche stand, wo er manchmal für Mammina gebetet hatte, trug sie Stellas Züge. Plötzlich hatte er die Empfindung, als sei es notwendig, daß er rasch heimwärts liefe.

Eine Unruhe packte ihn, es zog ihn nach Hause. Wieder

begann er zu rennen und prophezeite, daß, wenn er bis halb neun am Ziele sei, alles gut gehen werde, andernfalls stünde ihm Schlimmes bevor.

Er kam kurz vor halb neun Uhr zu Hause an.

Als er läutete, stand Giovanni Palma in der Tür, trug einen Anzug mit langen Hosen und redete sofort derart erregt auf ihn ein, daß Rico so gut wie nichts verstand und in Angst, es könne ein Unglück geschehen sein, in das Schlafzimmer der Mutter lief.

Sie lag im Bett. Auf einem kleinen Tische stand eine Petroleumlampe und beleuchtete ihre Arbeit. Sie hatte eine Menge Strümpfe vor sich liegen, flickte und stopfte. Der Vater war nicht da, auch die Geschwister fehlten. Aber eine kleine verknitterte Person saß neben der Mutter und sah ihr zu. Das war ihre Schwester Annunziata, eine Witwe, älter als sie, schwerhörig und egoistisch bis zur Großartigkeit. Marcellino haßte sie, aber das Familiengefühl überwog auch bei ihm so weit, daß er seine Drohungen, er werde sie eines Tages tottreten wie einen Tausendfüßler, niemals wahrmachte. Man nannte sie Zia Zia, denn Zia ist eine Abkürzung aus Annunziata und heißt im Italienischen „Tante". Zia Zia besaß keine Kinder und nahm es ihrer Schwester bitter übel, daß ihr noch zwei wohlgeratene Söhne und ein hübsches Töchterchen verblieben waren. Sie fand alles, was die Carusos taten, grundfalsch, und wenn sich ein Unheil begab, so war es längst von ihr vorausgesehen und als Ergebnis eines nicht befolgten Ratschlags erkannt, den sie in selbstloser Schwesternliebe erteilt hatte. Auch der körperliche Zusammenbruch Anna Carusos war unausbleiblich gewesen, da man es ja in diesem Hause für richtig hielt, nicht auf sie zu hören. Nur ein Mensch von der unzerstörbaren Güte Anna Carusos war imstande, sich über einen Besuch ihrer Schwester Annunziata zu freuen und neidlos, ja sogar teilnehmend ihren Geschichten zu lauschen. Da sie nämlich finanziell ohne Sorge dastand und von einer Rente lebte, erzählte sie umständlich und mit der Gleichförmigkeit einer Steppenlandschaft von dem, was sie so den ganzen Tag trieb, wie sie ihn totschlug und wo sie überall gewesen sei. Erzählte auch viel von einem gewissen Pater Bronzo, der sie hoch achte und ihr dafür Dank wisse, daß nach ihrem Tode alles Geld an die Kirche Santa Maria Avvocata fallen werde, in der Pater Bronzo predigte.

Soviel von Zia Zia. Rico stürzte ins Zimmer, warf einen verächtlichen Blick auf die Tante, begrüßte sie frostig und umarmte Mammina. Giovanni war in der Tür stehengeblieben und rief hinter ihm her aufgeregt: „Rico, so komm doch, es ist die allerhöchste Zeit!"

Auch die Mutter nahm sich zu seinem Erstaunen nicht die Ruhe eines ausführlichen zärtlichen Willkommens, sondern drängte ihn gleich fort mit den Worten: „Wasch dir nur rasch die Hände und bürste dir deine Haare, und dann lauf mit Giovanni. Geht nur, Kinder, freut euch!"

Jetzt erst erfuhr er, was geschehen, und wenn nach diesem Tage der Abend noch ein ausgebackenes Wunder brachte, so war das eigentlich in der Ordnung.

Giovanni, der seit einem Jahr in einer Lotterie spielte, hatte zwei Karten im vierten Rang des Teatro San Carlo gewonnen! Was aufgeführt wurde, wußte er nicht, es war auch vollkommen gleichgültig, denn soviel war sicher: sie würden im Theater sitzen und Musik hören, und er, Giovanni, warte doch schon seit einer Stunde auf die Rückkehr seines Freundes, und wenn sie jetzt nicht fortliefen, kamen sie zu spät! „Herrgott, wo läufst du denn noch hin? Beeil dich doch, komm!" schrie er fast weinend.

„Teatro San Carlo" ... Rico hörte es, doch er begriff nicht, daß dieses Königswort, hinter dem sich alle Zauber der Erde verbargen, nun auch für ihn Bedeutung haben sollte. Etwas Ungeheures tat sich vor ihm auf, eine farben-prunkende Welt, unwirklich und märchenhaft, obwohl, wenn die Stagione kam, jeder Mensch in Neapel von ihr sprach, jeder sie kannte.

Während er sich in der Blechschüssel, die in einem eisernen Gestell lag, wusch, zitterten seine Hände. Die Seife flog zur Erde, Giovanni lief ihr nach und erwischte sie, brachte auch Bürste und Kamm herbei und steigerte durch seine Unruhe die angsterfüllte Lust dieser Minuten bis zum Taumel. Rico fühlte eine Trockenheit im Gaumen, es war ihm, als wenn er in einem sausenden Wagen säße, vor den ein durchgehendes Pferd gespannt war.

Er rannte zum Schrank, nahm ein frisches Hemd und legte darüber ein „Chemisett", das er sich selber aus schneeweißem Papier geschnitten und für festliche Augen-blicke seines Lebens aufbewahrt hatte. Er band sich, wäh-rend Giovanni in ein Jammergeschrei ausbrach, auch noch einen neuen Papierkragen um, denn der Marathonlauf hatte den alten erledigt.

Zum Entsetzen der Knaben tauchte jetzt Zia Zia maus-äugig in der Tür auf. Mit einer ausgeliehenen Besorgnis sagte sie: „Du sollst etwas essen, wünscht deine Mutter —"

„Nein!" schrie ihr Giovanni in den Satz und legte flehend die Hände zusammen, als wollte er die Tante anbeten.

„Ich habe schon gegessen!" brüllte Rico, rannte an ihr vorbei zum Schlafzimmer, rief ein „Addio, Mammina!" hinein und flog mit Giovanni die Treppe hinunter.

Zia Zia hörte die Tür zufallen und begab sich kopf-schüttelnd zu ihrer Schwester.

Anna Caruso hatte sich in die Kissen zurückgelegt. Die magere Gestalt, deren knochendünne Arme von einer Nachtjacke nur bis unter die Ellenbogen verdeckt wurden, lag kraftlos und mit geschlossenen blauumschatteten Lidern da. Der Anblick hatte etwas Leichenhaftes und Unheim-

liches. Das schwache Licht der schlecht brennenden Lampe
ließ ihren Schädelbau, den die bleiche Haut knapp umschloß,
überscharf hervortreten. Ihre schmalen Lippen waren geöffnet, und das tiefe Runengitter der bis in die Schläfen
reichenden Stirnfalten schien von einer erbarmungslosen
Gottheit in dieses Gesicht geschnitten, um es vor andern
auszuzeichnen durch den Adel wortloser Leidensjahre.

Annunziata schob ihren koboldhaften Kopf, der gegen
das großflächige Gesicht der Schwester klein und faltig
wie ein vertrockneter Apfel erschien, witternd vor und blieb
an der Tür stehen. Wenn Anna jetzt sterben sollte, wäre das
wahrhaftig ein schlecht gewählter Augenblick, denn niemand war im Hause, und sie wollte zeitig zu Bett gehen,
da sie die Absicht hatte, an der Frühmesse des Paters Bronzo
teilzunehmen. Daß auch ihr Schwager Marcellino aus-
gerechnet an einem solchen Tage die Kinder zu seiner
Schwägerin bringen mußte! Natürlich war er auf dem
Heimwege irgendwo eingekehrt, um seinen Gram mit
einem Fiasco totzuschlagen. Gottlob, da sagte Anna etwas,
das Zia Zia wegen ihrer Schwerhörigkeit nicht verstand,
doch beifällig aufnahm, weil es ihr bewies, daß sie nicht
tot war.

Auch die Augen öffneten sich, das war ein weiterer Fortschritt zum Guten, und dann vernahm auch Zia Zia, was sie
sagte; es war nichts Besonderes: sie freute sich, daß ihr
Sohn heute zum erstenmal in seinem Leben in eine Oper
gehen konnte. Warum sich darüber freuen, daß Kinder,
die ins Bett gehören, nachts in ein Theater laufen, das für
die Reichen und nicht für die Sprößlinge armer Leute errichtet war? Sie kannte San Carlo und hatte mit ihrem
Manne dort vor Jahren Vorstellungen besucht. Eine undeutliche Erinnerung an verkleidete Menschen tauchte
auf, die sich mit viel Geschrei und mit hohen Kopftönen
zugrunde richteten, ohne daß in alledem Sinn und Verstand

steckte. In so ein Haus schickt man keine Kinder, aber auf ihren Rat hörte ja niemand. Was sagte die Kranke? Wenn sie doch lauter spräche!

Zia Zia beugte den Apfelkopf vor, während ihre Schwester, die tiefliegenden Augen starr ins Leere gerichtet, sprach: „Er sah so blaß aus. Ob ihm Signora Tivaldi etwas zu essen gegeben hat? Die Arbeit am Brunnen und die Lehrstunden, das ist zu schwer für ihn."

Zia Zia hatte die letzten Sätze verstanden und winkte ab: „Papperlapapp, Anna, denk einmal, was andere Kinder in seinem Alter leisten müssen! Und wenn er noch abends ins Theater gehen kann, hat er mehr Kräfte als ich. Ich fühle manchmal, daß es mit meiner Gesundheit gar nicht gut steht." Sie empfand das Bedürfnis, der Kranken, welche da im Bette lag und an ihren Herrn Sohn dachte, vor Augen zu führen, wie sauer es um sie bestellt sei. Keine Hilfe im Haushalt! Keine Kinder, die einem etwas brachten, wenn man sich einmal schwach fühlte. Kein Mann, der für einen Sorge trug.

Anna sagte leise: „Ich bin nie in einer Oper gewesen, aber heute ist es mir, als säße ich bei ihm und hörte die Musik mit seinen Ohren."

„Ich spüre oft", antwortete Zia Zia, „einen dumpfen Druck auf der Brust, einen häßlichen Schmerz, der nichts Gutes verheißt. Aber habe ich Zeit, zum Arzt zu gehen? Die Ärzte sind Narren. Wenn sie keine Narren wären, würden die Menschen nicht sterben." Zia Zia hatte mit ihrer tonlosen und unrhythmischen Stimme diese Bekundung abgegeben und glaubte damit deutlich gemacht zu haben, daß sie es war, die eigentlich der Pflege bedurfte, und nicht die Schwester.

Aber was sie auch sprach, es fiel vor dem Bette der Kranken zu Boden wie trockener Kalk, der sich von der Wand gelöst hatte. Mochten selbst die klappernden Sätze zu ihren

Ohren dringen, die geheime Übermittlungsstelle des Gehirns gab sie nicht weiter, ließ sie gleichgültig ins Dunkel fallen, ehe das Licht des Verstehens sie berührte. Jetzt wurden die adrigen, verarbeiteten Hände, die wie zwei wächserne Devotionalien auf der Bettdecke lagen, lebendig. Sie wachten auf, verschlangen sich ineinander, als riefe man sie zum Gebet, um das sie schützend den heiligen Ring der Andacht zu legen hatten. Fast flüsternd sprach die Stimme: „Es ist ja nicht Eitelkeit, mein Gott, daß ich ihn dort sehe, wo die Männer stehen, die er heute hören wird, aber wie soll er sonst mit dem, was Du ihm gabst, Dich rühmen, wenn nicht durch seinen Gesang? Du gabst ihm nichts als dies eine. Er ist nicht klüger als andere, nicht stärker, nicht schöner, wenn er auch ein edles und reines Herz hat. Aber in seine Stimme legtest Du einen Schimmer des Paradieses, nach dem die Menschen sich sehnen, solange sie auf Erden wandern. Und wenn sie seinen Gesang hören und durch ihn einen Blick tun in das verlorene Land, so werden sie glücklicher werden, vielleicht auch ein wenig frömmer, und es wird ein Friede über sie kommen gleich dem, den ich spüre, wenn ich mein Kind glücklich weiß.“ Sie verhauchte lautlos das Amen und schloß die Augen.

Zia Zia hatte an den Lippenbewegungen und den festgefalteten Knochenhänden gesehen, daß die Schwester betete. Sie bekreuzigte sich flüchtig, entließ murmelnd aus ihrem Munde den abgerissenen Faden aus einem Andachtsbuche und versetzte: „Pater Bronzo sagt, man solle beim Beten nicht die Augen zum Himmel richten, sondern auf die Hände schauen. Ich kenne niemanden, der so schön betet wie er. Pater Bronzo meint, wenn ich nicht verheiratet gewesen wäre, könnte ich heute vielleicht Äbtissin in einem Kloster sein.“ Sie wußte im Augenblick selbst nicht genau, ob der Pater das wirklich gesagt oder sie es sich nur gewünscht hatte. Jedenfalls hielt sie es für zweckmäßig, der Schwester vor Augen zu führen, wie viele Möglichkeiten in ihr begraben lägen, von denen ihre Verwandten wie stets nichts ahnten. Und dann fiel ihr unvermittelt ein, daß ihr Neffe Errico ganz bestimmt vergessen hatte, den Türschlüssel mitzunehmen. Der Gedanke verursachte ihr eine klägliche Freude. Sie sprach ihn aus. Aber die ruhigen Atemzüge ihrer Schwester sagten ihr, daß sie mit der Bemerkung in die Luft geschossen hatte.

In dem Augenblick, da Giovanni und Errico nach erregtem Suchen und vergeblichem Auf- und Abrennen endlich ihre Plätze im vierten Rang, erste Reihe, etwas seitlich, eingenommen hatten, verdunkelte sich das rotgoldene Haus. Aus den Tiefen des Orchesters schwoll es auf wie ein rosenfarbenes Gewölk, eine Musik von so überirdischer Klangfarbe, daß Rico wie im Fieber zu frösteln anfing und es nicht verhindern konnte, daß ihm sofort die Augen voller Tränen standen.

So unglaubhaft es klingen mag, aber beide Knaben ahnten nicht, was sie nun eigentlich an diesem Abend hören und sehen sollten. Giovanni hatte, ich sagte es schon, nachdem er seinen Lotteriegewinn abgeholt, sich in einem wahren Veitstanz von Glück bewegt und es für völlig ausreichend gefunden, zu wissen, daß er heute abend im Teatro San Carlo sitzen werde. Auch wenn das Orchester die ganze Nacht hindurch nur die Instrumente gestimmt hätte, würde dies seinem Hochgefühl wenig abträglich gewesen sein. Während sie durch die Straßen galoppierten, hatte dann wohl Errico keuchend nach dem Namen der Oper gefragt, doch von seinem Freunde keine Belehrung erhalten können. Als sie endlich ins Theater stürzten, vernahmen sie bereits das mahnende Läuten. Es fuhr wie Schreck durch ihre Glieder, und nun fanden sie wirklich keine Zeit mehr, genaue Erkundigungen einzuziehen.

Schließlich war es auch ganz gleichgültig, in welcher Provinz des musikalischen Himmelreichs man Einlaß gefunden hatte, denn das bald leuchtend helle, bald dumpf wirbelnde Getöse jagender Instrumente, in dem sich drohende Paukenwirbel mit dem sanften Blütenzauber schimmernder Violinen vermischten, berauschte sie wie Sonnenregen, der auf nackte Haut fällt. Die majestätischen Bewegungen des Dirigenten konnten von ihrem Platze aus gut gesehen werden; er dünkte sie der begnadetste Mann der Welt zu sein und der gewaltigste zugleich, war er doch das Herz des rhythmisch brausenden Klangkörpers, dessen Macht sich mit einer seligerdrückenden Wollust auf Ricos Sinne legte.

Als sich der Vorhang hob, sahen sie zu ihrer Verblüffung so gut wie nichts. Ein fast dunkler Raum, enges Gewölbe mit strebenden Spitzbogen und lichtlosem Fenster, darin ein uralter Mann inmitten von Globen, Totenschädeln und hochgeschichteten Folianten saß, während ein kärgliches Öllämpchen seine zermarterten Züge matt beleuchtete. Die erhabene Unordnung des Raumes erinnerte Rico flüchtig an Herrn Proboscides Zimmer, doch wenn das seines weinfrohen Protektors sich durch ein freimütiges Bekenntnis zum Wirrwarr — in dem er allein sich wie ein Lotse zwischen Riffen zurechtfand — ausgezeichnet hatte, so war dieses unheimlich wie die sternenübersäte Nacht. Erst recht erfaßte ihn Bewunderung, als der Greis nicht mit einem dunklen Basse, sondern mit hellem Tenor, der frei und rein sein empfindliches Ohr berührte, zu singen anhub. Der Alte hatte wohl bis an den Rand des Grabes seine jugendliche Stimme behalten. Giovanni lachte nervös auf, was ihm einen zornigen Rippenstoß Ricos eintrug, dessen Gebot er sich dann auch gehorsam unterordnete.

Beide begriffen zunächst nichts weiter, als daß der alte Mann betrübt war, weil er „umsonst der lichten Sterne

Chor befragt" hatte. Während nun durch das hohe Fenster der Morgen überraschend schnell die Bühne erhellte, wollte der Greis, wie Giovanni vermutete, sich durch einen Trunk stärken. Er führte mit ungemein langsamer Bewegung, die gar nichts von der schluckenden Hast des Herrn Proboscide an sich hatte, eine Schale zum Munde. Indessen ist ihm nicht einmal diese Erfrischung vergönnt, denn durch einen fernher schallenden Chor morgendlich strahlender Stimmen wird er in seinem Vorhaben unliebsam gestört. Sein Versuch, ihn durch verdrossene, doch höchst melodiöse Abwehr zum Schweigen zu bringen, mißlingt. In den Chor mischen sich Männerstimmen, frisch und ausgeruht schallt er bis in den vierten Rang, und der Greis läßt sich verzweifelt in seinen Sessel fallen. Sein Gram hat sich jetzt in Zorn verwandelt. Er singt ein Rezitativ, das ob seiner aufschwellenden Tonbrandung Rico mit Glücksfrösteln erfüllt. Klagend und furchtbar zugleich verflucht er mit seinem brillanten, wenn auch etwas offenen Tenor „des Himmels Macht, der Seele Trieb" und ruft in wilder Entschlossenheit nach dem Satan. Giovanni stößt einen Schrei aus und lehnt sich in wohligem Entsetzen über die Brüstung: unter Flammendämpfen und magischen Lichtstößen erscheint der Gerufene, blutrot, spitzbärtig und knochenlang. Ein abscheulicher Kerl, obwohl er sich in eitler Niedertracht zum eleganten Kavalier adaptiert hat, den ihm niemand glaubt, weder Rico noch Giovanni noch auch der zusammengesunkene Greis. Dieser, selbst wenig erfreut darüber, daß ihm sein Wunsch so rasch in Erfüllung gegangen, ist bis in die Ecke des Raums zurückgewichen und hört schaudernd, wie der Teufel sich narzissisch an seinem Kostüm weidet, sich mit frecher und geckenhafter Nachlässigkeit auf den Tisch setzt und ihm in dieser unziemlichen Haltung seine Dienste anbietet.

Rico versteht zwar, daß der Alte den unwillkommenen

Gast so rasch wie möglich wieder loswerden möchte, doch so ehrlich er seinen Abscheu teilt, er kann nicht umhin, zu bemerken, daß der Teufel eine herrliche Baßstimme hat, mit der er fordernd und gebietend den Zuschauerraum beherrscht. So erfüllt ihn im Gegensatz zum furchtsamen Alten der heiße Wunsch, der höllische Besucher möge bleiben, bleiben, bleiben. Es geschieht also. Der Teufel denkt gar nicht ans Fortgehen. Einmal gerufen, ist er nicht so schnell wieder loszuwerden. Obendrein kann er dem Alten eine Reihe lockender Angebote machen, die dieser heftig abweist, um endlich seinen persönlichen Herzenswunsch zu offenbaren: er möchte wieder jung werden! Er sehnt sich nach eines „süß Mägdeleins Kuß", nach „wonnigem Trieb" und nach dem „Gewinn der Liebe"!

Giovanni ist still geworden, er lacht nicht mehr, starrt nur mit offenem Munde zur Bühne, wo auf einen Wink des infernalischen Edelmannes ein Zauber im Gange ist. Deutlich sieht er im Hintergrunde der Bühne ein blondes Mädchen von engelhafter Schönheit ahnungslos am Spinnrade werkeln. Eine Erscheinung, ein Trug der Sinne, gewiß, doch es bricht dem Alten das Herz, und in verständlicher Eile unterschreibt er ein Stück Papier, das der Höllensohn ihm unter die Hand geschoben.

Ricos Finger krampfen sich um sein Herz: das Mädchen gleicht Stella aufs Haar! Oder ist sie es selber? Ja, sie ist es! Nur, daß jetzt ihr blondes Gelock, in lange Zöpfe geflochten, ihr über die Schultern fällt. Aber wie deutlich erkennt er ihre muntere Unschuld, mit der sie eifrig das Rad dreht, ihre feinen Hände, die mit zierlichen Bewegungen am Rocken zupfen! O Stella! Langsam verbleicht der Zauber, doch ein neuer hebt an, unglaublicher, verwirrender noch als der erste. Der Greis trinkt endlich aus der Schale, an deren Genuß ihn der morgendliche Chor verhindert hatte. Ein sanfter Nebel wogt über ihn hin, und wie dieser sich löst, ist aus dem bärtig Uralten ein jugendfrischer Ritter geworden. Effektvoll posierend tritt er vor einen Spiegel, doch nicht seine wiedergewonnene Jugendkraft hat ihn in Wallung versetzt, sondern der Gedanke an das spinnende Mädchen, dessen Wiedersehn ihm der blutrote Galan mit apodiktischer Gewißheit zusagt. Und man darf ihm wohl glauben, daß er nicht übertreibt, nachdem er in wenigen Augenblicken soviel Erstaunliches zustande gebracht hat. Mag sein, daß es der Teufel in Person ist, der da sein unsauberes Spiel treibt, sein Aussehen hat auch im hellen Tageslicht nicht gewonnen, aber wie dröhnend strömt seine Stimme im Duett mit dem von Wollust ergriffenen Manne! Wie rein umschlingt sie der biegsame Stahl des Tenors! Das Motiv der Sehnsucht, das er vordem als Greis in zartem Halbton angesetzt und zur Fülle der Leidenschaft gesteigert hatte, jetzt führt es, umspielt von den jubelnden Instrumenten des Orchesters, den melodiösen Zwiegesang der Männer. Rico möchte die Augen schließen, sich ganz dem akustischen Feuerwerk hingeben, doch seine Blicke brennen hinunter zur Bühne, wo nun beide Sänger, den rechten Fuß anmutig vorgestellt, an die Rampe getreten sind und die königliche Flut ihrer Stimmen ausströmen lassen in ein rauschendes Finale.

Der Vorhang schließt sich, doch dem Orchester ist es nicht gestattet, lange zu feiern. Mit hocherhobenem Taktstock gebietet der Kapellmeister dem prasselnden Applaus Einhalt, um abermals aus der unübersichtlichen Vielfalt von Geigen, Flöten, Hörnern und Pauken den prunkenden Triumphzug der Musik zu formen und hinüberzuführen in den zweiten Akt.

Nun, mit dem höllischen Firlefanz scheint es endgültig vorbei zu sein. Sogar der Zuschauerraum wird hell von dem beißenden Tageslicht, das der Beleuchter entzündet hat. Eine gemütvoll-ansprechende Landschaft mit Stadttor und Herberge weitet sich ins blaue Firmament. Ein ersichtlich hochvergnügtes Volk tummelt sich unternehmend und treuherzig, von keiner anderen Absicht beseelt, als in geübtem Chorus seine Stimme erschallen zu lassen. Studenten vor allem wissen mit keckem Übermut die Vorteile ihrer sozialen Stellung zu behaupten, doch auch Soldaten und Matrosen, Mädchen und Frauen, ja sogar ältere Männer geben ihnen im wohlklingenden Gejubel nichts nach. Die ganze Bühne gleicht einer überfüllten Piazza, auf der man sich zu dem Behufe versammelt hat, um den Wein und die Liebe hochleben zu lassen.

So unbefangen sich die guten Leute geben, Ricos scharfen Blicken entgeht es nicht, daß sie vor jedem Einsatz nach dem Dirigenten äugeln, der jetzt alle Hände voll zu tun hat, um nicht nur seine fiedelnden und blasenden Leute, sondern auch das ausgelassene Volk auf der Bühne in rhythmischer Zucht zu halten. Doch wie meisterhaft versteht es der Mann! Seine Haare fliegen, bald sticht er mit dem Taktstock ins Orchester, bald hebt er ihn aufmunternd zu einem üppigen Sänger hin, der in prallsitzender Studententracht, selbstbewußt und ernst, sich mit einem zartgesungenen Rezitativ gut einzuführen weiß.

Soweit die Knaben im vierten Rang den Vorgang verstehen, ist der Prallgekleidete bedrückt, weil er ins Feld gehen und seine Schwester schutz- und mutterlos daheim zurücklassen muß. Seine Kumpane freilich sind erbötig, an seiner Stelle das Mädchen zu behüten, doch die Sorge läßt ihm keine Ruhe, er ahnt wohl Ungutes, tritt vor das Publikum und singt mit betend an die Brust gepreßten Händen:

> „Da ich nun verlassen soll
> mein geliebtes Vaterland,
> sei, Herr des Himmels, inbrunstvoll
> mein Flehen zu dir gewandt."

Und nun geschieht es doch, daß Rico sich zurücklehnt und die Augen schließt, nichts sehen will, nur hören, nur aufsaugen den purpurnen Regen der Töne in das durstige Erdreich seiner Sinne. Der Mann dort unten ist, wie ihn ein flüchtiger Blick belehrt hat, beinahe plump zu nennen, unschön, grobgesichtig, stark geschminkt; mag sein, was besagt es? Wie gleichgültig dünkt das alles ihn, nun der funkelnde Brustton seines Baritons das Rund des Theaters machtvoll erfüllt und mit breiten Schwingen über den schluchzenden Violinen des Orchesters schwebt. Ach, der Meister, der dieser männlich-reinen Klage die sanfte Gewalt einer schwermutsvollen Melodie unterlegt, wie kannte er das Ohr! Und wie wußte er die Stimme leicht zu führen, emporzuheben über die aufbrausende Brandung der Instrumente! Wie wußte er Bescheid um die hingebungsvolle Bereitschaft des Menschenherzens, wenn er noch einmal, schlicht und ernst, die Klage des Scheidenden ertönen läßt, nun in trauernd verhüllendem Moll, umspielt vom schimmernden Gewölk der Streicher!

Rico hätte unendlich gern gewußt, ob es Verdi war, dessen Klangzauber ihn so heftig berührte, daß er den Vorgängen auf der Bühne nur noch mit verwirrter und schreckhafter Neugier folgen konnte. Doch wer auch dieses Zauberwerk der Sinne geschaffen haben mochte, es war eine O p e r, unvergleichliche Erfindung des Menschen, um durch die Buntheit unwirklich-stürmenden Lebens das Feuer unsagbarer Gefühle leuchten zu lassen.

Ja, auf der Bühne stand das Leben nicht still, es stürmte weiter, unwirklich und mit wohltuender Wildheit. Der Böse, dessen Freund sich eines Besseren besonnen und sich wieder in seine Klause zurückgezogen haben mochte, spielt den einfältigen Studenten allerhand höllischen Schabernack. Er versteht es zu pointieren! Er weiß die etwas durcheinander geratenen Burschen mit einem frech vorgetragenen Rondo wieder auf seine Seite zu ziehen. Doch nur, um sie dann gründlich seine schändliche Kunst fühlen zu lassen. Nicht vergeblich hatte dem sorgenbeschwerten Manne — wir wissen, daß es Valentin ist — vorhin Böses geschwant, als er von seinen Freunden Abschied nahm. In einen Streit mit dem zinnoberroten Fürsten der Unterwelt verstrickt, zerbricht sein Schwert, doch vor dem Kreuz muß der Hinkefuß zurückweichen, was dem ergriffenen Giovanni einen befreienden Seufzer entlockt. Wenn aber Rico geglaubt hatte, der in einen Jüngling verzauberte Greis könnte seinen Vertrag längst bereut haben, so irrte er. Keck und lebenslustig erscheint er auf dem Plan, alle Sinne nur der erhofften Begegnung mit dem lieblichen Trugbild zugewandt. Da kommt sie selbst des Weges! Abermals durchfährt Rico die schreckhaft-süße Ahnung, es sei Stella, der sich nun der Kavalier spreizfüßig nähert, um ihr sein Geleit anzutragen.

Kurz und bündig weist sie das Angebot des Galans ab, doch wie sie den Mund öffnet, um die wenigen Takte zu singen, ergreift Rico die Stimme des Mädchens so heftig, daß sein Herz sich abermals schmerzhaft zusammenzieht. Es ist ein hoher Sopran, durchsichtig-klar wie ein Diamant, dennoch beschattet von einer Blutwärme und sinnlichen Verschleierung, wie man sie sonst nur bei Altstimmen findet. Der zarte, goldfarbene Ton erinnert ihn merkwürdigerweise an das Zusammenschlagen von Elfenbeinkugeln. Von leichtem Vibrato geschwellt, erfüllt er trotz der verhaltenen mezza voce den Raum mit seidenem Glanze.

Sie ist verschwunden. Zornig enttäuscht bemerkt es der Liebhaber, doch Rico tut es von Herzen wohl, daß Stella davonlief. Er lehnt sich erregt zurück und atmet tief aus und fröstelt ein wenig, obwohl sein Kopf glüht. Es ist heiß hier oben. Seine Beine zittern. Der Krampf, der ihn Sekunde für Sekunde in gespannter Aufmerksamkeit umklammert hat, löst sich. Was unten geschieht, ficht ihn nicht mehr an, mögen sie tanzen und singen, wenn nur die Musik kein Ende nehmen, klingen und wogen möchte die lange Nacht hindurch und so weiter das ganze Leben.

Fast erstaunt blickt er auf: das Theater hat sich erhellt, während gleichzeitig aus dem Gewimmel der dichtgefüllten Reihen der Beifall losbricht. Giovanni ist aufgesprungen und schlägt krachend die großen Hände zusammen, daß es wie Schüsse zur Rampe hinunterknallt, vor der sich die Darsteller lächelnd verbeugen. Da packt auch ihn die Beifallsfreude, diese natürliche und herzhafte Selbstbefreiung aus der Haft lieblicher Gefangenschaft. Er tut es dem Freunde gleich, klatscht und ruft: „Bravo!", ganz außer sich ist er vor Glück.

Neben Giovanni sitzt ein kleiner Herr mit rundum bewaldetem Gesicht, dessen Kopf mit den aufgebürsteten Haaren und den still beobachtenden hellen Augen an einen bejahrten Kater erinnert. Nachdem sich die Knaben beruhigt und wieder Platz genommen haben, fragt er, ob sie die Oper kennen.

„Nein", gibt Giovanni offen zurück, „ich habe die Plätze in der Lotterie gewonnen, und ich weiß gerade so viel, daß wir im Teatro San Carlo sitzen."

„Nun, das ist nicht wenig, wenn auch nicht genug", meint der Herr und reicht Giovanni sein Programm. Rico blickt mit neugierig gerunzelten Brauen hinein. „Verdi?" fragt er.

Seine Nachbarin zur Rechten lacht belustigt auf. Sie sitzt vollbusig und behaglich zurückgelehnt auf ihrem Platze und hat wohl, als es hell wurde, vergessen, ihre Hand aus der eines Herrn zu nehmen, der sich gelangweilt die Architektur des Hauses betrachtet. Sein Kopf ist kahl wie ein Felsen. „O nein", berichtigt die Dame aus ihrer behäbigen Lage Ricos Irrtum, „du hörst die Oper ‚Faust‘ von Charles Gounod.“ Ihr hartes Italienisch läßt vermuten, daß sie es sich für Reisezwecke angeeignet hat, doch reicht es aus, um abschätzig hinzuzufügen: „Gounod ist noch lange kein Verdi, mein Kind.“

Rico ärgert sich über das „Kind“ und der Katerkopf über die Herabsetzung Gounods. Er beugt sich vor und erwidert: „Die Frage war nicht so schlecht, Signora, denn selbst der König der Oper, Giuseppe Verdi, hat sich nicht für zu groß gehalten, um in Gounods ‚Faust‘ ein Meisterwerk der Opernbühne zu sehen.“

Die Dame kann wohl mit ein paar Sätzen eigener Provenienz aufwarten, doch nicht viel von dem verstehen, was man zu ihr sagt. Sie zieht etwas verlegen ihre Hand aus den Fingern des kahlen Herrn und antwortet:

„Ja, ja.“

Worauf sich Giovannis Nachbar an ihn mit der Frage wendet, ob er alles, was in den zwei Akten vor sich gehe, verstanden habe.

„Eine ganze Menge“, sagt Giovanni.

„Das Textbuch ist nämlich nach einem Werk des großen deutschen Dichters Goethe verfaßt, auch ‚Faust‘ genannt, mit dem es dann freilich nicht verglichen werden kann. Aber man geht ja auch nicht um des Textes willen in die Oper, sondern um Musik zu hören. Gefällt euch die Musik?“

„O ja, sehr“, antworten beide, und Giovanni erkundigt sich, ob der verwandelte Greis das Mädchen liebe und ob der Kerl in dem feuerroten Kostüm der Teufel sei.

Die runde Dame hat sich interessiert vorgebeugt und versucht, mit einem etwas einfältigen Lächeln, das Ausländer ziert, wenn sie so gut wie nichts verstehen, der Unterhaltung zu folgen. Ihr Begleiter kann augenscheinlich überhaupt kein Wort Italienisch. Er hat sich mißgelaunt in das Studium des Programms vertieft.

Der Herr mit dem Katergesicht läßt einen Brummton vernehmen, denkt in seiner bewegungslos-beobachtenden Art ein wenig nach und gibt dann bedächtig zur Antwort: „Ja, Faust liebt das Mädchen. Aber es ist eine unordentliche und furchtbare Liebe, die wohl darin ihren Ursprung hat, daß es mit seiner angezauberten Jugend nicht ganz stimmt. Ich weiß nicht, ob ihr mich versteht, Signorini, aber eine Jugend, die sozusagen aus dem Greisenalter geboren wird, ist unnatürlich und ein rechtes Teufelsgeschenk. Der gute Faust merkt es nicht, wie ihn Mephisto damit hereinlegt."

„Mephisto?" fragt Giovanni.

„Ja, der Zauberkünstler heißt Mephistopheles, abgekürzt Mephisto, und wenn er sich als Teufel aufspielt, so gibt er damit eigentlich eine falsche Visitenkarte ab. Denn der Teufel ist so unsichtbar wie Gott und auch so dunkel wie er — nun, das führt zu weit —, aber dieser Mephisto tritt als ein Botschafter des Teufels mit allen Vollmachten auf und hat darum auch bei aller seiner verantwortungslosen Liederlichkeit etwas Humorvolles; übrigens singt ihn Garzia wundervoll, findet ihr nicht?"

„Ja", nickt Giovanni, „er hat eine tolle Röhre."

Rico blickt starr auf das Papier und fragt, als lese er es aus dem Programm ab: „Kriegt Faust das Mädchen?"

„Ja, leider", antwortet der Kater und streicht sich den dichten Schnurrbart. „Er kriegt sie. Es ist zum Weinen, denn er richtet sie, rundheraus gesagt, zugrunde. Die Geschichte geht eben so aus, wie sie ausgehen muß, wenn man als alter Mann nicht zufrieden ist mit dem Tropfen Weisheit, den man sich aus dem Leben ausgepreßt hat, und wieder lustig und fidel von vorne anfangen möchte."

„Kommt er dafür in die Hölle?" erkundigt sich Rico mit zornigem Blick.

Der Herr zieht viele Falten auf seiner breiten Stirn, fährt sich mit der Hand vom Hinterkopf her über das Stachelhaar und das schwarz bewaldete Gesicht und schaut bewegungslos mit seinen Katzenaugen in das seiden- und goldschimmernde Rund des Theaters. „Ja und nein, doch, um genau zu sein, in der Oper kommt er ganz und gar nicht in die Hölle. Das arme Mädchen bringt er in eine üble Lage, nun, ihr werdet ja das eine oder andere davon merken. Sie wird wahnsinnig und endet im Kerker, aber er, der alles verschuldet, flieht mit seinem Freunde feige davon. Gefällt es euch? Nein. Mir auch nicht. Aber ein sehr großer Dichter, eben jener Goethe, ich nannte ihn schon, war gnädiger, als wir es sein würden, vielleicht weil er allein wußte, wie seinem Faust zumute war, als er die Geliebte verließ; das war wohl seine ‚Hölle‘. Zu spät merkte er, was es auf sich hat, wenn man sich mit dem Teufel auf du und du stellt. Es ist eine grausame Geschichte, und besser ist, ihr kümmert euch nicht allzuviel darum."

Die Knaben schweigen.

Die ausländische Dame hat sich bemüht, alles zu verstehen, was ihr nicht gelang, doch hat sie sich eine Antwort zurechtgelegt und spricht sie jetzt staubtrocken und glatt herunter: „Man darf nicht vergessen, daß Gretchen" — sie sagt „Gretchen" und nicht „Margarethe" — „am Ende der Tragödie in den Himmel kommt."

Der Rundkopf richtet seinen Beobachterblick auf Ricos Nachbarin und antwortet leise in tadellosem Deutsch: „Von der Erde aus gesehen ist der Himmel sehr weit fort, gnädige Frau. Um hineinzukommen, muß man erst gestorben sein."

Sie schaut ihn verblüfft und mit offenem Munde an, doch das jähe Verdunkeln des Hauses enthebt sie einer falschen Antwort.

Diese Unterhaltung war auf Giovanni und Rico nicht ohne Einfluß geblieben. Was auf der Bühne vor sich ging, schloß sich nicht mehr den mit verwirrter Neugier verfolgten Ereignissen der ersten beiden Akte an, es war in ihr eigenes Leben hinübergetreten. Giovanni, der, wie wir wissen, mit seiner Blumen-Anna nichts mehr zu schaffen haben wollte, erblickte in Faust einen Nebenbuhler, den er sogleich zu hassen begann. Freilich lief da noch ein anderer herum, ein Student, kurzbeinig und sentimental, der Margarethe liebte, einen Strauß in ihr Gärtchen brachte und sich dafür einen „heißen Kuß" erhoffte. Giovanni kam es vor, als sei er selber dieser junge Mann. Er bebte für ihn und konnte ihm doch keine Chance geben, da der Teufel seinen einfältigen Wunsch längst erraten und mit grinsender Niedertracht dafür gesorgt hatte, daß dem andern das Mädchen zufiel.

In Rico aber hatten die Bemerkungen des fremden Herrn eine qualvolle seelische Unordnung erzeugt, viel ärger noch als die in Herrn Proboscides Zimmer. Es war ein Zustand der Zerrissenheit, aus Zorn in Lust umschlagend und wieder sein Herz zusammenkrampfend in Angst und Abwehr. Auch er haßte Faust, doch der Zauber der Melodien, die seinen Lippen entströmten, war so stark, daß er gleichzeitig Faust zu sein wünschte, unbedingt nur Faust, und wußte doch selber nicht, ob es um Margarethens willen war oder weil der Mann dort unten die sanfte Kavatine zu singen anhub, dieses schimmernde Goldgespinst aus Andacht und Leidenschaft, hinter dem sich die keusch gedämpfte Begleitung der Orchesterstimmen wie eine vom Monde beglänzte Landschaft ausbreitete.

> „Gegrüßt sei mir, o heil'ge Stätte,
> von banger Lust erfüllt ich dich betrete . . ."

In schwebendem Piano setzte der Tenor ein, während die Streicher unter der behutsamen Sorge des Dirigenten nur noch hauchartig die Stimme untermalten.

> „Oh, welche Pracht in dieser Einfachheit,
> welch Geist der Ordnung und Zufriedenheit!"

Auch jetzt hob er nur um ein geringes sein klingendes Organ zur mezza voce empor und verharrte mit zarten Steigerungen in den schicklichen Grenzen einer verhaltenen Tongebung. „Hier war's, ja, hier!" — er sang es mit ergreifendem Zurücksinken in den blühenden Samt seiner gesunden und reinen Höhe, um mit prachtvoller Atemführung die Phrase in das Pianissimo der Reprise hinüberzuleiten. Im Orchester aber war über dem verglimmenden Lichtglanz der Geigen eine Harfe aufgeblüht, die mit einem entrückten, weltenthobenen Hauch von Weihe die Wiederholung umspielte. Wie dann am Schlusse der Sänger beim letzten „Sei mir gegrüßt" flockenleicht zum hohen C anstieg, zerschmolz Ricos Herz in Hingabe für diesen Faust. Sein Zorn war verraucht, seine Eifersucht verschwunden, nur eine neue mächtige Sehnsucht aufgewacht: die Kavatine selber zu singen, obwohl er weder einen Tenor noch ein hohes C sein eigen nannte und überhaupt nichts war als ein bescheidener kleiner Kontraaltist in PaterBronzettis Chor.

Doch das war nun gleich. Er fühlte seine Kraft noch schwer und ungestaltet in der Brust wie einen Marmorblock, den man erwählt, aber noch nicht geformt hatte, doch er fühlte sie und wußte, seine Leidenschaft war nicht geringer als die des Mannes Faust.

Der Tenorist hatte in weicher Rundung die letzten Takte verklingen lassen, und der Beifall des Hauses prasselte ihm entgegen. Auch Rico tat begeistert mit und wunderte sich nur flüchtig, warum Giovanni mit gar so finster-verkniffenem Gesichtsausdruck auf den Nebenbuhler hinunterstarrte.

Erst als Margarethe erschienen war und am Spinnrocken das Lied vom König in Thule sang, verschwammen wieder einträchtig die Herzen beider Knaben in Tränen des Glücks. Giovannis, weil sie so schön war, und Ricos, weil er nun erst recht begriff, was es mit dieser Stimme auf sich hatte, von der er im vorigen Akt nur eine Kostprobe empfangen. Doch auch hier geschah es, daß langsam ein Bild verblaßte, während der Ton über ihm sieghaft sich behauptete. Sosehr ihm das schwermütig-versonnene Mädchen gefiel — seitdem er wußte, daß es nicht Stella war, lebte sie nur noch ein überwirkliches Leben: das der gestaltlosen Stimme. So dünkte es ihm durchaus sinnvoll, daß nicht der etwas flache Spieltenor des Studenten Siebel, sondern das kunstreich gebildete Organ Fausts ihr Herz gewann. Mochte schon dieser Mephisto ein Bösewicht und legitimer Botschafter des unsichtbaren Großteufels sein, er hatte durchaus recht, die beiden mit seinen Künsten zu verkuppeln, denn ihre Stimmen gehörten nun einmal zusammen.

Das Quartett „Ihr lacht mich aus!", geführt von Margarethens elfenbeinernem Sopran und dunkel umrankt von Mephistos spöttischen Versen, machte es ihm vollends gleichgültig, was sie unten miteinander trieben. Solange sie sangen, war die Gerechtigkeit nicht gestört, hingen Leid und Glück in wunderbar schwebendem Gleichgewicht. Wohl sah er, daß der flammenrote Unhold nicht eher ruhen werde, als bis seine schlimmen Absichten erfüllt waren, doch auch seine Teufelei hatte in der alles verzeihenden und wahrhaft göttlichen Sphäre der Musik ihr Gift verloren. Und dunkel begriff Rico, warum man in einer Oper soviel schaudervolle Untaten, soviel Blut und Jammer mit mitleidloser und heiterer Wollust aufzunehmen vermag, während sie im Leben unerträglich sind: das Reich der Töne ist nicht von dieser Welt, in ihm gibt es nicht Böse noch Gut, es gibt nur die in wechselnden Farben erstrahlende Schönheit des Klanges, vom dunklen Violett des Todes bis zum silbernen Glanz der Engelchöre. Sie löscht den Brand des ewigen Leidens, das diese Welt vulkanisch erschüttert und das Menschenherz zerreißt. Sie ist voller Gnade, indem sie von ihrem Antlitz die verzerrten Züge der Wirklichkeit fortwischt und die Qual ihres mißgestalteten Schreis verwandelt in das prunkende Fortissimo der Stimme, in die schluchzende Klage des Gesanges, in das Gewitter rein gestimmter Instrumente. So wird in ihrem Bezirk der Teufel erlöst aus der Unseligkeit seiner Zerstörungslust und lächelnd geführt in die Gesetzlichkeit harmonischer Ordnung. Singt er nicht auch? Nun denn, wie kann man noch ingrimmig die infernalische Eleganz seiner Logik verwünschen? Der echte Teufel kann nicht singen! Nie wird ein Orchester mit prachtvollen Kaskadenstürzen von Streichern, Flöten, Posaunen und Pauken wirkliche Höllenworte auf Adlerschwingen zum durstigen Ohr des Hörers tragen. Das wirklich Böse tritt nicht im weithin erkennbaren Feuerkleide des Teufels auf, sondern es leiht sich den Rock des Priesters. Es trägt treuherzige Biederkeit zur Schau. Es lügt, indem es das Kreuz auf sein Schild malt und hinter diesem Schilde die Schlange verbirgt. Hier aber, im leuchtenden Garten der Oper, lustwandelt sogar der Teufel als ein höchst wahrhaftiger Geselle. Und wo er in komischer Bedrängnis der guten Marthe einiges vorflunkert, da gesteht er gleich einem aufhorchenden Publikum, wie er es wirklich meint. Man schelte ihn nicht, er spricht, so gut er es versteht, die Wahrheit. Er spricht sie nicht, sondern sein muskulöser Baß weiß sie kunstvoll und brillant in das Ohr des Lauschers zu schmeicheln.

Armer Giovanni! Er leidet unter der Unabwendbarkeit des abrollenden Unheils, doch an Ricos Seele gleitet es vorüber wie ein fernhallender Donner und läßt nur den Tau des verschwimmenden Blickes zurück, über den er schützend die Hand legt, um sich ganz hinzugeben dem liebestrunkenen Zwiegesang der Stimmen, der heiter wie ein Sonnentag in der Bucht von Neapel sein Herz weit macht und seinen Willen stark, nie mehr abzulassen von der heiligen Liebe zum Gesange.

Beide Knaben fühlten sich nun doch ein wenig taumelig, nachdem der Vorhang sich zur großen Pause geschlossen hatte und die Lichtfülle der Lüster Parkett und Logen festlich erhellte. Ricos Augen zeigten dunkle Schatten und entzündete Ränder. Er hatte Schlucken, etwas Magenkrämpfe, und sogar seine braune Hautfarbe wies einen fahlen Ton auf, als habe er die Nacht durchgebummelt. Auch das Papierchemisett guckte zerknittert aus der Weste. Jedenfalls war es nett von der rundlichen Dame zu seiner Rechten, daß sie ihm und Giovanni Pralinen anbot. Übrigens war auch Giovanni etwas lädiert aus dem Sturm dieser drei aufregenden Akte ans Land gestiegen. Er hatte gerade noch die Tränen aus dem Gesicht fortwischen können. Seine Krawatte war am Kragen emporgerutscht, lag schief, hatte sich überhaupt ziemlich selbständig gemacht. Jetzt flüsterte er seinem Freunde etwas ins Ohr, und Rico antwortete: „Sicher, Giovanni. Ich geh' mit."

Sie erhoben sich und gingen in den Gang hinaus, etwas zitterig in den Knien, fast schwankend, als seien sie trunken vom Nektar der Götter, von dem Apoll sie einige goldene Tropfen hatte kosten lassen.

„Reizende Jungen", sagte die deutsche Dame zum Herrn mit dem Katergesicht. „Ob sie zum erstenmal in der Oper sind?" Sie hatte den unbequemen Ehrgeiz, italienisch zu sprechen, abgelegt.

„Ja", sagte der Herr, „es hat den Anschein."

Die Dame überlegte, ob es schicklich sei, auch dem fremden Herrn von ihren Pralinens anzubieten, doch enthob sie ihr kahler Begleiter einer Entscheidung, indem er ihr die Schachtel fortnahm und die gefüllten Konfektstücke außerordentlich rasch zu verzehren begann.

„Wie der Kleine sich aufregt!" nahm sie, einen Bonbon im Munde, das Gespräch wieder auf. „Er ist ganz blaß geworden, der Arme. Wenn ich nur etwas Kräftiges zu essen hätte, ich würde es ihm gerne geben." Sie blickte sorgenvoll in ihren Pompadour, fand aber nichts.

„Machen Sie sich keine Gedanken darüber, gnädige Frau. Unsere neapolitanischen Jungen sind daran gewöhnt, viele Stunden mit leerem Magen herumzulaufen. Außerdem muß der Mensch nicht immer essen, am wenigsten, wenn er so glücklich ist wie die beiden. Ein Opernbesuch — das ist für unsere jungen Leute ein Stück Lebensschicksal. Der ganze Organismus ist damit beschäftigt, den Eindruck aufzunehmen, nicht nur das Ohr."

Der kahle Herr erhob sich und sagte, er wolle sich die Beine ein bißchen vertreten. Seine Dame nickte beifällig, und so verließen auch sie ihre Plätze.

In der zweiten Reihe saß ein älterer Priester mit einer Partitur auf den Knien. Er blickte vom Blatt empor und sagte lächelnd: „Wenn es ihre erste Oper ist, so lernen die Buben den Teufel gleich gründlich kennen."

Der Kater sah den Priester nachdenklich an und erwiderte: „Glauben Sie, Hochehrwürden? Dieser Mephistopheles hat eigentlich nur Kleingeld in der Tasche. Er will doch Fausts Seele gewinnen! Was tut er? Er läßt ihn eine Liebe erleben, die ihn wohl schuldig macht, aber seine Seele erst erweckt."

„Aber was er anrichtet, ist das nicht schlechthin teuflisch?"

„Sicher, doch war es dazu nötig, den Höllenfürsten persönlich zu bemühen? Ich glaube, es dürfte gerade einem Priester bekannt sein, wie oft so etwas auch ohne seine Regie geschieht."

„Oh, er ist immer dabei! Und es will mich bedünken, als sei es gut so, daß die beiden Burschen dies aus der Oper lernen."

Im waldigen Gesicht des Herrn lachte es lautlos und eigentümlich aus dem runden Bartloch heraus. „Hochehrwürden", fragte er, „warum haben Sie die Partitur und nicht das Textbuch mitgebracht? Ich weiß es: weil es hier um Musik geht und um nichts anderes. Ich wette zehn gegen eins, daß, wenn Margarethe im Kerker liegt, der Kleine vor Ihnen nur noch Gounod hört und nicht mehr die Herren Barbier und Carré." Er verbeugte sich flüchtig vor dem Priester und begab sich die Stufen hinauf zur Gangtür. Dort traf er auf Giovanni und Rico, die ihre Garderobe wieder in Ordnung gebracht hatten und ihre Plätze aufsuchten.

„Habt ihr Hunger?" fragte er, „dann kommt mit, ich gehe etwas essen."

Rico antwortete: „Durst. Aber es gibt hier keinen Brunnen."

„Begleitet mich", sagte der Herr, „ich werde euch zeigen, wo einer fließt."

An dem Büfett ließ er jedem von ihnen ein Glas Limonade geben, und weil Giovanni auf die Parade künstlerisch garnierter Sandwiches starrte, schob er ihm auch gleich einen Teller zu. Giovanni aß, als habe er seit vierundzwanzig Stunden nichts zu sich genommen.

„Beiß ab!" forderte er kauend Rico auf, reichte ihm ein dick mit Salami belegtes Brot hin und setzte erklärend hinzu: „Er ist nämlich heute mein Gast. Ich habe ihn eingeladen. Eigentlich wollte mein Bruder Alessandro mitgehen. Er hat sich auf den Boden geworfen und gebrüllt, aber er ist noch zu klein. Kinder gehören nicht in die Oper."

„Wahrhaftig nicht!" bestätigte Rico.

„Da habt ihr recht", sagte der Herr.

„Und dann", setzte Giovanni, weil er nun einmal im Reden war, gleich hinzu, „und dann ist Caruso auch ein Sänger und versteht etwas von Musik. Sag dem Herrn, was du vorhin zu mir gesagt hast, als wir ‚dort' waren."

Rico schüttelte den Kopf.

„Schade", meinte Giovanni, es war so hübsch, aber ich kann es nicht wiedergeben. Wenn er später zur Bühne geht und berühmt wird, werde ich sein Sekretär. Er hat es mir versprochen."

„Du solltest sein Impresario werden", lächelte der Herr.

So ging die Pause hin. Man unterhielt sich, tauschte Meinungen aus, fühlte sich ernst genommen. Es war ein nicht endender Zustand des Hochgefühls, in dem sich Rico befand. Morgen um sieben Uhr sollte er wohl in der Fabrik des Brunnenmachers sein, und dann lebte schließlich auch noch eine Dame mit Namen Amelia Tivaldi, aber sie lebte unbeschreiblich weit fort, tief unter dem Berge, auf dessen Gipfel er stand. Ganz klein war sie geworden, wie eine Ameise. Man könnte sie zertreten, wenn man wollte, doch man unterließ es.

Dann erscholl das erste Läuten! Sofort rannten beide Knaben zu ihren Plätzen. Sie wären außerstande gewesen, das zweite oder dritte draußen abzuwarten.

Vor ihnen lagen noch zwei Akte, angefüllt bis zum Rande mit Musik und schreckhaften Ereignissen. Denn der Teufel spielte nun einmal mit, und daß er sich jetzt nicht schamhaft in die Hölle zurückziehen würde, um alles Weitere den Liebenden zu überlassen, das war klar.

In die Palette des Orchesters waren viele dunkle Farben

gemischt. Bläser und ferne Pauken hielten ein drohendes Zwiegespräch, und aller melodischer Glanz, den der eifervolle Dirigent aus den Streichern lockte, konnte Giovanni darüber nicht hinwegtäuschen, daß er Arges zu erwarten hatte. Er litt unter Margarethens Not, obwohl er nicht gleich verstand, was inzwischen mit ihr vorgegangen war. Sie sehnt sich nach Faust, sie fühlt sich von ihren Gespielinnen verspottet, sie weint. Es muß also Unerfreuliches geschehen sein. Am Ende sogar das, von dem er gefürchtet, daß es zwischen seiner Blumen-Anna und dem Eseltreiber passiert ist? Nun, da kommt ja jener Student, der er selber ist, er fühlt „Manneskraft im Herzen" und will den Nebenbuhler töten. Wie versteht ihn Giovanni! Und als in der Domszene Margarethe vor Angst vergehend in die Knie bricht, da ist ihm alles klar. Wehe der Armen! Er weiß nun, daß Faust niederträchtig an ihr gehandelt hat.

Vor Ricos Augen lösten sich diese Vorgänge immer mehr in das mächtige, blickverschlingende, wellenwogende Meer der Musik auf. Er sah wohl die Domszene, aber seine Augen waren nur ängstliche kleine Boten, die hin und her liefen, um ihm etwas zu berichten, das er mit flüchtigem Interesse aufnahm. Er dachte nicht viel nach über Margarethens Qual. Sein Ohr hörte ihre Stimme und die des tief im Schatten des Pfeilers lehnenden Mephisto. Er hörte die Chöre der Geister und der Andächtigen, die wie unsichtbare Scharen feindlicher Heere durch die gewitterschwere Nacht des Doms wogten, in der die Lichtpunkte ferner Altarkerzen gleich Sternen glommen. Es riß ihn hin auf den strömenden Wassern von Geigen, Celli, Hörnern und Posaunen, er wehrte nicht ihrer Kraft, die ihn in einen Himmel der Töne entführte. Vorbei glitt der furchtbare, der tief beseligende Chorgesang, über dem Margarethens Stimme wie eine verirrte Taube schwebte: „Oh, habe mit uns Erbarmen, wir sind voller Not!" Wohl stach

Neapolitanisches Straßenleben

Verdi

Gounod

Der königliche Park in Case

Puccini

der Verdammungsruf des Teufels wie mit aufblitzendem Dolche nach ihm, doch sein Ohr wehrte ihn ab, als säße er nicht hier oben und sähe vorgebeugt und atemlos hinunter, sondern in einem Zauberboot, an dem die Erscheinungen der Bühne wie erregt tanzende Schatten vorüberzogen.

Vorüber zog der Chor der heimkehrenden Soldaten. Sie hatten den braven Valentin mitgebracht, er war nicht im Kriege gefallen. Vorüber zog das Rezitativ, in dem Siebel den zornigen Bruder für sie um Verzeihung bat. (Hier stürzten Tränen aus Giovannis Augen. Er wischte sie nicht fort, niemand sah es ja außer Gott und seinen Heiligen, und die saßen lächelnd in seliger Ferne und hörten wohl selber zu und waren es schließlich, die ihn hierher gebracht hatten.)

Hallo, da zersprengte wieder des Teufels dröhnender Baß die beklemmende Luft der schwer atmenden Stille! Eine zynische Serenade klang auf, die der Mann mit meisterhafter Technik wie Feuerkugeln zum Fenster Margarethens aufsteigen ließ. Ja, er beherrschte die Szene, er beherrschte Ricos Herz, denn die Wucht dieser Stimme war sieghaft, und in der Musik ist auch das Böse gut, wenn es nur im Triumphgewande des Könnens auftritt. Schlimmes geschah, Giovanni weinte, aber Rico fühlte sich von dem Todesgesang des sterbenden Mannes emporgehoben in fröstelndem Glück. Zerbrach nicht die brillant geflochtene Instrumentation der Orchesterstimmen die Spitze dieses Fluchs? Furchtbar war er, aber schon verhüllten wie milde Schleier die fernen Stimmen des Chors der Szene Bluthauch. So endete der vierte Akt im lichtlosen Triumph des Bösen. Und als müßten sogar die Lampen des Theaters sich trauernd verhüllen, blieb der Raum unerhellt.

Nun aber war die Stunde des Ruhms für den Dirigenten gekommen. Hochaufgerichtet, den Zauberstab in der

Rechten, stand er vor dem Orchester und gab den Einsatz zu der wie ein Riesenfeuerwerk von Tönen ins Dunkel aufspringenden Zwischenaktmusik. Wohl weinten die Geigen und Bratschen, die Celli gaben in dumpfer Trauer der Klage nichts nach, doch schon mischten andere Instrumente ihre Stimmen in die stürzenden Wasser der Musik, verwegene zunächst, fatale, gefährliche. Aber gegen Ende erhob sich aus Hörnern und Harfen die strahlende Lichtgarbe versöhnender Elemente.

Jubel dankt dem Meister am Pult. Er wendet sich höflich den applaudierenden Hörern zu, streicht mit der schlanken Hand eine Haarsträhne aus der Stirn und verneigt sich dankbar. Dann dreht er sich entschlossen um und gibt das Zeichen zum Beginn des letzten Aktes.

Ein wahrer Höllenakt, in dem sich der Teufelsfürst anscheinend recht von Herzen wohl fühlt. Die Walpurgisnacht braust über das Waldgebirge. Der Berg öffnet seinen Leib und entfaltet im Bilde eines trunkenen Mahles das Katzengold lasziver und verruchter Lebenslust. Faust scheint sich zum Schrecken der Knaben an dem Getümmel zu freuen, schon hebt er die Schale des Vergessens an seine Lippen, da packt ihn die Erinnerung, er sinkt um, der Spuk verschwindet.

Und so steigt das vorletzte Bild empor: auf kahlem Berggipfel, drohend umlastet von ziehenden Gewittern, Faust und Mephisto. Die kläffende, gellende, hexenhaft sinnliche, von rauschenden Windstößen der Streicher gejagte Musik der Walpurgisnacht verweht in das Piano einer grausigen Halluzination. Im zerklüfteten Raum des Gebirges, doch irgendwo im Leeren des Noch-nicht-Geborenen schwebend, erscheint der Geliebten Bild. Faust erkennt sie und erkennt den roten Blutstreifen um ihren Hals als Zeichen eines Geschicks, das er selber leichtsinnig beschworen. Er will zu ihr. Im Kerker findet er sie wieder, im Büßerhemd, zerstört den Geist, das lichte Antlitz vom Wahnsinn gezeichnet.

Es ist die letzte Szene der Oper und ihre stärkste zugleich. Die Musik zerbirst im klingenden Strudel der erregten Instrumente, auf denen die Stimmen der Liebenden sich wie verlorene Schiffe den Weg bahnen. Wohin? In uferlose Leere, in Verzweiflung und Tod. O Tod! Dunkel atmet schon sein Mund im Schatten der Posaunen. Sein unerbittlicher Spruch brennt sich wortlos, doch königlich im Aufbruch der Gefühle in das Ohr der Hörer. Ricos Hand umklammert das rote Polster der Brüstung. Seine Sinne trinken durstig das wie Flammen emporschlagende Wahnsinnsfortissimo der Stimme Margarethens. Nun leuchtet sie über allen andern in der majestätischen Gewalt frei strömenden Leides und schwingt doch schon hinüber auf unsichtbaren Flügeln ins lauschende Licht des Jenseits.

Im Terzett-Finale sind Tenor, Baß und Sopran, glorios umstrahlt von der Flut des vollen Orchesters, endlich im Raum des Überwirklichen vereint. Wer vermöchte sie, deren Stimmen sich in gesteigertem, immer stürmischerem Glanze zur Dreieinigkeit edlen Gesanges umschlingen, noch richterlich voneinander zu trennen? Wahrhaftig, auch der Teufel ist im erhabenen Wohllaut dieses Terzetts ein Mensch geworden. Und hilflos wie ein Mensch fleht er:

„Rettet ihr Leben! Der Tag naht heran!"

Doch ein Größerer hat die Sterbende den saugenden Kräften der Erde enthoben. Grauenvoll ihr Schrei, mit dem ihr Wahnsinn den Retter von sich stößt. Da zerbricht das Gewölbe der Angst. Gott hat sein Kind nicht vergessen. Er erbarmt sich ihrer im Augenblick der tiefsten Not. Ein überirdisches Licht umfängt die Tote. Die Mauern sinken, magische Helligkeit läßt die Quadern des Kerkers zerschmelzen. Im Orchester sind Harfen aufgewacht. Hörner rufen, und durch das Schluchzen der Violinen dröhnen die Glocken des Ostermorgens. Da setzt voll und jubelnd der Chor der Engel ein:

„Christ ist erstanden!"

Der Vorhang schließt sich. Vor Ricos Augen verschwimmen Sänger, Zuhörer, Logen, Parkett mit dem ganzen goldblitzenden Purpur des aufstrahlenden Theaters in ein einziges zuckendes, zerfließendes Tränenmeer. O stürmischer Gesang unnennbarer Schmerzen! O seelenverwandelnde Macht der Musik! Sie trägt den Zauberstab, der aus Felsen Wasser springen läßt. Sie kennt den Weg zurück in die Gefilde reiner Verklärung. Für sie lohnt es sich zu leben. Singen dürfen, was große Meister schufen, heißt das nicht Licht tragen in das Dunkel der verworrenen Geschicke?

Da geht er hin, das braune Gesicht noch feucht vom Tau der Erschütterung, aber lächelnd, wie jenes Mädchen gelächelt, als die Strahlengarbe paradiesischen Lichtes über sie hinfloß.

Der Priester mit der Partitur schaut ihm nach. Auch der Herr, dessen vollbärtiges Gesicht ganz rot ist vom Widerschein der Musik und der sich, als es hell wurde, verstohlen über die Augen gestrichen, auch er schaut ihm nach. Und die deutsche Dame neben dem blassen kahlen Manne — er lief sofort davon, um sich die Garderobe zu sichern —, sie wendet, während sie die Hände begeistert zusammenschlägt, gerührt ihren Blick dem Jungen mit den tränenüberströmten Jettaugen und dem zerknitterten Vorhemd aus Papier zu. Seine Ärmel sind zu kurz, und das Vorhemd hängt aus der Weste, jeder Schönheit bar, doch er merkt es nicht. Über ihm und Giovanni und allen, die im Theater blieben, weil sie sich nicht trennen mögen von der klingenden Weite des Raums, schwebt noch die rosige

Wolke unhörbarer Musik, schwebt und zerfließt langsam im kalten Lichte des wirklichen Lebens.

Die Dame wendet sich an den Herrn, der neben ihr die Stufen zum Ausgang hinaufschreitet, und sagt: „Er sieht so arm aus, der Bub. Ich möchte ihm gerne etwas schenken, aber ich wag's nicht recht."

Der Herr schüttelt den Kopf. „Der hat alles, was er braucht", sagt er ein wenig heiser.

Sie haben das Theater verlassen, Rico und Giovanni, und gehen wortlos die Strada San Carlo entlang. Von der Piazza Municipio her, wo der Meerwind mit den Fächern der Palmen spielt, weht es kühl herauf. Schlafend atmet die Stadt unter dem hellen Lächeln des Mondes, der im Tor der Nacht wie ein guter Wächter steht. Er hat die Härte des Tages fortgenommen, die Straßen besprengt mit dem Weihwasser seines Lichtes, das ein wenig dem kristallenen Lichte gleicht, in dessen Mantel die verklärte Margarethe emporgehoben wurde in reinere Sphären. Durch die Stille tönen die singenden Schläge einer Uhr. Aber ihr Ruf ist zeitlos, als sei er nur ein Gruß, der nicht den Menschen gilt, sondern an das stille Gestirn gerichtet ist, das die ferne und mächtige Silhouette des Vesuvs mythisch umwebt mit silbernem Hauche.

Auf dem Corso Umberto ist noch viel Leben wach. Droschken klappern. Menschen stehen herum und schwatzen. Ihr Gelächter hallt wie Peitschenknallen durch die Straße, und ihre Gebärden sind unruhig, heftig und fremd. Aus den Cafés fällt heller Schein. Fetzen von Tanzmusik schlagen an das Ohr der Knaben. Mädchen streifen an ihnen vorüber, ein Wort, ein kurzes Lachen blinkt auf. Rico hört es nicht, er hält sich eng an seinen Freund geschmiegt, und Giovanni legt wie schützend seinen Arm um des Jüngeren Nacken. Auch ihm mißfällt der Korso mit seinen gelblich-fahlen Gaslaternen, die unter dem

reinen Glanz des Mondes eine grinsende und schmutzige
Helligkeit verbreiten. Und er ist froh, daß sie wieder in
die stillen schmalen Gassen des Hafenviertels abbiegen
und gemeinsam den Weg zur Via Sant' Anna alle Paludi
gehen können. Er wohnt in der Via Stella, von dort sind
es nur noch wenige Schritte bis zu Carusos Wohnung,
und weil er den Freund in die Oper eingeladen hat, begleitet er ihn bis vor die Tür des Hauses.

Da stehen sie noch ein wenig und zögern, Abschied
voneinander zu nehmen. Sie fühlen wohl, solange sie beisammen sind und das Wissen um ihr gemeinsames Erleben
sie verbindet, hat dieses noch Gegenwart, und die Stimmen
und Klänge sind, so fernhin sie verschweben mögen,
noch nicht verhallt. Aber wie sie sich bemühen, etwas von
dem zu sagen, was hinter ihnen liegt, gelingt es nicht. Es
wird ein stotterndes Gemurmel und Gebrumme, und warum
sollen sie auch viel darüber reden? Jeder weiß vom andern,
daß er geweint hat und daß es noch gar nicht lange her ist,
daß sie dort fern im Zauberlichte der Oper in den Wellen
eines Weltmeeres schwammen. Nun sind sie ans Land
gespült vom Sturm der Musik. Sie blicken zum Monde
empor, frieren ein wenig, gähnen verstohlen und wissen
nur noch, daß sie unbeschreiblich müde sind.

In diesen Stunden, da die Knaben sich volltranken mit
dem berauschenden Wein der Melodien, lag Anna Caruso
wach. Sie hatte die Augen geschlossen und hörte die ruhigen Atemzüge ihres Mannes neben sich. Dann fühlte sie
etwas über die Dächer gehen, hob die Lider und sah einen
Lichtschimmer hinter den Fensterläden aufblinken, das
war der Mond. Langsam wanderten die Schatten der Laden-
sparren über den Steinfußboden, während ihr Ohr von
den nahen und fernen Türmen die Stunden schlagen hörte.
Dann und wann vernahm sie Stimmen von der Straße,

das Rasseln eines Fuhrwerks oder vom Hafen her den Sirenenton eines Dampfers. Aber hinter diesen Geräuschen der Nacht wehte durch ihr inneres Gehör eine Musik, die sie nicht kannte, jenseitig und überirdisch, ohne Melodien, ohne Stimmen und Instrumente, Sphärenklänge, die ihre Seele vernahm und die nichts als Widerhall des sternenübersäten Tonregens waren, der sich in diesen Stunden in Ricos Inneres ergoß.

Sie sah ihren Sohn lauschend in einem Raum, weit gewaltiger noch als der Zuschauerraum des Teatro San Carlo, denn sie kannte ihn nicht, aber er schien ihr in dieser Stunde als ein Vorplatz des Paradieses, mit ragenden Säulen, Mosaiken und Bildern. Doch obwohl sie wußte, daß Rico schweigend auf seinem Platze saß und versunken war in die Pracht einer fremden Musik, hörte sie ganz deutlich zugleich seine junge Stimme. Und nun erblickte sie ihn auch auf der Bühne, groß und stark, und seine Stimme durchdrang wie ein Blitz den Donner der Instrumente.

Die Schatten am Fenster wanderten, die Uhren schlugen, Neapel versank im warmen Schlaf der Mainacht. Ihr Mann murmelte etwas im Traum, seufzte und bewegte sich. Dann sank auch sie in einen kurzen Schlummer, erwachte wieder und wußte, daß ihr Sohn da war. Sie weckte Marcellino und sagte: „Rico ist gekommen, er hat keinen Schlüssel."

Der Vater stand auf, entzündete eine Kerze und begab sich zur Tür, die er öffnete. Der feuchte und schale Geruch des schmutzigen Treppenhauses schlug ihm entgegen. Da sah er im schwachen Schein der Kerze Errico auf einer Treppenstufe sitzen und, den Kopf an die Wand gelehnt, den Mund ein wenig geöffnet, schlafen. Er berührte ihn sanft an der Stirn, nickte ihm zu und führte ihn herein.

VI

Es gibt keinen Rausch, dem nicht die Ernüchterung folgt. Auch der edelste will bezahlt sein, und man bezahlt ihn mit Hoffnungsleere, Unmut und Trauer. Außerdem ging an diesem Tage, da Errico mit müden Augen und schmerzendem Kopf in die Brunnenfabrik des Herrn Palmieri lief, alles schief. Es wäre besser gewesen, ihn nie zu beginnen.

Zunächst erschien er nicht rechtzeitig an dem Platze, wo er „seinen" Brunnen zu setzen hatte. Das trug ihm einen prasselnden Hagelschauer von Schelte ein. Dann fehlte ein Werkzeug, er sollte es holen und lief in der Fabrik dem gefürchteten Herrn Palmieri in die Hände, der unbegreiflicherweise in aller Morgenfrühe erschienen war, um seine Angestellten zu kontrollieren. Herr Palmieri, eine große und gewitterhafte Erscheinung, erteilte ihm einen privaten Auftrag, den nicht sofort auszuführen Wahnwitz gewesen wäre. Als er zum Brunnen zurückkehrte, war eine Stunde vergangen, und weil ihm der Werkmeister nicht glaubte, daß er durch Herrn Palmieri persönlich aufgehalten worden sei, gab es abermals Hagelschloßen, sogar mit Donner und Blitz: eine Ohrfeige saß plötzlich auf seiner Wange, sie war wie ein Schuß aus dem Hinterhalt abgefeuert worden und hatte auch genauso geknallt; es waren sogar Leute stehengeblieben.

Als er nachmittags heimkehrte, fand er seinen Vater in der Stimmung eines zum Selbstmord fest entschlossenen Mannes. Er hatte sich aus Sorge um seine Frau früher nach Hause begeben. Dr. Niola aber war noch nicht gekommen, dafür ein Steuerbeamter. Es muß gesagt werden, daß Marcellino Caruso sehr ungern Steuern zahlte. Er unterließ es, wo er irgend konnte, weil er die Ansicht vertrat, arme Leute solle man mit solchen schlechten Scherzen verschonen.

Der Steuerbeamte nun erklärte mit trockenem Gleichmut, falls die erwartete Summe nicht binnen acht Tagen einliefe, werde man pfänden müssen. Er hatte diese Erklärung mit einer durchaus humanen Objektivität abgegeben, nicht unfreundlich, doch auch nicht besonders scharmant, und sich dabei umgesehen, als wolle er feststellen, was in diesem Hause an Verkaufswert wohl der fraglichen (übrigens unerheblichen) Summe entspräche. Aber gerade dieser Rundblick war Marcellino Caruso auf die Nerven gegangen; er hatte geschrien, mit den Füßen getrampelt und dem Eindringling anheimgestellt, ihn gleich selbst, so wie er da war, barhäuptig und ohne Kragen, ins Gefängnis abzuführen. „So packt mich!" schrie er, „fesselt mich! Was zögert Ihr noch?" Der Beamte war beleidigt, weil man ihn mit einem Polizisten verwechselte, und verwünschte, wie oft schon in solchen Augenblicken, seinen Beruf inbrünstig. Leider war Anna Caruso, erschreckt über das Geschrei, aufgestanden, hatte die Männer beruhigt und versprochen, daß die Summe gezahlt werden würde.

Als der Beamte gegangen, ergoß sich der noch im Vater verbliebene Zornrest auf Errico. Die Arme über die Brust gekreuzt und wieder ganz Herr seiner Sinne, ließ er ihn wissen, daß es fortan nicht mehr so weitergehen werde. In seinen Jahren könnte er längst das Doppelte verdienen und eine Stütze der Familie sein, statt dessen lebe er wie eine Grille in den Tag hinein, zerschlage Milchkrüge, widme sich der Sprachwissenschaft und spaziere abends in die Oper. Er, der Vater, sei von Stund an entschlossen, ihn in die Fabrik des Herrn Meuricoffre mitzunehmen und ihn dort etwas Tüchtiges lernen zu lassen.

Errico weinte, auch seine Mutter weinte. Blaß und ausgesogen vom Leben saß sie auf einem Stuhl und fühlte keine Kraft mehr, um in diesen dramatischen Akten noch große Rollen zu spielen.

Da läutete die Glocke. Errico lief hin, um zu öffnen. Es war Dr. Niola. Doch selbst die Stirn des Arztes schien von einer Wolke verdüstert. Er rief dem Jungen kurz zu, daß Signora Tivaldi ihn heute schon um 6 Uhr erwarte, und begab sich raschen Schrittes zu den Eltern. Rico, der draußen stehengeblieben war, erlebte nunmehr zwischen Schaudern und Schadenfreude, wie die Wolke um Dr. Niolas Stirn sich entlud und er den Vater andonnerte, weil er zulasse, daß seine Frau, notdürftig mit einem Rock bekleidet, barfuß hier herumlaufe. Er werde dieses Haus nie mehr betreten, wenn seine Gebote nicht augenblicks befolgt würden.

Rico, das Ohr an der Tür, spürte förmlich, wie der Vater unter dem Gewicht dieser atmosphärischen Entladung zusammensackte. Obwohl nun der Arzt gleichsam als sein Rächer aufgetreten war und von diesem Triumph immerhin ein schaler Reiz ausging, wurde ihm zugleich dabei übel. Der Kopfschmerz steigerte sich, und seine Nerven begannen zu vibrieren wie die Fühler ängstlicher Insekten. Er hatte Streit nie ertragen können, und obwohl von Natur furchtlos, rannte er doch jedesmal davon, wenn menschliche Stimmen hart wie Bretter aufeinanderpolterten.

So befand er sich auch jetzt wenige Minuten später auf der Straße, in der Absicht, Giovanni aufzusuchen und ihn zu fragen, ob auch bei ihm der Tag nach dem Verlassen des Paradieses einen so hundsgemeinen Verlauf genommen habe. In der Via Stella aber traf er Peppino Villani, den kleinen liebenswürdigen Peppino, der in der Kirche die Rolle des Mädchens Lulu so lebenswahr verkörpert hatte, daß damals Giovanni trotz Blumen-Anna nicht umhin konnte, ihm einen herzhaften Kuß auf die Lippen zu drücken.

Peppino erzählte ihm ohne jede Überleitung, daß er sich entschlossen habe, das Elternhaus zu verlassen, in die Welt zu ziehen, nie mehr wiederzukehren. Sein Bruder Carlo habe ihn auf den Tod gekränkt, ihm mehrere geliebte Bleisoldaten zertreten und ihn, nachdem er sich dagegen verwahrt, obendrein eine „setola cacata" genannt, was wir mit einer „beschissenen Schweinsborste" nicht ganz unzutreffend verdeutschen können. Peppino, dessen ausgeprägtes Ehrgefühl in einem umgekehrten Verhältnis zu seiner anmutigen Kleinheit stand, war wie gesagt auf den Tod gekränkt und hatte einen durchgängerischen und verwegenen Plan bereits fix und fertig in der Tasche. Was ihn aber am meisten ärgerte, war, daß er jetzt erst, eine Viertelstunde später, genau wußte, mit welchen Entgegnungen er seinen Bruder Carlo hätte moralisch vernichten können. Zu spät.

„Wohin willst du?" fragte ihn Rico.

„Zum Bahnhof."

„Hast du denn Geld?"

Ja, Geld habe er. Nicht viel. 7 Lire 35 Centesimi. Außerdem einen Beutel voll herrlicher Glasmurmeln, die man nötigenfalls versetzen könne.

„Was noch?"

Was noch? Eine Schachtel mit Briefmarken (sehr wertvoll), sein Tagebuch, das er dem Feinde daheim nicht zurücklassen konnte, und einen neuen Bleistift. Er zeigte alles vor. Da schau her, er hatte nicht übertrieben.

„Wäsche?" fragte Errico, zu dessen Schwäche es gehörte, sauber zu sein.

Peppino schüttelte den Kopf. Anscheinend war sein ganzer Besitz damit aufgezählt.

Rico erkannte das Undurchführbare und schlechthin Törichte dieses Plans, ließ seinen Freund aber einstweilen dabei und erkundigte sich, wie weit er denn mit den 7 Lire 35 Centesimi zu kommen gedenke.

Da war es Peppino, dem eine gute Entgegnung nicht

schwerfiel. Sein Vater war ein höherer Bahnbeamter, ein Herr in geachteter Stellung, man kannte daher auch ihn, Peppino, jedenfalls auf der Stazione Centrale, wo er häufig seinen Vater besucht hatte. Ihm wäre es also ein leichtes, durch Hintertüren im Bahnhofsgebäude Eingang zu finden und in einen Zug nach Rom zu steigen. In Rom werde er eine Stellung in einem Hotel annehmen.

„Va bene", sagte Rico, indem er den rechten Mundwinkel etwas spöttisch anhob, und begann ebenfalls ohne Überleitung von seinem Besuch in der Oper zu erzählen.

Peppino hörte gespannt zu. Der Vater hatte ihm versprochen, daß er zu seinem fünfzehnten Geburtstag mit ihm in die Oper dürfe. Er wollte sich nun ausbitten, ebenfalls in Gounods „Faust" zu gehen. Beim Bahnhof angelangt, erzählte Rico immer noch. Sie gingen hin und her und begaben sich, als der Bericht beendet war, zu den Rangier- und Abstellbezirken, wo sie am Schnittpunkt der Corsi Occidentale und Meridionale Eingang in das ausgedehnte Bahnhofsgebiet fanden. Ein Beamter wies Peppino zu einem Gebäude, in dem sein Vater sich vorhin aufgehalten habe, doch auf dem Wege dahin entdeckten sie auf totem Gleis einen Salonwagen, der dort stand und schlief. Peppino, der zeigen wollte, daß er sich hier zu Hause fühlte, stieg die steilen Stufen empor und öffnete mit kundiger Hand die Tür. Rico folgte ihm, und was sie sahen, war so neuartig und frappant, daß sie hier eine Weile zu bleiben beschlossen. Ein Salon von erlesener Schönheit! Man sollte es nicht glauben, was alles ein schmaler Waggon zu bieten hatte: Spiegel und tiefe Sessel, Tische, Vorhänge aus dichtem, mit Goldfäden durchwirktem Stoffe, einen Waschraum mit Porzellanbecken und vernickelten Hähnen, auf denen „warm" und „kalt" stand, die aber beim Aufdrehen keinen Tropfen Wasser spendeten. Daneben befand sich eine höchst eindrucksvolle Toilette. Ferner war eine Garderobe da und eine Art Schlafraum mit weichem Sofa.

Es hatte etwas Erregendes und Geheimnisvolles, sich in diesem Salonwagen, der zweifellos für den König angefertigt worden war, frei zu bewegen. Sie setzten sich bald auf diesen, bald auf jenen Sessel, und Rico sagte, das sähe fast so aus wie die königliche Loge im Teatro San Carlo. Wenn Peppino nichts dagegen habe, wolle er ihm eine kleine Vorstellung geben. Peppino war damit einverstanden, er ließ sich in den schönsten der Sessel fallen, schlug die Beine übereinander und fand in der Pose eines lässigen Zuhörers von fürstlichem Geblüt die verlorene Ehre wieder, welche ihm Carlo in brüderlichem Hasse abgesprochen hatte.

Rico machte einige Bewegungen von opernhafter und zeitloser Schönheit und begann, „con eleganza", wie es Verdi vorgeschrieben, die Eingangsballade des Herzogs aus „Rigoletto" zu singen:

> „Questa o quella per me pari sono
> a quant' altre d'intorno mi vedo,
> del mio core l'impero non cedo
> meglio ad una che ad altra beltà."

Weil Peppino die Arie kannte, war für ihn der Genuß zwar größer, doch auch das tatenlose Zuhören nicht ganz leicht, weshalb er nach der ersten Strophe den Sänger bat, dirigieren zu dürfen. Damit war Rico einverstanden, Peppino holte erregt seinen Bleistift aus der Brusttasche, klopfte ab und sagte: „Caruso, noch einmal, bitte." Die Linke abwehrend gegen die stets zu lauten Bläser ausgestreckt, gab er durch einen Ruck des Kopfes dem Orchester das Zeichen. Gleichzeitig begann er mit Genauigkeit im stakkatierenden Sechsachteltakt das kurze Vorspiel zu intonieren. „Dammta, dammta, dammta —." Nach dem siebenten „Dammta" setzte Ricos Stimme ein, während Peppino mit verhaltenen Gebärden, doch charaktervoll die ein wenig laute Begleitung des Orchesters abzutönen bemüht war. Den Ausklang freilich, der ihm nicht mehr gegenwärtig sein mochte, ließ er fort und brach statt dessen, sich in ein begeistertes Auditorium verwandelnd, in frenetischen Beifall aus.

Errico verbeugte sich mit der eitlen und zierlichen Lässigkeit, die er an Faust bewundert hatte.

„Caruso! Caruso! Da capo!" schrie Peppino. Und mit proteischer Zauberkunst war er wieder der Dirigent geworden, welcher mit fragendem Lächeln zum verwöhnten Tenor aufblickte.

Der nickte. Und so begann ein zweites Mal das „Dammta", indessen kam er diesmal nicht über fünf Takte hinaus. Ein Mann hatte den Theaterraum betreten, ein Mann in Mütze und Uniform eines Bahnbeamten.

Erschreckt ließ Peppino den Taktstock sinken.

Rico, der mit dem Rücken zu dem Beamten stand, setzte ein zweites Mal „con eleganza" ein, indem er diesmal sogar leichten Fußes hin und her schritt. Da fühlte er eine Hand auf seiner Schulter, und eine Stimme sagte: „Vortrefflich, Maestro! Ausgezeichnet! Und nun wollt ihr mir gefälligst mitteilen, wie ihr hier hereingekommen seid."

Peppino verwies stotternd auf seinen Vater und log, daß er gekommen sei, ihm eine Bestellung zu machen.

„So, so", sagte der Beamte, „und darum führt ihr hier den ‚Barbier von Sevilla' auf!"

„Rigoletto!" verbesserte Rico entsetzt.

„Das ist mir ganz egal", sagte der Beamte. „Und wenn ihr noch widersprecht, werdet ihr eure Oper hinter Schloß und Riegel fortsetzen. Hinaus! Halt!" rief er hinterher, als die Knaben schweigend die Stufen hinunterkletterten, „ich bringe euch lieber selber an die richtige Stelle, sonst findet ihr vielleicht noch ein Vergnügen daran, Weichen zu stellen."

Rico drehte sich um: „Daran haben wir gar kein Vergnügen", sagte er hochmütig.

So ging auch dieses Unternehmen, weil es auf einen Unglückstag fiel, übel aus. Man brachte Peppino in das Verwaltungsgebäude, wo er gesenkten Kopfes in das Zimmer seines Vaters trat, während Rico auf dem normalen und langweiligen Wege durch die Sperre in die kunstfeindliche und lärmende Welt der Straße gleichsam ausgespien wurde.

Doch damit nicht genug, belehrte ihn ein Blick auf die Bahnhofsuhr, daß es bereits zehn Minuten vor sechs war, was soviel hieß, als daß er bei der Entfernung zwischen Hauptbahnhof und Piazza dei Martiri auch heute nicht pünktlich bei Signora Tivaldi sein konnte.

Ein dumpfer Fatalismus senkte sich wie Gewölk über ihn. Da an diesem Tage aus unerforschlichen Gründen alles schlecht ausgehen mußte, wäre es sinnlos gewesen, noch einmal, wie damals von Herrn Proboscide aus, zur Lehrerin mit heraushängender Zunge zu rennen. Er ging also nicht schnell, aber auch nicht besonders langsam, die Hände in den Taschen, den Corso Umberto hinunter, pfiff ein wenig, sang ein wenig und stand schließlich zwanzig Minuten nach sechs im Salotto Frau Amelia Tivaldis.

Plötzlich fühlte er sich reizbar und unsäglich schlechter Laune. Die vielen Gegenstände, Dosen, Figürchen, kleine Büsten, Bilder, erschienen ihm zum erstenmal häßlich und widerwärtig. Er hätte sie zerschlagen mögen. Er wußte, daß es nötig gewesen wäre, sich bei der Dame in untadelig-klassischem Italienisch zu entschuldigen, sich demütig zu seiner Schuld zu bekennen und mit leiser Stimme um Nachsicht zu bitten. Schließlich unterrichtete sie ihn ja unentgeltlich und war die Schwester Dr. Niolas, den er liebte und bewunderte. Doch auch Dr. Niola hatte heute gebrüllt, war also auch nur ein Mensch. Sein Vater hatte gebrüllt, seine Mutter geweint, der Werkmeister ihm eine Maulschelle versetzt, die zweite ungerechte während vierundzwanzig Stunden, Carlo hatte seinen Freund Peppino auf eine Art tituliert, die er sich merken wollte, die aber auf den netten Peppino gar nicht paßte — nein, er hatte genug von dieser Menschheit. Er verwandelte sich in einen jungen Stier. Kurznackig, die großen schwarzen Augen von unten her böse auf die eintretende Donna Amelia gerichtet, stand er da, ein Urbild der Unart und moralischen Verworfenheit.

Wahrscheinlich hatte Signora Amelia Tivaldi sogleich etwas dieser Art gespürt, als sie in pinienfarbener Nachmittagsrobe, das mit grauen Fäden durchzogene Haar zu pyramidaler Frisur aufgesteckt, steil und streng die Bühne der nun folgenden Szene betrat. Denn sie hob erstaunt die schön geschwungenen Augenbrauen, erwiderte den dumpf gemurmelten Gruß des Knaben mit einem kaum merklichen Nicken des Gemmenkopfes und machte eine erwartungsvolle Pause.

In dieser Pause geschah nichts, wenn man es als „nichts" bezeichnen will, daß ihr Schüler es für überflüssig erachtete, der Dame die Hand hinzustrecken, sondern die schönen Jungstieraugen nunmehr auf den Perserteppich richtete, der Salon und Musikzimmer miteinander verband.

Die feinen Rillen auf der Stirn Signora Tivaldis vertieften sich, ihr schmalgeschnittener Mund zeigte durch das Zusammenpressen der Lippen deutlich einen Unwillen, der ihn hätte warnen müssen. Leider war Ricos ganze Aufmerksamkeit auf den Teppich gerichtet.

Die erwartungsvolle Pause ging vorüber. Signora Tivaldi hieß ihn sich an den Flügel stellen und sagte kühl

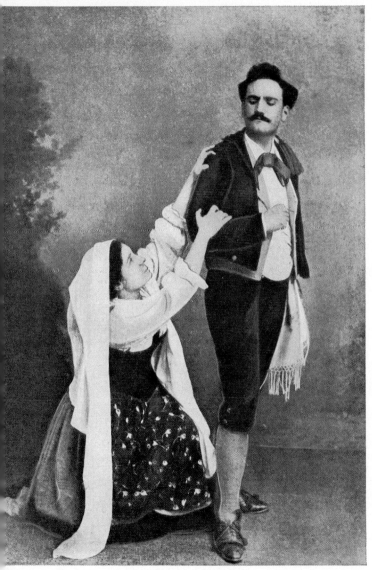

Caruso in einer seiner ersten Rollen mit Elena Branchini-Capelli in „Cavalleria rusticana"

Oben links: Geraldine Farrar

Oben rechts: Emmy Destinn

Links: Frida Hempel

Drei berühmte Sängerinnen aus Carusos großer Zeit

bis ans Herz hinan: „Du hattest zu Beginn unserer Studien ein Lehrstück auswendig gelernt, das auf den Ton a abgestimmt war. Nun?" Sie klopfte mit einem Lineal, das sie in der Hand hielt, ermunternd auf die Tischplatte.

Errico schwieg.

Signora Tivaldi half ihm, indem sie mit glasklarer und musterhafter Artikulation begann: „Barbara Ala cantava allato ... nun?"

Rico, der früher ein flüchtiges Vergnügen daran gehabt hatte, daß ein unzweifelhaft törichtes Mädchen namens Barbara Ala nebenan ein Lied sang, nur damit der Vokal a im Triumph der Reinheit über seine Lippen zöge, fand diese Geschichte plötzlich über die Maßen abgeschmackt. Er rasselte den Unsinn herunter und wurde bereits beim dritten Satz mit der Aufforderung unterbrochen, noch einmal von vorn anzufangen, nun aber, bitte, sehr sauber und präzise.

Die Stimme, mit der die Aufforderung an ihn gerichtet worden war, zwang ihn aufzuschauen. Auf den ersten Blick schien sich im Marmorantlitz der Dame nichts verändert zu haben, aber da war in den schwarzen Augen etwas aufgetaucht, ein spitzes, stahlkaltes Licht, das wie der noch ferne, aber alles erfassende Scheinwerfer eines Polizeibootes auf ihn gerichtet war.

Er schrak zusammen und sagte die Geschichte der singenden Barbara tadelfrei herunter.

Danach kam der Buchstabe e heran, ein Buchstabe, den Rico ohnehin nicht leiden konnte.

„Eccellente, eccellente! disse con eccentricità Emanuele Eccedenza —", fing er gekränkt an und legte einen Großteil des Abscheus, den er gerade zur Verfügung hatte, in das ausdruckslose Geplätscher seines Vortrags.

Das Lineal klopfte: Repetieren!

Und weil die Deklamation auch jetzt nicht den Beifall des Lineals fand und der Dame anscheinend das abge-

schmackte Märchen vom exzentrischen Emanuel Eccedenza ausnehmend behagte, mußte er es ein zweites und
sogar ein drittes Mal wiederholen.

Als der Buchstabe i am Horizont seines Martyriums
auftauchte, hatte sich in Rico etwas aufgestaut, das unschwer als passiver Widerstand zu erkennen war, ein förm-
licher Sandsack an Widerstand, an dem die Energie der an-
greifenden Partei langsam erlahmen sollte. Er tat nunmehr,
als habe er die i-Geschichte zufolge krankhaften Gedächt-
nisschwunds vollkommen vergessen. Er konnte sich um
keinen Preis mehr ihrer entsinnen, auch nicht, als die Signora ihm einzuhelfen versuchte.

Es war ihr nicht entgangen, daß der Schüler von der
ersten Minute an sich in denkbar schlechter Verfassung befunden hatte. Woraus sich diese ableitete, interessierte sie
nicht und durfte sie nicht interessieren. Widerstände hat
man zu überwinden, einen andern Sinn haben sie nicht auf
Erden. Demgemäß steigerte sie ihre Anforderungen, ver-
doppelte ihre Unnachsichtigkeit, bemerkte jetzt auch, daß
seine Atemführung fehlerhaft war, daß er salopp dastand
und ihr nicht freimütig ins Gesicht schaute. Sie ließ ihn die
i-Erzählung aus dem Buche vorlesen, unterbrach ihn nach
jedem dritten Worte und tat dies keinesfalls aus Bosheit, denn
menschliche Empfindungen gehörten nicht in eine Übungs-
stunde, sondern aus pädagogischen Erwägungen und zum
Nutzen des Schülers.

Rico fühlte plötzlich den heißen Wunsch, die zwei Worte
auszusprechen, mit denen Carlo Villani seinem kleinen
Bruder Peppino an die Ehre gegangen war; es kostete ihn
große Mühe, dies nicht zu tun.

Und dann geschah es, daß er statt dessen etwas ganz
anderes sagte. Er sagte: „Ich kann nicht.“

Von allen Bekenntnissen menschlicher Schwäche erschien dieses der Dame am verabscheuungswürdigsten. Wie?

Er konnte nicht? Ihr Lineal klopfte hart und böse auf den Tisch. Was konnte er nicht? Gehorchen? Sich ein bißchen zusammenreißen? Das Übungsstück tadelfrei hersagen? Er habe sich zu schämen!

Nachdem Rico etwa eine Viertelstunde wieder die Rolle des jungen Stiers gespielt hatte, entschloß er sich noch einmal, Mensch zu werden, und bat, die Signora möge erlauben, daß er wie in früheren Stunden ein Stück klassischer Prosa vorlese, etwas von Alfieri oder Manzoni.

„Nein", sagte sie.

Da schwieg er.

„Nun?" fragte sie.

Er schwieg.

„Ich warte auf das i-Stück!" erklang ihr kristallisches Organ, doch hörbar scharf geschliffen an den Rändern der Worte.

Er schwieg.

„Du willst nicht, wie?"

Rico drehte an einem Knopf, der ohnehin nur noch an drei Fäden hing, und sagte im reinsten neapolitanischen Gassenjargon: „So hauen Sie mir doch eine 'runter, es kommt ja schon gar nicht mehr drauf an."

Über Signora Tivaldis Gesicht flog die Röte tiefer Scham. Das war das Ergebnis vieler mühebeladener Stunden!

„Laß den Knopf hängen!" gellte mit der Unerbittlichkeit einer Regimentstrompete ihr Organ.

Da riß der Knopf ab.

Ehe er ihn noch in die Tasche geschoben — denn Knopf ist Knopf und man hat ihn aufzubewahren —, pfiff das Lineal der Lehrerin durch die Luft und schlug klatschend auf seine Hand. Der Knopf rollte über den Teppich.

„Aufheben!" kommandierte das Organ.

Ein pädagogischer Befehl, denn Rico mußte in unwürdiger Haltung unter den Flügel kriechen und ihn aus einer Ecke zwischen Teppich und Zimmerwand hervorklauben, was seiner Widerstandskraft abträglich war. Als er dann mit blutrotem Kopf wieder vor Signora Tivaldi stand, hatte diese das Lineal auf den Tisch gelegt und befahl: „Du gehst nach Hause. Ich wünsche heute nicht mehr, dich zu unterrichten. Morgen, 8 Uhr abends, wirst du wieder hier sein und alle Übungsstücke fehlerlos hersagen. Wenn du nicht pünktlich kommst, gibt es Strafarbeiten. Addio." Damit drehte sie sich um und verließ das Zimmer, während der seidene Unterrock unter dem pinienfarbenen Kleide wie der Fittich eines Erzengels rauschte.

Rico begab sich in den Salon, wo in einer venezianischen Glasvase große rotbackige Äpfel zu duftender Pyramide getürmt lagen. Er fühlte plötzlich einen beißenden Hunger, suchte sich den größten und schönsten der Äpfel aus und verließ die Wohnung. Schon auf der Treppe hieb er die weißen Zähne in das kernige Fleisch und bereute nur, nicht noch einen zweiten eingesteckt zu haben, um ihn seiner Mutter als Geschenk der guten Donna Amelia mitzubringen.

Am Abend des folgenden Tages nahm er sein Schulheft und begab sich statt zu Signora Tivaldi in den Vico Colonne Cariati.

Herr Proboscide saß im Schlafrock zwar, doch ohne Wollbandage um den Hals, mit seiner Schwester am Eßtisch und ließ es sich wohl sein. Er war dem Leben wiedergeschenkt und hatte außer einer ungewöhnlich starken Verschleimung nichts Nachträgliches weiter von der Erkrankung seiner Atmungsorgane zurückbehalten.

Er verlangte sofort, daß Rico Platz nähme und sich am Genusse der Speisen erfreue, welche die herzliebe Schwester Teresa (er tätschelte sie flüchtig auf die feiste Wange), unterstützt von einer stets aufgeregten Köchin namens Vittoria, im Hause kurzerhand Cipolla (Zwiebel) genannt, mit der Sorgfalt zubereitet habe, welche zur Kultur eines italienischen Hauses gehöre. „Den antipasto, nicu (kleiner) Carusiello, hast du leider verpaßt, und es wäre unordentlich — du weißt, wie ich die Ordnung liebe! —, wenn du nachträglich etwas zu dir nehmen wolltest, über das bereits der Vorhang gefallen ist. Doch hier findest du einen feinen Salat, den wir gern vor den Spaghetti essen, mit Paradiesäpfeln und Lauch nur gerade eben so weit angerichtet, als dies dem Geschmack zuträglich ist. An seinem Duft wirst du sogleich erkennen, daß er noch heute mittag in der gesunden neapolitanischen Erde gewurzelt hat. Hier sind Gamberi und Scambi, leicht durch siedendes Öl gezogen, dort stehen Langusten, durch deren Ablehnung du mich beleidigen würdest, auch Auberginen und Steinpilze, die auf eine Art zubereitet wurden, welche ich, ohne ruhmredig zu sein, für ein kulinarisches Meisterstück unserer lieben Cipolla halte. Nimm, mein Sohn, iß und freue dich am Leben, über dessen Reiz nur Toren und phantasielose Quadersteine Abträgliches zu vermelden haben. Teresa, Schwester, lege ihm auf, er geniert sich.‟

Er griff zur bauchigen Flasche und goß Rico einen honiggelben, öligen Chianti ins Glas, dabei leicht mit der Zunge schnalzend, als wolle er ihm gleichsam metronomisch andeuten, daß dieser Wein mit nahezu mystischer Versenkung genossen zu werden verdiene.

Rico wehrte scheu und beglückt dem wohlwollenden Eifer Teresas, doch sie durchbrach den schwachen Widerstand mit der Bemerkung, daß für die, welche es sich schmecken ließen, nichts unerträglicher sei, als einen Gast am Tische zu haben, der nicht selber mithalte. So aß er denn und trank vom Wein und geriet wieder in jene Stimmung eines zeitlosen Geschaukels auf sanften Lebenswellen, die ihn schon bei seinem ersten Besuche mitsamt den appetitlichen Reden des Hausherrn so wohlwollend berührt hatte. Ja, es war ein guter Einfall gewesen, zu kommen, und er sagte sich, wenn er noch mehr tränke, würde er auch den Mut finden, einen Namen auszusprechen, der ihm auf den Lippen geschwebt, als er den Weg in Herrn Proboscides Wohnung eingeschlagen hatte. Eigentlich hatte er sogar erwartet, Stella hier zu finden, obwohl diese Annahme einen kindlichen Mangel an Erfahrung verriet. Aber die Vorstellung ihrer zierlichen Munterkeit und perlenden Unterhaltungskunst verband sich bereits unlösbar mit Herrn Proboscides gastfreiem Hause. Seitdem er nun in der Oper das tragische Schicksal Margarethens, wenn auch von lieblicher Musik verschönt, kennengelernt hatte, schien es ihm, als umwehte auch ihre Gestalt die Trauer unglücklicher Liebe, und es war furchtbar, sich vorzustellen, daß vielleicht ein Mann wie Faust mit des Teufels Hilfe um ihre Seele ränge.

Weil er aber ihren Namen noch nicht auszusprechen wagte, erzählte er, daß er vorgestern abend im Teatro San Carlo gewesen und dort eine Oper gesehen habe, die er nie im Leben vergessen werde.

„Das lobe ich mir!" rief Herr Proboscide. „Dort lernst du, wie man singt. Ich glaube nicht zu übertreiben, wenn ich sage, daß die Stagione, welche zur Zeit im San Carlo gastiert, es mit den besten Opern der Welt aufnehmen kann." Er fragte ihn nach den Darstellern aus, doch wußte Rico leider keinen Namen zu nennen, er hatte sie alle vergessen.

Darauf sprang Herr Proboscide mit einer Jugendlichkeit empor, die seinem Alter Ehre machte. Die Serviette um den Hals gebunden, lief er zum Klavier, schlug es auf und spielte zu Ricos Entzücken einige Takte, die dieser sofort als das Vorspiel zu Valentins Gebet erkannte. Herr Proboscide räusperte sich gewaltig und hub an, mit volltönendem Bariton zu singen:

> „Da ich nun verlassen soll
> mein geliebtes Vaterland,
> sei, Herr des Himmels, inbrunstvoll
> mein Flehen zu dir gewandt."

Rico war nicht minder erregt aufgesprungen und hatte sich neben das Klavier gestellt. In diesem Augenblick öffnete sich die Tür, und die Köchin Vittoria-Cipolla erschien mit einer dampfenden Schüssel.

„Die Spaghetti!" unterbrach Teresa ihres Bruders Gesang, „zuerst die Spaghetti, danach könnt ihr musizieren!"

Sofort brach Herr Proboscide die Arietta ab und begab sich gehorsam auf seinen Platz zurück. Doch noch während des Ganges zu seinem Stuhl fragte er: „Wie hat er es gesungen? Gedeckt? Piano? Verhalten? Voll jener Inbrunst, die tiefer ans Herz greift als jeder noch so königlich schwellende Ton? Ah, die Spaghetti! Wo ist der Käse? Dort. Vortrefflich. Aber du hast Scotti nicht gehört, Carusiello, Scotti, einen jungen Sänger, Neapolitaner wie du und ich, über den einmal die Welt in Entzücken geraten und den, wie ich mich zu prophezeien erkühne, man uns gleich allen unseren Großen eines Tages von drüben fortstehlen wird. Scotti! Merke dir den Namen. Du schaust erstaunt auf, weil ich ‚stehlen' sagte? Ich wiederhole es, weil die Herren in Amerika mit ihren Dollars Stimmen wiegen, als seien sie Schlachtvieh. Wir hier bilden die Stimmen aus, wir entdecken sie, wir führen sie zu der Höhe des Ruhms, der ihrem Glanze entspricht, dort aber setzt das Geschäft ein, und dieses wertet nach Voraussetzungen, welche ein Proboscide verachtet."

Verdrossen rollte er die schneeweißen Spaghetti im Löffel zusammen und ließ durch sein Mienenspiel erkennen, daß er eine Zeit beklage, die nicht begreife, daß edle Stimmen wie nationale Kunstschätze dem Lande gehörten, das sie geboren habe. „Möge man sie gastweise hinausgehen lassen in die Welt", rief er aus, „möge man auch jene Nationen sie hören lassen, aus deren schattiger Erde nicht Stimmen quellen wie pralle Trauben, aber ihre Heimat bleibe Italien! Denn unsere Luft, unsere Sonne, unsere Erde ist auch der Nährboden ihrer Kraft. Freilich", fuhr er fort, und sein Antlitz verzerrte sich zu einer Maske des Ekels, „wenn unser Staat, der wohl Gold zu horten bemüht ist, dieses edlere Metall achtlos verschleudert, kann man sich da wundern, wenn die Besten unser Vaterland verlassen?"

Rico schüttelte den Kopf. Er wunderte sich nicht. Jedes Wort, das Herr Proboscide sprach, schien ihm rückhaltloser Zustimmung wert, schon darum, weil es mit sonorem Pathos und durchschlagender Überzeugung vorgetragen wurde. Höchstens machte es ihn staunen, daß diese Tischrede Herrn Proboscide nicht am Essen und Trinken hinderte. Vielmehr schlang er auch jetzt mit der ihm eigenen Geschwindigkeit die Spaghetti hinunter und ließ den gelben Chianti durch die Gurgel rinnen, um dann mit knapp unterdrücktem Rülpslaut das Glas zurückzustellen.

„Also", fuhr er, sich Mund und Bart sorgfältig mit der Serviette abputzend, fort, „also, wie ich dich kenne, wirst du nun wohl wieder Reißaus nehmen und zu deiner hohen Gönnerin Signora Tivaldi laufen, he?"

Rico gab zur Antwort, daß er jetzt eigentlich bei Frau Tivaldi sein müßte, doch nicht mehr zu ihr zu gehen gedächte, nachdem sie ihm mit einem Lineal auf die Hand geschlagen habe.

„Mit einem Lineal?" rief die gute Schwester Teresa erschreckt aus.

„Da hast du es", sagte Herr Proboscide. „Ich wundere

mich nur, daß sie nicht mit einer Jagdflinte auf dich abgedrückt hat, wie sie das bei ihrem Manne tat —"

„Aber Gregorio", unterbrach ihn Teresa, „das ist doch nur ein Gerede, und ich glaube kein Wort davon."

„Sie hat es getan! Du kennst die Welt nicht, Schwester! Es gibt Frauen, welche kein Bedenken tragen, auf ihren Mann zu schießen. Ich weiß, warum ich nicht geheiratet habe."

Teresa lachte, und auch er legte lächelnd seine Linke auf ihre weiche rundliche Hand und bat: „Laß Cipolla abräumen, Schwester. Ich möchte nach genossener Cena mit meinem u' beddu nicu, meinem hübschen kleinen Jungen, ein wenig musizieren. Warum schaut er sich so erstaunt im Zimmer um?"

Rico antwortete, weil es so ordentlich sei.

Die Geschwister nahmen seinen Vorwitz mit Humor auf, und Herr Proboscide erklärte, die Sala da pranzo gehöre zum Bereiche seiner Schwester. Er dürfe keinerlei praktische Veränderungen hier vornehmen. Er halte sich an das zwischen ihnen getroffene Abkommen, da ja auch Schwester Teresa die prächtige Unordnung seines Arbeitsraumes zu respektieren wisse.

„Respektieren nicht", widersprach sie, „doch hinnehmen wie ein Schicksal."

„Mögen alle Schicksale dir so schwer zu tragen sein!" versetzte Herr Proboscide und trank sein Glas leer.

Als der Tisch abgeräumt war und sie sich allein im Zimmer befanden, sagte er: „Jetzt werden wir einige Canti und Voci singen, und du wirst zeigen, was du kannst." Er griff in die Tasten, daß die Töne wie lustige Pferde zu galoppieren begannen, lehnte sich genießerisch zurück und gab mit einem Ruck des Kopfes Rico das Zeichen zum Beginn.

Es war ein Gassenhauer, den alle Welt kannte; er wurde gesungen, gesummt und gepfiffen, plärrte aus Drehorgeln und trommelte aus Spieluhren, aber Herr Proboscide lehrte ihn das simple und abgesungene Lied auf eine Art vortragen, die Rico hinriß. Er ließ der Melodie ihr Recht, gab ihr aber durch eine bald kecke, bald sentimental-seufzende Phrasierung ein neuartiges Gepräge. Er zeigte ihm, wie man mit geschickt verwendetem Rubato im Hörer sekundenlang eine erregte Spannung erzeuge, die Spannung überraschend auflöse, durch kluge Atemführung und flockiges Piano sich noch einem hartgesottenen Börsianer ins Ohr zu schmeicheln vermöge, wie man die Stimme zum Forte anschwellen lasse und mit einem eleganten Schnörkel den Vortrag beende.

„Ein Gassenhauer, sehr wohl!" sagte er, „doch es gibt nichts, was man nicht so singen könnte, daß alle Welt aufhorcht. Ein liebenswürdiger Vortrag, eine schöne Stimme, und du hast sie sogar mit Santa Lucia in der Tasche. Merk dir das, ragazzo, nur Dilettanten singen ein banales Volkslied nachlässiger als eine Arie von Verdi. Du wirst mir zeigen, daß du ein Künstler bist, und darum diesen Schmarren so singen, wie Gregorio Proboscide ihn dich lehrt."

Sie sangen ihn neunmal. Rico fühlte den Schweiß herunterlaufen, dennoch: was für ein Genuß! Plötzlich klappte Herr Proboscide das Klavier zu, sagte: „Genug für heute!" und: „Drei, vier Lieder auf diese Art, und ich verschaffe dir so viel Serenaden, wie du nur willst."

Schwester Teresa war während der letzten Wiederholung eingetreten und hatte freundlich nickend zugehört.

„Das hast du hübsch gemacht", lobte sie ihn, „aber an deinem Rock fehlt ein Knopf. Ist er verloren?"

Rico holte den Knopf aus der Tasche und murmelte verlegen: „Er ist mir gestern abgerissen. Mammina hätte ihn gewiß angenäht, aber sie ist krank und liegt zu Bett."

Die üppige Frau strich ihm zärtlich mit der Hand über das Haar. „Bleib noch ein wenig", sagte sie, „ich hole Nadel und Faden."

Sie nähte ihm den Knopf an, während sie auf einem Stuhl Platz nahm und er vor ihr stand. Ihre Nähe hatte etwas schläfrig Beruhigendes. Das gleichmäßige Auf und Ab ihrer Bewegungen, das leise Geräusch, mit dem die Nadel in den Stoff stach, sogar die gemächliche Art, mit der sie den Faden abbiß, tat ihm seltsam wohl. Es ging eine Wärme von ihr aus wie von einem Acker, der tagsüber die Sonne in sich eingetrunken hat. Als sie die Arbeit beendet, beugte sich Rico über ihre weiche Hand und küßte sie.

Sie drückte ihn sanft an ihren Busen und flüsterte: „Mein Kleiner, komm nur zu mir, sooft du willst. Ist deine Mutter sehr krank?"

Rico nickte.

Die alte Dame küßte ihn und sagte nichts.

VII

Pünktlich um die Stunde, da es Zeit war, zu Frau Tivaldi zu gehen, nahm Rico seine Hefte und besuchte Herrn Proboscide. Oft war er nicht daheim, hatte geschäftliche Wege, die ihn einmal sogar für mehrere Tage von Neapel fortführten, doch dann mußte er bei Frau Teresa bleiben und ihr von seiner Mutter, seinen Geschwistern und seiner Arbeit in der Werkstatt des Brunnenmachers erzählen. Sie interessierte sich für alles, saß mit einer Näharbeit dabei und sorgte jedesmal dafür, daß er zu essen erhielt. Seine Mutter wunderte sich, daß er vor der Lehrstunde nur wenig zu sich nahm, es war ihm entsetzlich, sie anzulügen. Er sagte zu Boden blickend, daß er bei Signora Tivaldi hie und da etwas erhalte.

Die Arbeit mit Herrn Proboscide schritt gut voran. Am Ende trug er neapolitanische Volkslieder, Liebeskanzonen, Gassenchansons mit einer so raffinierten Schlichtheit vor, daß Herr Proboscide seine Schwester Teresa und einmal sogar die Köchin Cipolla hereinrief und beide scharf beobachtete, als Rico eine beglückend liederliche Buffoarie von Pergolesi sang. Cipolla bekam schon während des Singens rote Flecken im Gesicht und geriet am Ende in einen Taumel der Begeisterung, während Frau Teresa den Jungen kurzerhand abküßte.

„Was meinst du", fragte Herr Proboscide seine Schwester, „wenn Carusiello die Arie einmal Stella vorsänge?"

Jetzt war es an Rico, rot zu werden. Cipollas Sonnenflecken verblaßten gegen die Purpurröte seiner Wangen. Er starrte verzweifelt zu Boden, aber niemand merkte es.

„Ich werde sie einmal herbitten, und Rico wird zeigen, ob er mit seinen Liedern und Arietten ein Mädchenherz in Wallung zu bringen weiß. Aber bilde dir nicht ein, daß du schon alles, was lernenswert wäre, beherrschst. Wir haben gerade erst angefangen."

Das war die letzte Stunde bei Herrn Proboscide. Dann mußte er aussetzen, weil er am 1. Juni in dem Feste des Corpus Domini die Solostimme im Chor der Kirche San Severino zu singen hatte.

Damit war die Hoffnung, Stella wiederzusehen, zerschlagen. Er hätte viel darum gegeben, wenn das Fest im Juli oder August hätte stattfinden können; nun, dafür bestand keine Aussicht. Eines Abends aber war er frei, und als er in den Vico Colonne Cariati lief, fand er Stella im Hause ihres Onkels.

Außer einer tiefen Verbeugung gelang ihm nichts, was erwähnenswert wäre. Auf ihn legte sich bleiern der Nebel hilfloser Ungelenkigkeit. Er hatte den Eindruck, nie im Leben so dumm ausgesehen zu haben. Ob ihn auch Stella hatte, vermochte er nicht festzustellen. Die Damen befanden sich allein im Hause. Herr Proboscide war fortgegangen, und dies hätte möglicherweise einen Vorteil für ihn ergeben können, doch er wußte ihn nicht auszunutzen, sondern schwieg mit einer beharrlichen und nahezu standhaften Kunst, sogar Frau Teresa fiel es auf. Dafür aber hatten seine Augen eine Selbständigkeit erlangt, die alle gute Sitte verleugnete. Nun, er war außerstande, es zu verhindern. Wie kleine schwarze Hunde liefen sie hinter dem Mädchen her, alles sahen sie, und alles dünkte sie wert, nie vergessen zu werden.

Doch nun Stella! Sie trug zu Ricos Überraschung nicht ihr Frühjahrskostüm, weder Hut noch Handschuhe, sondern ein blau geblümtes, knapp sitzendes Kleidchen, das ihre junge Büste prall umschloß. Er bemerkte es, obwohl er sich schämte, daß er es bemerkte. Leichtfüßig schwebte sie hin und her, half ihrer Tante beim Tischdecken und zeigte sich gefällig und alert. Sie wußte, wo alles stand, sie griff die Dinge mit feinen schlanken Händen an und setzte sie auf den rechten Platz, indem sie sich manchmal mit einer fast tänzerischen Grazie weit über den Tisch hin beugte. Es war oft nicht nötig, daß sie es tat, sie hätte es von einem andern Punkte aus leichter gehabt, doch ging es ihr ja nicht ums Tischdecken allein, um nüchterne und zweckmäßige Handreichungen, sondern um die Bewegung ihrer biegsamen Hüften, um das tierhafte Spiel knospender Koketterie, um den Genuß, auch im geringsten Tun sich selber zu fühlen.

Ihre muntere Frische, mit der sie Teller, Bestecke, Gläser und Wein auf den Tisch stellte, dabei vergnügt summte und hie und da mit blau blitzenden Augen eine Frage an ihn stellte, dünkte ihn über jedes Maß bewunde-

rungswürdig. Aus den kurzen, an der Schulter leicht ge-
pufften Ärmeln wuchsen die gesunden runden Arme wie
die Äste eines blühenden Pfirsichbaumes hervor. Ihr locki-
ges Haar hätte er ums Leben gern berührt, um zu wissen,
ob die blonde Seide sich so zart anfühle wie Schmetterlings-
flügel. Ihre raschen und sicheren Bewegungen aber er-
innerten ihn an silberne Fischlein, die sich mit elegantem
Flossenschlag leichthin fortbewegen. Vom offenen Fenster
drang das Zwitschern kleiner Vögel herein, deren Käfige
man in die Sonne gehängt hatte, und es hätte ihn nicht gewundert, wenn auch Stella wie ein Vogel durchs Zimmer
geflattert wäre; zweifellos hätte sie es gekonnt, falls es ihr
nur in den Sinn gekommen wäre.

Muß man es betonen, daß Rico während dieser Abend-
mahlzeit so wenig zu sich nahm, daß Frau Teresa ernst-
lich fürchtete, er sei krank? Sie fühlte seine Hände an — sie
waren eiskalt, seine Stirne — sie glühte. Sie wollte ein
Fieberthermometer holen, sie zeigte sich besorgt und
ängstlich.

Stellas Blick ging ebenfalls besorgt auf Rico, aber in
diesem Blick saß ein winziges Lichtpünktlein, ein ahnungs-
volles Sternchen, ein seltsames Ding, das mehr zu erkennen
schien als Frau Teresas mütterlicher Sorgenblick. Sie legte
dem Gaste selber auf und redete ihm lächelnd zu, berührte,
während sie dies tat, flüchtig Ricos Hand, um zu sehen,
ob sie wirklich eiskalt sei. Wahrhaftig, die Tante hatte
nicht übertrieben, doch sein heftiges Erröten, das dieser
Berührung folgte, hatte von neuem ein Aufblinken der
Lichtpünktchen in ihren Augen zur Folge, und so konnte
sie mit gutem Gewissen versichern, daß er ganz gesund sei.

Ja, er war gesund, wer wollte es leugnen? Aber was sich
in ihm begab, war so stumm gewaltsam und unerkennbar
in seinem dunklen Wollen, daß es niemand wundern darf,
wenn der Zustand, in dem er sich befand, ihn eher quälend

als beglückend anmutete und er das Auftreten Herrn Proboscides als Erlösung begrüßte.

Und nun war es soweit, wie er es sich gewünscht hatte. Er stand am Klavier, dessen Tasten unter den Händen des Meisters sich senkten und hoben und dessen Töne wieder so lustig zu galoppieren begannen. Doch auch sein Herz galoppierte. Sinnlos rannte es drauflos, beengte den Atem, stieß das Blut in die Schläfen und machte die Knie zittern.

„Mein Sohn, was ist dir?" fragte Herr Proboscide, indem er das Vorspiel abbrach.

Tante Teresa sprach erneut ihre Vermutung aus, daß Rico krank sein müsse.

„Krank?" rief er. „Unmöglich!" Als ob es nur ihm erlaubt sei, mit einem unförmigen Wollschal im Bett zu liegen. „Hast du Schmerzen?" fügte er besorgt hinzu.

Nein, flüsterte Rico, er habe keine Schmerzen, nur — die Luft sei ihm ein wenig ausgegangen.

„Lampenfieber!" lachte Herr Proboscide und drehte sich zu Stella um, die am Fenster lehnte und mit Lichtpunktaugen die Szene verfolgte. „Nur Lampenfieber. Nun, das gibt sich. Sei versichert, das gibt sich, aber wir wollen ihm eine kleine Beihilfe nicht versagen. Stellina, sei so gut und nimm deinen Platz dort hinten in der Ecke ein, es ist ohnehin nicht wünschenswert, daß du so nah am Klavier stehst."

Stella ging, Herr Proboscide präludierte, Rico schloß die Augen und sang.

Zuerst ein Volkslied, das die Aufgabe hatte, seine Stimmbänder ein wenig anzuwärmen. Dann wünschte Herr Proboscide eine canzone d'amore zu hören, die er sogleich mit seiner etwas rauhen und doch wohltuend warmen Knabenstimme so schwermütig und beseelt vortrug, daß Tante Teresa sich schneuzen mußte und in Stellas Augen die Lichtpunkte erloschen. Verdutzt und etwas ratlos über sich selber starrte sie ins Leere, hob dann scheu den Blick zum Sänger und sah voller Verwunderung einen andern vor sich stehen: einen Knaben, mag sein, aber in seinem Gesicht lag ein selbstbewußter und adliger Zug von unbeugsamer Härte. Eine steile Falte zwischen den dichten Augenbrauen, die Lippen über den schönen Zähnen leicht geöffnet, schien er weder seinen Lehrer noch sie zu bemerken. Er sang zu jemandem hin, der nicht im Zimmer war, in eine Ferne, die jenseits der Welt lag, die sie kannte. Als er geendet, rührte sie sich nicht. Doch gleich darauf sprang das Vorspiel zu jener Arietta Pergolesis aus den Tasten, sekundenlang fiel ein Blitz aus Ricos Augen auf die mäuschenstill dasitzende Stella, ein Blick, der in nichts dem glich, den sie während der Mahlzeit so oft auf ihren Zügen gespürt hatte. Es war der Blick eines Reiters, der stolz grüßend an ihr vorübertrabte, ein sehr herrenhafter und männlicher Blick. Dann atmete seine Brust tief ein, der rechte Mundwinkel hob sich etwas spöttisch an, er legte lächelnd den Kopf zur Seite und schmetterte in einem rasanten Tempo die Arie ins Zimmer.

Die Freude, welche Herr Proboscide bei aller strengen Aufmerksamkeit empfand, während seine Augen dirigierend auf dem jungen Schüler verweilten, zeigte sich in leidenschaftlichen Rucken, mit denen er Ricos Darbietung begleitete. Es waren Bewegungen voll edlen Temperamentes und alarmierender Frische. Er wiegte sich in den Hüften, er lehnte sich genießerisch weit zurück, legte lauschend den grauen Kopf vor, ließ während einer spannungerfüllten Fermate beide Hände schwebend über den Tasten, um sie gleich darauf mit voller Wucht niedersausen zu lassen und das prachtvolle Forte der blühenden Knabenstimme mit rauschenden Passagen zu begleiten. Dabei hörte sein Ohr mit äußerster Schärfe auf jedes Rubato, jedes sekundenlange Verweilen im gleitenden

Piano, jede tänzerische und lustig stakkatierende Phrase, die er ihn vermahnt hatte, lächelnd und gefällig vorzutragen.

Nun denn, es lohnte sie beide hingerissener Beifall. Sogar Cipolla war wieder in der Tür erschienen und hatte, die Augen voller Tränenwasser, dem blitzenden Wunder dieser Arietta gelauscht. Die Frauen schlugen in die Hände, sie hörten nicht auf zu klatschen, und Stella veranstaltete sogar einen kleinen triumphalen Tumult. Sie trampelte mit den niedlichen Füßen, rief: „Bravo! Bravissimo!", dann rannte sie auf Rico zu, und während sie ihre Augen nicht von ihm nahm, umarmte und küßte sie den Onkel.

Er ließ es sich gefallen, tätschelte liebevoll ihren Rücken, streichelte den blonden Kopf und sagte: „Das hat er nicht übel gemacht, was?"

Rico fühlte nach diesem Siege eine ungeahnte und herzstärkende Veränderung in seinen Gefühlen für das schöne Mädchen. Wohl war er vom Pferde wieder herabgestiegen und stand nun auf der Erde. Dennoch, nicht mehr als der hilflose Knabe, der er gewesen, ehe er den glänzenden Ritt über alle Hürden vor ihren Augen vollführt hatte. Es war etwas Neues und Überraschendes hinzugekommen; er vermochte es nicht zu deuten, auch konnte es ihm in diesem Augenblick noch kaum bewußt sein, aber, gestehen wir es nur, er spürte sich als Mann. Klingt es übertrieben, wenn wir das von einem Knaben sagen, der vor wenigen Monaten das fünfzehnte Jahr vollendet hatte? Vielleicht. Was wußte er schon von Frauen? Aber es war wohl so, daß er Boden unter den Füßen fühlte, eine feste, tragende Erde, die ihm gehörte und deren Kraft in ihn einströmte, obwohl sie, recht betrachtet, aus ihm selber kam, aus seiner andächtigen und leidenschaftlichen Liebe zum Singen, aus seiner endgültigen und reinen Verfallenheit an die Welt der Musik. So war es denn diese Welt, die ihm Hintergrund und Selbstbewußtsein gab. Sie strahlte die Liebe, die er ihr entgegenbrachte, zurück und verlieh seiner pagenhaften Hingerissenheit an die Schönheit Stellas eine zarte Würde.

Und, weiß Gott, sie war es auch, die ihm die Zunge löste. Er begann zu schwatzen. Er hatte sogar Mut gefaßt, Stella zu fragen, ob sie Gounods „Faust" kenne. Sie verneinte. Da stand er vor ihr als einer, dem es gegeben war, die Angebetete über die Schönheit einer Oper zu belehren, welche sie nunmehr sich anzuhören versprach, sobald sich die Gelegenheit hierzu ergäbe.

Eine ruhmbedeckte Stunde, doch am Ende war ihr die größte Überraschung vorbehalten. Als er von Herrn Proboscide Abschied nahm, flüsterte ihm dieser zu: „Ich mag deine Signora Tivaldi nicht leiden, du weißt es. Aber ich bin gerechten Sinnes und will dir sagen, daß du so, wie du hier stehst, nicht die Hälfte von dem könntest, wenn sie dich nicht artikulieren gelehrt hätte. Ja, staune nur! Und du wirst, verstehst du mich?, du wirst hübsch allein weiterarbeiten, so wie sie es dir zeigte, und mir beweisen, daß es auch ohne sie geht."

Stella trat herzu, und Onkel Gregorio wandte sich zu ihr, indem er mit seiner vollen und klingenden Stimme sagte: „Ich erlaube dir, daß du unseren jungen Künstler mit einem Kusse beschenkst."

So geschah das Ungeheuerliche, daß Stella bereitwillig und ohne sich einen Augenblick zu zieren, ihren blütenhaften Mund auf seine Lippen legte. Es war ein Kuß wie ein Rosenblatt, duftig und kühl, aber so flüchtig er war, er riß in Rico wie eine selige Explosion die Wand vor einer neuen Welt auseinander. Glühend schoß es ihm in die Wangen. Da stand er wie einer, dem man eine Krone aufs Haupt gedrückt hatte und der nun regieren sollte, und wußte nichts anderes, als daß die Sonne schien und die Welt voller Licht stand.

„Nun, nun", brummte Herr Proboscide und strich sich vergnügt über seinen grauen Schnurrbart, „ich hatte gemeint, einen Kuß auf die Stirn, wie es wohl einer Muse geziemt. Doch du hast recht, der Mund war es, der gesungen hat, und so mag ihm diese Belohnung wohl anstehen."

Rico rannte durch die ins Rosendämmer des Abends getauchten Straßen, die zu seinem Erstaunen plötzlich schön und prächtig geworden waren. Es waren die schönsten und prächtigsten Straßen der Welt, und die Menschen, welche auf ihnen gingen, waren liebenswerte Menschen, sie lachten, soweit er das während des eiligen Laufs sehen konnte, und zeigten alle miteinander das unüberbietbare Glück, auf dieser Welt leben zu dürfen. Im Hafen aber, auf dessen smaragd- und topasfarbenen Wellen der Abend wie in einer mit Blumen geschmückten Barke tatenlos schaukelte, ehe er mit langsamem Ruderschlag den Horizont hinabglitt, im Hafen schien ihm alles bewegte Umtun, das Gerassel der Ankerketten, das Rufen der Matrosen, das Dröhnen mahnender Sirenen, nichts als ein liebliches Theater, das er mit frohem Staunen wahrnahm. Hinter den Schiffsleibern, hinter qualmenden Schornsteinen und schwankenden Masten ragte der Vesuv in den bleichen, von Opalglanz erfüllten Himmel, grün wie ein riesiger Malachit, gut und stark gleich einem Schutzgeist, obwohl er vor langen Jahren mit dem Donnergebrüll feurigen Zorns Städte verschlungen hatte. Heute lächelte er ihm freundlich zu und winkte einen wissenden Gruß mit der rosig zerfließenden Rauchfahne, die in träger Sanftmut nordwärts entschwebte.

Wahrlich, wo hätte man sonst noch so glücklich sein können? In diesem Augenblick liebte er inbrünstig seine Heimatstadt und hätte sie ans Herz reißen mögen, um ihr den Kuß zurückzugeben, dessen Duft er noch auf den

Lippen spürte. Diese Stadt, hatte man ihm nicht einmal erzählt, daß sie unschön sei, daß ihr die signorale Pracht Roms, der theaterhafte Zauber Venedigs, der schimmernde Glanz von Florenz, daß ihr Palermos sagenumwobene Süße fehle? Welch ein Tor, der nie mit bebendem Herzen durch ihre Straßen gewandert war, nie diese weiche, vom Salzatem des Meeres lind überhauchte Luft, nie die belebende Kraft ihres Lichtes gespürt hatte! Er wußte nicht, daß sie das Herz einer singenden Welt war, ja, steingewordenes, durch die Jahrtausende schwingendes Lied! Daß die Griechen, die sie einst gegründet und erbaut hatten, ein singendes Volk gewesen und in ihren Grundstein das Geheimnis des Gesanges gelegt hatten, der nun immerdar wie ein siebenfarbener Regenbogen der Töne unsichtbar und segnend über der Bucht stand.

Man sagt, daß ein Glück leicht wie Glas zerbreche, doch es gleicht weit weniger dem Glase als dem wandernden Gestirn. Auf einmal ist es von Wolken verhüllt. Wer will behaupten, daß echtes Glück wirklich verschwinde? Es lebt weiter im kosmischen Raum, es geht seine Bahn, und wie es einen angerührt hat, so bleibt man von ihm gezeichnet, auch wenn es wie die Sonne längst verschwunden ist und schon wieder strahlend für andere, ferne und fremde Menschen aus dem Horizont steigt.

Als Rico heimkam, war die Nacht hereingebrochen. Er hatte wohl länger auf dem Heimwege verweilt als sonst.

Der Vater trat ihm an der Tür entgegen. Auch sein kleiner Bruder Giovanni und das Schwesterchen Assunta waren erschienen, wurden aber vom Vater fortgeschickt. „Kommst du von Signora Tivaldi?" fragte er.

Hallo, da war etwas geschehen! Rico merkte es sofort. Es lag in der Luft, in dem Ton der väterlichen Frage, es lag in der Art, wie er den Mundwinkel emporzog und einen

Eckzahn sehen ließ. An gewöhnlichen Tagen hätte Rico gelogen, obwohl es fraglos das dümmste gewesen wäre, doch es ist des Menschen Art, wie ein Pferd in den brennenden Stall zu laufen. An diesem Tage aber, dessen Schimmer noch in seinen Augen lag, fürchtete er sich weder vor dem Teufel noch vor dem Vater noch vor der Wahrheit.

„Nein", sagte er.

Marcellino Caruso zeigte Enttäuschung. Das war nicht das Stichwort, das er erwartet hatte. Indessen konnte er sich bei der Stärke seiner Position einen Rückzug erlauben. Er fragte: „Warum bist du nicht zu ihr gegangen?"

„Sie hat mich mit einem Lineal geschlagen."

„Und ich werde dasselbe jetzt mit der Hand tun!" schrie der Vater. Doch weil er ungeschickterweise seine Absicht vorher bekanntgab, duckte sich Rico und wollte schnell wie ein Marder in die Küche entweichen.

Der Schlag ging fehl, aber des Vaters rasch zugreifende linke Hand und ein donnerndes „Halt!" verhinderten seine Flucht.

„Du bist vierzehn Tage nicht zu ihr gegangen! Du hast es deiner kranken Mutter und mir vorgespielt! Du hast, anstatt bei der edlen und gütigen Signora etwas zu lernen, auf dem Hauptbahnhof Opernvorstellungen gegeben! Ich weiß auch das! Du bist die Milde und Nachsicht nicht wert, die ich allzulange geübt habe. Morgen wirst du deine Arbeit bei Herrn Palmieri abschließen und mit mir in die Fabrik Meuricoffre gehen, wie das schon längst hätte geschehen müssen. Dort stehst du unter meiner Aufsicht. Dort wirst du beweisen können, ob du imstande bist, mit Ehrlichkeit und Fleiß dein Brot zu verdienen. Geh!"

Obwohl er das letzte Wort mit Verachtung hinausstieß, änderte es nichts an der Tatsache, daß seine Schüsse nur die Außenränder der Scheibe getroffen hatten. Die ganze Szene war taktisch mißlungen, eine Folge davon, daß er sie auf der Annahme aufgebaut hatte, der Sohn werde lügen und er ihm Schlag auf Schlag die Wahrheit in das Gesicht schleudern können.

Wohl, wohl, die Sonne war verschwunden. Sie hatte das Licht mitgenommen, in dessen Wogen er wie ein spielendes Fischlein heimgeschwommen. Doch etwas Unsichtbares, Keimendes, selig Pochendes hatte sie weder mit den Schleiern der Nacht fortwischen können, noch gelang dies der priesterlichen Strafpredigt des Vaters. Er sah ein, daß ihm nichts übrigblieb, als der Gewalt zu weichen. Und wenn er sich fragte, ob er über diesen Empfang sehr überrascht war, so mußte er es leugnen. Im Grunde hatte er längst einen ähnlichen Ausgang erwartet.

Schlimmer war, daß der Vater es nicht vermocht hatte, des Sohnes Sünde vor der Mutter geheimzuhalten. Wie sie im Bette lag, erschien sie ihm schmaler und blasser als je, und er bereute tief, sie nicht über seine geheimen Wege unterrichtet zu haben. Von ihr erfuhr er, daß es Dr. Niola gewesen, der heute gefragt hatte, warum Errico seit vierzehn Tagen seine Schwester nicht mehr besucht habe. Je nun, das hatte kommen müssen. Hätte ihn jetzt nur seine Mutter gescholten, er würde es demütig hingenommen haben. Aber sei es, daß sie zu schwach dazu war, sei es, daß sie hellsichtig hinter seiner Durchgängerei etwas ahnte, das stärker als die Anziehungskraft Signora Tivaldis gewesen, sie fragte nur traurig: „Warum hast du das getan?"

Giovanni und Assunta saßen dabei und versuchten, sich ein Bild von der Sünde des großen Bruders zu machen. Mit verdutztem Blick sah Giovanni, daß über Ricos Gesicht Tränen liefen und er plötzlich etwas von einem Herrn Proboscide zu erzählen begann, über dessen Namen Giovanni lachen mußte, weshalb auch Assunta ein glockenhelles Lachen anschlug, doch gleich abbrach, als die Mutter sie verwies. Lange sprach Rico, und es mochte wohl ein rechtes Durcheinander sein, denn hie und da unterbrach ihn die Kranke und stellte eine Frage, um ein deutliches Bild von den krausen Vorgängen zu erhalten. Auch von einem Mädchen Stella sprach der Bruder und daß sie die Nichte jenes komischen Herrn Proboscide sei, er hörte gar nicht auf, von ihr zu erzählen. Aber jetzt stellte die Mutter keine Frage mehr. Sie nahm nur die Hand Ricos in ihre Hand und sah ihn mit ihren Augen, in denen schon etwas von den Feuern der Ewigkeit zu brennen schien, schweigend an. Doch wenn Rico imstande gewesen wäre, auch nur einmal während dieser Geständnisse aufzublicken, so hätte er bemerkt, daß über die fahlen und leidzerhöhlten Züge der Kranken sich ein winziges Lächeln gelegt hatte, nicht stärker als der Widerschein eines Sterns im Tau der Nacht.

Der kleine stramme Giovanni, für den die Welt eindeutig aus Böse und Gut, aus Strafe und Lob, aus Freude und Kummer bestand, war enttäuscht, daß die Mutter gar nicht ein bißchen schalt, auch nicht, als Rico endlich schwieg.

Und dann kam der Vater herein und verlangte gebieterisch, daß sie zu Bett gingen, und weil es Ricos Aufgabe war, Assunta beim Auskleiden zu helfen, erhob er sich seufzend, aber gehorsam von seinem Sitzplatz.

Vater Caruso hatte einen Toscanerstumpen im Mund, stand in der Tür und schien zu überlegen, mit welchem Donnerwort er noch nachträglich dem ungehorsamen Sohne eine heilsame Lektion erteilen könnte. Doch mit dem Duft der Zigarre war sein Zorn entschwebt, und dann hatte auch Dr. Niola verboten, daß man die Kranke aufrege, welche natürlich in tadelnswerter mütterlicher Schwäche dem Knaben längst verziehen hatte. Also sagte er nur dräuend, indem er die knorpelige schwarze Zigarre wie einen Marschallstab emporhob: „Übermorgen nehme ich dich in die Fabrik mit. Warte nur! Du wirst schon sehen!"

Doch es war zweifelhaft, ob seine Botschaft überhaupt zu Ricos Ohren drang. Nachdem der Vater diese Bekundung abgegeben, drehte er sich um und ging in die Küche, um Zeitung zu lesen.

Schweigend saß Rico auf seinem Holzschemel am Bette der Mutter. Den schwarzen Wollkopf hatte er seitlich auf die Decke gelegt, die Augen geschlossen. Nun, wo er alles gestanden — allein von Stellas Kuß war kein Wort gefallen —, schien auch von dem Sonnenglücke, das wie ein Strahlenmantel um ihn gelegen, etwas zurückgekehrt zu sein. Nur, daß es durch das Leiden der Mutter gedämpft war und eher dem Monde glich, der ihn und den Freund auf dem Heimwege von der Oper so geheimnisvoll von allen andern Menschen geschieden hatte.

Die Stimme der Mutter sprach: „Es ist gut, daß du mir alles gesagt hast. Ich weiß nun, daß Menschen da sind, die dich liebhaben und behüten werden." Sie hatte wohl hinzusetzen wollen: „Wenn ich nicht mehr da bin", doch den Nachsatz bei sich behalten, damit das Lächeln auf seinen Lippen bleibe. Wie der letzte Schimmer des Lichtes glänzte es in die aufziehende Nacht.

Tagsüber arbeitete Rico nun in der Fabrik Meuricoffre, wo er unter Aufsicht eines mürrischen Mannes Säcke zählen und ihr Gewicht notieren mußte. Abends aber gehörte er dem Kirchenchor. Für Herrn Proboscide blieb keine Zeit, und Stella nahm mehr und mehr wieder die Lichtgestalt eines Sternes an, aus der sie sich in einen Menschen verwandelt hatte. In unfaßbarer Ferne zog er am Himmel seine Bahn.

Einmal lief Rico vor den Chorproben in die Via Concordia, wo, wie er wußte, ihres erlauchten Vaters Haus stand, doch es stellte sich als ein törichtes Unternehmen heraus. Glaubte er vielleicht, sie werde dort täglich von sieben bis acht ihre Promenade machen? Daß sie am 1. Juni mit ihren Verwandten in der Kirche San Severino anwesend sein werde, hatte man ihm versprochen, aber in der Kirche saßen viele hundert Menschen, und er wußte, daß es unmöglich sein würde, sie zu erkennen. Doch seine Stimme würde sie hören, und er nahm sich vor, so schön zu singen, daß sie während der Andacht an nichts anderes denken sollte als nur an ihn.

Der Dirigent des Chorwerks war Maestro Amitrano, ein kleiner, florettartiger Herr, der wie ein auseinanderrollendes Stahlband hochschnellte, sobald er nach der Pause das Zeichen zum neuerlichen Beginn gab. Mit Pater Bronzetti verglichen, dessen energisches Phlegma eine verständnisvolle Gutmütigkeit durchschimmern ließ, mußte man ihn höchst unangenehm nennen. Er arbeitete wie eine der unentwegten Maschinen in Herrn Meuricoffres Fabrik, seine blitzenden Augengläser bemerkten die geringste Unaufmerksamkeit, jedes noch so kleine Versehen. Mit hellem, durchdringendem Organ heischte er höchste Präzision, und wenn sein Taktstock dreimal hart auf das Pult schlug, wurde Rico jedesmal an das verhaßte Lineal der Dame Tivaldi erinnert. Gleichwohl, er konnte nicht leugnen, daß diese Stunden die schönsten des Tages waren. Sobald er nur die Anschläge der taktfesten Finger des Maestro Amitrano auf dem Klavier vernahm, blühte sein Herz auf. Er vergaß, was der Tag an unfreundlichen Eindrücken beschert hatte, sein Ich versank in einem Meer von Tönen, und seine Kräfte verdoppelten sich in der beglückenden Spannung der Arbeit. Er wurde denn auch, nachdem er zum erstenmal seinen Part auswendig und fehlerlos gesungen, von Herrn Amitrano gelobt. Kurz und knapp, ohne Beigabe von Gefühlen. Er sagte nur: „Gut gemacht. Nur das Forte bei der ersten Reprise lockerer. Du gabst zuviel Brustton. Bitte noch mal."

Und Rico sang es noch einmal und abermals und ein drittes Mal und hätte es auch ein viertes und fünftes Mal gesungen, aber der Maestro klopfte ab und erklärte mit einem kurzen Blick auf die Uhr: „Genug für heute. Ihr könnt gehen."

Das alles trug fraglos einen militärischen Zug, es stand unter dem Zeichen strenger Gesetzlichkeit und unerläßlichen Gehorsams. Viele seiner Kameraden brummten, aber ihm behagte das elastische Stahlband, weil er begriff, daß Arbeit am musikalischen Werke höchster Disziplin bedürfe, wolle es auf den Hörer den Eindruck erhabener und wolkenhafter Freiheit machen.

Der Mai ging zu Ende, der Tag des Oratoriums stand bevor. Er wußte, daß seine Mutter sich nichts so leidenschaftlich gewünscht hatte, als an der Aufführung des Corpus Domini teilzunehmen. Es erfreute und beunruhigte ihn zugleich, daß sie am 30. Mai erklärte, sich frischer zu fühlen und aufstehen zu können.

Vater Caruso faßte sich an den Kopf: Dr. Niola hatte es verboten! Wolle sie denn Christus und alle Heiligen herausfordern? Dies sei eine Herausforderung und könne nur ein schreckliches Ende nehmen!

Doch mit dem Eigensinn, den oft Schwerkranke zeigen, die wochenlang sich in mattem Gehorsam den Vorschriften des Arztes unterstellt haben, bestand Anna Caruso darauf, wenigstens den Nachmittag außerhalb des Bettes zu verbringen. Merkwürdigerweise gab ihr der unmittelbare Erfolg dieses Unternehmens recht. Sie hatte sogar ein wenig Appetit, und auf der blutleeren Haut der Backenknochen tauchte eine flüchtige Röte auf.

Ihr Mann wußte nicht, was er dazu sagen sollte. Er entschloß sich, darin eine gnadenvolle Erhörung seiner Gebete zu erblicken, lief hin und her und zeigte sich erbötig, der Kranken dies und jenes abzunehmen. Wie es nicht anders zu erwarten war, hatte sie sich sogleich in die Küche begeben und kopfschüttelnd einen Zustand angetroffen, den sie trostlos nannte, obwohl man sich doch stets bemüht hatte, alles wieder an seinen Platz zu stellen. In diesem Augenblick läutete die Türglocke. Vater Caruso fürchtete die Ankunft Dr. Niolas und das ihr unausbleiblich nachfolgende Donnerwetter. Ehe er zur Tür lief, beschwor er seine Frau mit erhobenen Armen, sich ins Bett zu legen, aber sie blieb widerspenstig. „Ich kann unmöglich die Küche in diesem Zustand lassen. Nein, das kann ich nicht."

Marcellino verzog sein Gesicht, als wolle er in Tränen ausbrechen, stieß die Faust in die Luft und schrie: „Geh sofort ins Bett! Du machst mich rasend!"

Anna wandte ihre schwarzen Augen, die so beängstigend groß geworden waren, langsam ihrem Manne zu und erwiderte mit schwacher Stimme: „Warum schreist du so? Das ist viel schlimmer als alles andere."

Es läutete ein zweites Mal.

Marcellino griff sich in die Haare und ging zur Tür.

Es war nicht Dr. Niola, sondern Zia Zia. Obwohl er seine Schwägerin haßte, flehte er sie an, der Schwester zuzureden, nicht jetzt die Küche aufzuräumen.

„Warum nicht?" sagte Zia Zia, „wenn sie sich wohl fühlt?"

Als sie aber mausäugig und zerknittert in die Küche trat, sah sie bereits Anna auf dem Stuhl sitzen, die magere Gestalt zusammengesunken, die Wangen geisterhaft leer und fahl.

Es blieb ihr nichts übrig, als das verhaßte Bett wieder aufzusuchen und die Unordnung ihres Hauses dem Schicksal zu überlassen, das grausam genug war, ihr nicht einmal für eine so notwendige Arbeit Kräfte zu lassen, Annunziata hätte wohl an ihrer Stelle das Erforderliche vornehmen können, doch kam es ihr nicht in den Sinn. Sie setzte sich an ihr Lager und erzählte von Pater Bronzo. Wie er vergangenen Sonntag die Messe für den verstorbenen Conte Sandro Morignano gelesen habe, sei die Kirche so voll gewesen, daß nicht eine Nadel hätte zu Boden fallen können. Sie halte es für möglich, daß Johannes der Täufer eine ähnliche Stimme wie Pater Bronzo gehabt habe.

Ob Anna ihr zuhörte, wußte sie nicht. Es fiel ihr nicht weiter auf, daß von der regungslosen Blässe der Kranken eine merkwürdige Stille ausging. Doch dann trat ihr Schwager Marcellino ins Zimmer, und bald darauf rannte er barhäuptig zu Dr. Niola.

Der Arzt war nicht zu Hause. Er kehrte atemlos zurück, blieb am Bette der Kranken stehen und begann laut, sein Schicksal zu verwünschen, das gerade ihm ein solches Leid aufgebürdet habe. Dann lief er in die Küche, füllte Wasser in ein Glas, um es Anna zu bringen. Seine Hände flatterten, das Glas fiel zu Boden und zerbrach. Marcellino verlor die Nerven, packte ein zweites und schleuderte es dazu.

Zia Zia trat ein und erzählte ihrem Schwager, daß man in Deutschland jetzt große Erfolge mit Kaltwasserkuren erziele. Sie habe es in der Zeitung gelesen. Ein ehemaliger Priester sei der Entdecker der Heilkraft des kalten Wassers. Sie könne ihm nur raten, den teuren Arzt laufen zu lassen und es einmal mit kaltem Wasser zu versuchen.

Was Marcellino darauf zur Antwort gab, verstand sie nicht, es schlug nur ein Gebrüll an ihr Ohr. So erhob sie sich, legte sich ihre Mantille um die Schultern und verließ ihn.

Abends kam Dr. Niola, fühlte den Puls der Kranken, sah ihr in die Augen und schwieg beharrlich auf alle Fragen des bleich dabeistehenden Mannes. Aus einem schwarzen Kasten, den er bei sich trug, holte er Watte, ein Fläschchen mit Alkohol, eine Injektionsspritze und eine Glasampulle. Nachdem er ihr die Spritze gegeben, setzte er sich neben das Bett, die Augen beobachtend auf sie gerichtet. Sie belebte sich.

Er lächelte ihr zu und sagte: „Heute sind wir in keiner guten Verfassung, aber morgen kann es schon wieder besser werden."

Anna Caruso nickte nur mit den Augenlidern.

Es wurde nicht besser. Sie verweigerte jede Nahrung und lag stundenlang in einem Zustand zwischen Schlaf und Ohnmacht.

Abends erschien wieder Dr. Niola, machte wie am Vortage seine Injektion und blickte auf die dicke, laut tickende Taschenuhr, während er der Kranken den Puls fühlte. Sie bewegte die Lippen. Er beugte sich zu ihr und vernahm, wie sie sagte: „Morgen singt Rico in der Kirche. Ich möchte noch einmal seine Stimme hören." Ihre Worte glichen fallenden welken Blättern, und es war doch Frühling in der Welt.

Der Arzt schwieg, rückte an seiner Brille und warf einen etwas scheuen Blick auf Marcellino. Dann nahm er die kalte Hand Anna Carusos in seine kräftige, behaarte Tatze, hob sie langsam an seine Lippen und küßte sie.

Marcellino starrte ihn an. Plötzlich verschwammen vor seinen Augen die große Gestalt und das bärtige Antlitz des Arztes. Er stieß einen schluchzenden Laut aus und wandte sich ab.

An der Tür fragte er, wie lange sie noch leben werde.

Niola sagte: „Sie wird ihren Sohn hören."

Marcellino verstand ihn nicht.

Dann kam der 1. Juni. Rico und der Vater waren nicht in die Fabrik gegangen, weil der Arzt gebeten hatte, die Sterbende nicht zu verlassen.

Sie war etwas aufgelebt, von großer Klarheit erfüllt, fast heiter. „Ich kann nun doch nicht dabeisein", sagte sie, „aber du versprichst mir, dein Bestes zu geben. Und wenn du wiederkommst, erzählst du mir, wie es gewesen."

Rico rannen unaufhörlich die Tränen über die Wangen.

Die Glocke läutete. Ein junger Priester erschien, um ihn in die Kirche abzuholen. Er schüttelte den Kopf.

„Geh", sagte die Mutter, „was fürchtest du dich?"

Er warf sich über sie, klammerte sich an ihr Bett, krallte sich ins Kissen und schluchzte so laut, daß auch Giovanni und Assunta, die in der Küche saßen und es hörten, zu weinen begannen.

„Geh", flüsterte sie noch einmal, „tu es für mich."

Der junge Priester legte sanft seinen Arm um die Schulter des Knaben und führte ihn hinaus.

Wenn ein Mensch stirbt, zieht der eherne Engel lautlose Kreise um das Haus. Die Nachbarn treten zusammen und flüstern, sie spüren fröstelnd die Sternenkühle seines Schattens. Ihre Augen richten sich auf die Tür des Hauses, sie heben die Köpfe und blicken empor zu den Fenstern, hinter denen die Gardinen geschlossen sind. Und wenn Priester und Ministrant mit den heiligen Geräten vorübergehen, beugen sie das Knie.

Sie stehen und warten. Wagen fahren vorbei, Spaziergänger gehen unwissend des Wegs, eine ferne Frauenstimme singt ein Lied, und aus den Werkstätten tönt das Hämmern und Klopfen des lebendigen Tags. Dann verläßt der Priester im weißen Ornat das Haus, er geht die Straße hinunter, und aller Augen folgen ihm. Eine drückende Stille lastet über den Menschen. Ein Mann nimmt den Hut vom Kopfe und bekreuzigt sich.

Plötzlich ertönt ein Schrei wie das Geheul eines verwundeten Tieres. Er kommt von oben, langhinhallend fängt er sich in den Wänden des Treppenhauses. Durch die Gruppen der Wartenden fährt eine schreckliche Unruhe, wie der Windstoß vor einem Gewitter. Ein Mann stürzt weinend auf die Straße, er schlägt sich mit beiden Fäusten auf die Schläfen, er ruft den Namen der Toten. Ein Knabe und ein kleines Mädchen haben sich an die Hand gefaßt und laufen ihm jammernd nach. Er stolpert unsicher die Straße hinunter, als folge er einer entschwebenden Gestalt, dann hebt er hilflos die Arme empor und wankt. Nachbarn stützen ihn und führen ihn und die Kinder zurück in das Haus.

Ein anderer aber, der schweigend die Szene verfolgt hat, begibt sich zur Kirche San Severino. Wie er sie betritt, schlägt ihm Orgel und Chorgesang gleich einer Brandung entgegen. Sekundenlang verweilt er und lauscht, schließlich geht er die Treppe hinauf zur Empore, wo der Knabenchor gespannten Blickes den Bewegungen des Dirigenten folgt. Er sieht den Kontra-Altisten, bleibt stehen und starrt ihn an. Die Augen des Knaben treffen die seinen, eine Angst verdunkelt sie, er schließt die Lider und beendet mit dem letzten Aufwand seiner Kraft den Gesangspart. Dann geht er, angezogen von dem Blick des Fremden, durch die Reihen der erstaunten Schüler auf ihn zu.

„Komm", sagt der Mann leise, „du mußt deinen Vater trösten."

Der Dirigent klopft ab.

ZWEITER TEIL

I

Ein Julinachmittag in Neapel. Als heize der Vesuv die Straßen mit dem Gluthauch seiner Esse, liegt ein Flimmern über den Steinen. Des Himmels wolkenlose Bläue ist nackt wie ein antiker Gott, der, unberührt von den Schicksalen der Menschen, im Zeitlosen thront.

Luigi Gregorio Proboscide tritt aus der Halle des Hauptbahnhofs und bleibt seufzend einen Augenblick stehen, ehe er sich entschließt, über den schattenlosen Platz zur Via Mancini zu gehen. Er hat den steifen grauen Hut abgenommen und wischt sich den Schweiß von der Stirn. Da sieht er einen mageren, hochgeschossenen Jungen in schwarzem Anzug, der die Piazza Garibaldi überquert hat und in Richtung auf das Hotel Cavour einbiegt. Er trägt einen großen, in Papier eingeschlagenen Gegenstand im Arm.

Herr Proboscide ruft ihn an. Die dunklen Augen des jungen Menschen erkennen ihn. Er grüßt und tritt auf ihn zu.

Er habe sich nie mehr sehen lassen, sagt Herr Proboscide.

Errico blickt zu Boden.

„Ich weiß, welches Unglück dich betroffen hat, und habe tiefen Anteil an deinem Schmerz genommen. Aber war dies ein Grund, deine Freunde zu vergessen?"

„Ich habe sie nicht vergessen", sagt Errico dumpf, ohne den Blick von den Steinen zu heben. Es ist nicht mehr die Stimme eines Knaben. Sie hat den dunklen Ton der Reife bekommen.

Herr Proboscide zieht ihn in den Schatten des Bahnhofs. Er setzt sich den Hut auf und legt seinen Arm vertraulich um Erricos Nacken.

„Nun ja, das mußte wohl einmal geschehen, daß wir die Schlangenhaut der Kindheit abstreifen. Ich habe es lange erwartet, ich habe es sogar erhofft. Jetzt erst werden wir wissen, was in der Stimme steckt."

„Ich singe nicht mehr", sagt Errico.

Der Alte öffnet den Mund und starrt ihn an. Er schiebt ausatmend den Hut ein wenig aus der Stirn, wedelt sich mit einem Tuche Kühlung zu und blickt auf dieselbe Stelle des Steinpflasters, die auch Errico so angelegentlich betrachtet.

„So", sagt er nach einer Weile, „du singst nicht mehr. Und was tust du?"

„Ich arbeite in der Fabrik Meuricoffre."

„Du arbeitest in der Fabrik Meuricoffre", wiederholt er. „Und wenn du heimkommst, was tust du dann?"

„Muß ich für meine Geschwister sorgen."

Herr Proboscide preßt seine Hand, die das Taschentuch trägt, vor die Augen. Ein feiner Duft von Kölnischwasser schwebt in der heißen Luft. Eine Pause vergeht. Dann steckt er das Tuch in die Brusttasche, fährt sich über den grauen Knebelbart, und legt seine Hand auf Erricos Schulter. Er spricht: „Du hast einmal meiner Schwester von deiner seligen Mutter erzählt..." Er unterbricht sich und nimmt ehrerbietig den Hut vom Kopfe, als grüße er die Manen der Verstorbenen. „Ich verneige mich vor dem Adel ihres Herzens. Sie hat an dich geglaubt. An dein Talent geglaubt, an deine Kraft, den schweren Weg zu gehen, an deinen Willen. Du bist es ihr schuldig, diesen Glauben durch die Tat einzulösen."

Ein mit Koffern beladener Facchino zwingt beide, zur Seite zu treten. Herr Proboscide ergreift Erricos linke Hand

164

und zieht ihn zu sich. „Mein Sohn“, sagt er, „was ich für dich tun kann, ist wenig. Es ist nur der Anfang eines langen, schweren Weges, der dich eines Tages von mir fortführen wird. Doch nicht fortführen, um Direktor in einer Maschinenfabrik zu werden.“

Errico sieht leeren Blickes über ihn hinweg auf eine anfahrende Droschke. Er atmet tief ein und antwortet heiser:

„Ich kann nicht mehr singen. Es ist vorbei.“

„Ach? Es ist vorbei. Sieh mal an, was wir da alles wissen. Du hast jetzt keine Zeit. Ich sehe es an dem unförmigen Gegenstande, den du da trägst, vermutlich sollst du ihn in deine Fabrik bringen. Sonst würde ich dir etwas mitteilen, was dich vielleicht interessieren könnte. Apropos, du hast an meine Nichte einen Brief geschrieben?“

Aus Erricos Wangen ist plötzlich das Blut gewichen. Er starrt Herrn Proboscide ins Gesicht.

„Ich habe den Brief nicht gelesen, das mußt du nicht glauben. Aber Stella war bei uns und sagte, daß du ihr geschrieben habest, du werdest nie mehr singen und könntest daher nicht mehr in mein Haus kommen. Sie schien betrübt über diesen Brief. Sie hatte dich mit uns an jenem Tage in der Kirche San Severino gehört; ein unseliger Tag, ich weiß es, mein Kind, dennoch…“, er macht eine lange Pause und fährt leiser fort: „Es ist gleich, wann du kommst, ob morgen oder in einem halben Jahr. Aber wir warten auf dich. Denn wir haben dich sehr liebgewonnen. Dich und das da.“ Er tippt mit dem behandschuhten Finger auf Erricos Kehle. „Addio!“ sagt er und geht davon.

Errico steht und rührt sich nicht. Erst als eine Karre mit Gepäckstücken so hart an ihm vorbeirollt, daß sein Paket davon einen Stoß erhält, klemmt er es vorsichtig unter den Arm und geht weiter.

Singen, sagte Herr Proboscide. Für wen? Wann? Kann man singen, wenn das Leben schal und häßlich geworden ist und bis tief in den Abend angefüllt mit dem Geröll zermürbender Arbeit? Wenn der Vater stumm vor sich hinglotzt, einen erloschenen Toscanerstumpen in der zitternden Hand, während die Lippen sich lautlos bewegen, als spräche er mit einem Geiste? Kann man singen, wenn der am Tage aufgestaute Schmerz nachts sich in Bächen von Tränen den Weg in einen Schlaf sucht, der feurig aufflammt in qualvollen Träumen? In diesen Träumen lebt sie wieder, obwohl doch eine Stimme ihm ohne Aufhören zuflüstert, daß es ein Trug sei. Er weiß, daß sie tot ist, aber dieses Wissen ist leerer Schall, denn er sieht sie ja! Da kommt sie die Straße herunter, Giovanni und Assunta an der Hand. Schon von weitem lächelt sie ihm zu, und ihr Gesicht ist nicht verfallen und krank, sondern voll blühender Frische, als sei sie wieder jung geworden. Sie hat lustige Augen und spricht zu ihm voll schelmischer Munterkeit. Und manchmal küßte sie ihn im Traum, und er reißt sie an sich und küßt sie wieder, so wie er sie nie geküßt, und fährt aus dem Schlafe auf, richtet sich empor und hört durch die Nacht die Schläge des jagenden Herzens. Dann wieder sieht er sie so, wie sie war, als schon die Krankheit ihre Züge verzehrt hatte, abgemagert zu einem Skelett, tiefe Schatten unter den Backenknochen, die Augen groß und weit ins Leere gerichtet. Sie kniet vor dem Madonnenbild, dreht sich um und starrt ihm ins Gesicht, und er sieht mit Entsetzen, daß sie nicht mehr gehen kann, sondern sich auf Händen und Füßen mühsam durchs Zimmer schleppt. Sie ist barfuß, ihr Kleid geflickt, abgetragen, fadenscheinig. Er will sie vom Boden aufheben, doch es fehlt ihm die Kraft, er sinkt neben ihr nieder und schluchzt und erwacht mit einem aufheulenden Schrei. Ein andermal wieder steht er in der Kirche und singt und sieht sie plötzlich auf Zehenspitzen über die Orgelpfeifen gehen, schwerelos, lächelnd, wie einen Seiltänzer. Er bricht ab und will sie anrufen, da stürzt sie zu Boden, und gleich darauf sieht er sie mit gebrochenen Gliedern im Bett liegen. Der Vater aber stürzt schreiend in die Küche, springt auf den Tisch und wieder herunter und abermals hinauf und herunter, dreht sich balletteusenhaft wirbelnd im Kreise, fliegt wie ein russischer Tänzer in die Hocke, schleudert die Beine mit sinnloser Hurtigkeit in knatterndem Rhythmus, fährt wieder hoch und rast gleich einem wahnsinnigen Derwisch durch die Wohnung. Er aber, Errico, ist von Todesangst beseelt, der Verrückte könnte dieses Theater in ihrem Schlafzimmer fortführen, verriegelt von innen die Tür und hört ihn auch schon donnernde Schläge gegen das Holz führen. Wie er aber erwacht, ist es wieder nur sein Herz, dessen Schlag er vernimmt, und die gräßliche Stille der Nacht hat die Leere eines Abgrunds, der unergründlich ist.

Am Tage nun, da er Herrn Proboscide am Bahnhof getroffen, träumte er, daß er durch einen kühlen nächtlichen Garten gehe. Zypressen und Pinien rauschten, Felstrümmer und Löcher hinderten ihn am Schreiten. Da sah er, daß es ein Friedhof war, der sich riesenhaft ausdehnte und mit dem violetten Himmel verfloß. Sehr weit von seinem Platze entfernt bemerkte er auf einem Lager seine Mutter. Das Wunderbarste aber: ein strahlendes Licht ging von ihr aus, sternenhaft, übersinnlich rein, gleich einem riesigen Diamanten, der aus sich selber ein seliges Feuer sprühte. Er wollte zu ihr, doch der Weg war kaum gangbar. Alle Augenblicke strauchelte sein Fuß und stieß gegen Baumstämme und Felsen. Nach einer langen Zeit der Wanderung gelang es ihm endlich, sich ihr zu nähern, und da sah er, daß es gar nicht seine Mutter, sondern Stella war. Ein unsagbares Glück flutete in ihn ein. Er blieb stehen und lauschte und vernahm Musik, wie er sie noch nie gehört und wie es keine auf dieser Erde gab, ein Orchester seliger Geister. Nun begann auch er zu singen, leise und vorsichtig zuerst, als müsse er die schlafende Stimme sacht aus dem Dunkel heben, dann aber wagte er mehr, der Ton quoll aus seiner Brust wie der kristallene Strahl eines Brunnens. Und singend erwachte er.

Seitdem übte er manchmal, wenn der Vater nicht im Hause war, und wunderte sich über die neue Stimme, die ihm gehörte. Sie war tief und warm, doch die mezza voce lag höher als die eines Baritons, so daß er annehmen mußte, daß er wohl ein Tenor war. Er stieg leicht bis zum G an, darüber hinaus hatte er bereits Mühe, das A ohne Umschlag der Stimme zu halten, wollte er höher steigen, brach der Ton.

Es beunruhigte ihn ein wenig, weil er wußte, daß er nie ein guter Tenor werden könne, wenn er nicht mühelos das C sänge, doch die Arbeit des Tages machte es ihm nicht möglich, viel darüber nachzudenken. Die Tätigkeit in der Fabrik war noch das Beste an ihr, und Herr Proboscide hatte unrecht, darüber die Nase zu rümpfen. Erst wenn er heimkam, legte sich der bleierne Druck des freudlosen Daseins auf seine Brust.

Eine Nachbarin hatte zwar für das Essen gesorgt, Assunta in Obhut genommen, auch aufgepaßt, daß Giovanni, wenn er aus der Schule kam, seinen Hunger stillen konnte. Alles übrige aber fiel ihm zu: das Aufräumen der Stuben, das Abwaschen des Geschirrs, das Reinigen der Wäsche. Der Vater bemühte sich wohl, ihm dabei zu helfen, doch seine zerstreute Hast, die gelegentlich von Momenten lähmender Trauer unterbrochen wurde, konnte nicht viel Vernünftiges zuwege bringen. Er verlegte sich daher auf das Einkaufen von Lebensmitteln, doch kaum drei Wochen nach dem Tode der Mutter bemerkten sie, daß ihre Ausgaben für die kleine Wirtschaft den Etat überstiegen. Sie setzten sich abends zusammen und rechneten die Posten durch, aber sie fanden den Fehler nicht. Dabei verspürten sie oft, nachdem das wenige, was Errico auf den Tisch gestellt hatte, verzehrt war, noch Hunger. Der Vater brach dann regelmäßig in Klagen aus über sein Leben, über die Leere, in der sie die Mutter zurückgelassen, und es klang fast, als mache er ihr Vorwürfe, daß sie nicht täglich vom Himmel herabsteige und nach dem Rechten sehe.

Errico begab sich still in den Verschlag, wo er die Speisen aufzubewahren pflegte, und brachte dem Vater Brot und Käse. Der schalt über die Verschwendung, doch aß er alles auf. Und weil auch Giovanni und Assunta noch Hunger verspürten, gab er jedem von ihnen eine Orange oder ein paar Fische, die er in der Sorge um den kommenden Tag zurückbehalten hatte.

Es mochten etwa zwei Monate nach Anna Carusos Tode vergangen sein, als der Vater fortblieb und erst spätabends wiederkehrte. Er sang leise vor sich hin, brummte, als er in die Küche trat und nach den Streichhölzern suchte, doch wie er dann das Zimmer mit dem leeren Bett sah, weinte er. Indessen, der kleine Ausflug ins schützend Allgemeine, in die gemütvolle Biederkeit von Trank und lauter Rede hatte ihm wenigstens auf Stunden wohlgetan. Er wiederholte ihn seitdem häufiger, so daß Errico, wenn die jüngeren Geschwister zu Bett gegangen waren, sich seinen Gedanken überlassen wußte. Es tat ihm wohl, allein zu sein. Er suchte seine Noten hervor, setzte sich an den Küchentisch und sang leise die alten Partien vor sich hin: „La donna è mobile" und jene herrliche Arie zu Beginn des zweiten Rigoletto-Aktes: „Ella mi fu rapita!", deren quellende Süße im ariosen Hauptteil ihn immer von neuem bis zu Tränen ergriff: „Parmi veder le lagrime . . .", er versuchte mit einer äußersten und schwebenden Zartheit anzusetzen und so die sanfte Klage, deren Trauer doch nie den Goldton einer herrischen Seele verlor, in großen Atembögen durchzuhalten. Aber jedesmal brach er mißmutig wieder ab, weil zwischen dem, was er empfand, und dem, was er geben konnte, eine unüberbrückbare Kluft lag. Er brauchte einen Lehrer, der ihm nicht wie Herr Proboscide das effektvolle Raffinement buffonen Vortrags, sondern sichere Tonführung beibrachte. Was tat er mit einer Stimme, die wie ein ungebärdiges Jungpferd nicht gehorchen wollte? Vielleicht sollte man wieder bei der Sprache beginnen? Und er nahm die Übungsstücke von Signora Tivaldi vor, um sie so, wie sie es ihn gelehrt, unter Beachtung jedes mitklingenden Konsonanten laut zu lesen.

Zuweilen besuchte ihn Giovanni Palma. Das war eine schöne Belohnung für erfüllte Pflicht. Sie schwatzten wie in alten Tagen, Giovanni hatte ein Glücksspiel mitgebracht, über das sie jedesmal in Aufregung und erquickenden Streit gerieten.

Errico dachte oft daran, zu Herrn Proboscide zu gehen, aber wie war dies möglich, ohne die Geschwister allein daheim zu lassen? Und konnte er den Vater bitten, an seiner Stelle die häuslichen Pflichten zu übernehmen, nur, damit er Zeit habe, davonzulaufen? Würde der Vater nicht mit Recht darin ein Anzeichen dessen erblicken, daß er die Mutter schon vergessen habe?

Endlich, es mochten nach der Begegnung am Bahnhof drei oder vier Wochen vergangen sein, ergab es sich, daß der Vater selbst wünschte, Rico solle sich einen guten Sonntag machen und mit Giovanni in die Risorgimento-Bäder gehen. Er wolle zu Hause bleiben, wo ihn ein Kollege aus der Fabrik besuchen werde.

Errico schaute verwundert auf. Der Vater bemerkte sein Erstaunen und geriet in eine leichte Verlegenheit, aus der er den Ausweg in einen nahezu feierlichen Ton fand. „Mein

Sohn", sagte er, „ich hätte ohne dich diese schwere Zeit nicht ertragen können. Ein Haus, dem die Mutter fehlt, ist wie eine Wabe ohne Honig. Ich bin nicht geschaffen, allein zu sein, ich habe daher oft die Gesellschaft von Arbeitskameraden gesucht, die mich auf ihre Art zu trösten und zu beraten wissen." Er schien mehr sagen zu wollen, ja, dies war zweifellos erst eine Einleitung, doch hinderte ihn wohl der seltsam dunkle Blick des Sohnes daran, fortzufahren. Er entzündete seinen Toscanerstumpen, tat dies mit übertriebener Umständlichkeit und Sorgfalt und hob sogar die Augenbrauen empor, um die Zigarre forschend zu betrachten, so daß dicke Falten auf seiner breiten niedrigen Stirn entstanden.

Errico wußte nicht, ob des Vaters Ansprache schon beendet war, weshalb er ihm dankte und erklärte, daß er nicht in die Bäder, sondern zu einem Herrn Proboscide und seiner Schwester gehen wolle, die sich beide schon vor Mamminas Tod viel um ihn gekümmert hatten.

Die Wurzelzigarre glomm. Der Vater sog kräftig an ihr, sein Gesicht verschwand in einer Rauchwolke. Er räusperte sich und versetzte: „Ich möchte, daß wir uns verstehen. Du bist jetzt kein Kind mehr, sondern wirst nun bald ein Mann sein. Auf deinen Schultern ruht mehr, als gut ist, aber daran ist einstweilen nichts zu ändern, denn du bist der Älteste und trägst die Verantwortung." – Wieder brach er ab, rauchte, zog Falten und vollführte eine weit ausschwingende Gebärde, welche nichts ausdrückte. Errico wurde das Empfinden nicht los, daß der dekorative Aufbau dieser Szene eine bestimmte Absicht verbarg. Welche in aller Welt?

Der Vater ging aus dem Zimmer. An der Tür drehte er sich noch einmal um und fragte undeutlich und hastig: „Hast du nie wieder gesungen?"

„Doch", sagte Errico leise und blickte zu Boden.

„Nun, und?" fragte der Vater, ebenfalls ohne ihn anzusehen, „bist du mit der Stimme zufrieden? Ist es ein Bariton?"

„Nein, ein Tenor."

„Ach, ein Tenor! Ein hoher Tenor?"

„Nein, er liegt zu tief. Mir fehlt die Höhe."

„So, so, dir fehlt die Höhe", murmelte er, „dann wird wohl nichts daraus werden. Ich traf den Dottore. Er fragte nach dir und meinte, du solltest wieder singen. Er wußte, daß du ein Tenor geworden bist. Merkwürdig, woher kann er das wissen?"

Errico sagte nichts.

Aus einer Rauchwolke vernahm er undeutlich: „Ich meine, daß es wohl in ihrem Sinne wäre, wenn du wieder singst. Vielleicht wartet sie oben darauf, daß sie dich hören kann." Er drehte sich hart um.

Errico griff nach des Vaters Hand und küßte sie.

Er lief durch die Straßen, über die Via Carracciolo. Dort setzte er sich auf eine Bank. Es lag wie ein Rausch über ihm, eine lichthelle Wolke angstvollen Glückes. Bilder auf Bilder glitten an ihm vorüber ohne Zusammenhang, wie in einem Traum, der aus heiligem Fieber wuchs und nicht Täuschung, sondern Wahrheit und Ahnung kommenden Lebens brachte. Durchsichtig waren die Menschen geworden, die unter farbigen Sonnenschirmen spazierten, durchsichtig die Gemäuer der alten Stadt, in der man litt und arbeitete, starb und geboren wurde, und man wurde nicht nur einmal in diesem Leben geboren. Wer aber in der Liebe starb, hinterließ denen, die ihm nachblickten, eine Kraft, die über alle Grenzen von Zeit und Raum hinaus ins Unendliche wirkte.

Da stand der Vesuv und hatte Städte verschüttet, aber neue legten sich an seine heiße Brust. Furchtlos und ver-

trauend preßten sie ihr Leben an das drohende seines
mächtigen Leibes, darin der Tod schlief. Und was Tod und
Leben voneinander trennte, war eine dünne Schicht blühender Erde.

Erst gegen Abend fand Errico den Weg in den Vico
Colonne Cariati. Er sang mit voller Kraft seiner Stimme,
und Herr Proboscide sagte, daß, wenn es ihm um Erwerb
ginge, er jederzeit ihm etwas verschaffen könne. Nicht nur,
um unter den Balkons der schönen Damen zu singen, nein,
auch in den Risorgimento-Bädern, wo die große Welt aus
und ein gehe und es leicht möglich sei, daß ein Impresario
ihn höre. Aber Errico gab zur Antwort, daß er arbeiten wolle.

Er zeigte viel Mut an diesem Abend, ja, er fand sogar die
Kraft, nach Stella zu fragen.

„Siehst du", sagte Herr Proboscide, „da hättest du früher
kommen sollen. Stella ist in Florenz." Und als Errico
schwieg, setzte er hinzu: „Sie wohnt bei Verwandten und
studiert. Italienische Sprache und Kunstgeschichte studiert
sie, oh, ein grundgescheites Mädchen ist das! Sie wird wohl
Schriftstellerin werden. Aber wenn du ihr einmal schreiben
willst, so wird sie sich gewiß freuen."

Errico schüttelte den Kopf.

„Aus dir soll auch einer klug werden", seufzte Herr
Proboscide.

Der Sommer ging vorüber, und Marcellino Caruso
wurde nach Aversa geschickt, um in einer Fabrik Maschinen
Meuricoffres einzubauen. Als er zurückkam, war sein Be-
nehmen noch merkwürdiger geworden. Er ging nur noch
einmal zu seinen Freunden in die Osteria, dafür legte er
Wert auf gute Kleidung und tadellose Frisur. Er kaufte
sich in der Via Toledo einen neuen Anzug und eine seidene
Krawatte. Täglich rasierte er sich, bürstete seinen Rock
und war sogar im Besitz einer duftenden Pomade, mit deren
Hilfe er sein unordentliches, von grauen Fäden durch-

zogenes Haar in die Form eines Scheitels zu pressen versuchte. Einmal fand ihn Errico vor dem Spiegel, der an der Schmalseite des Küchenschranks hing; anscheinend war er in die Betrachtung seines Antlitzes versunken. Er schrak auf und murmelte verlegen: „Der Spiegel wird blind. Es wäre wohl an der Zeit, einen neuen zu kaufen."

Errico schwieg.

Der Vater suchte seinem Blick auszuweichen, schien aber gleichzeitig von dem Wunsche gepeinigt, dem Sohne etwas mitzuteilen. Er legte die Hand auf seine Schulter, holte tief Atem, doch anstatt etwas zu sagen, blies er nur den Atem wieder aus. Am Ende erklärte er: „Ich werde nächstens noch einmal nach Aversa reisen müssen, in die Fabrik des Barons Rizzardi. Es ist leider unvermeidlich. Ich habe schon daran gedacht, dich mitzunehmen, um dir Aversa zu zeigen, es ist eine hübsche kleine Stadt, schön gelegen. Außerdem wohne ich dort gut, im Hause einer Witwe, einer Frau Castaldi, sie ist kinderlos, sehr sauber, alles blitzt und blinkt. Was war es, das ich dir sagen wollte? Ich bin abgekommen. Richtig: daß ich dich gern mitgenommen hätte."

Wieder gab Errico keine Antwort. Es war eine schwere, heiße Luft im Raum. Er spürte einen stechenden Kopfschmerz.

„Es kann sein", fuhr der Vater fort, „daß ich schon übermorgen abreise. Ich möchte vorher mit dir auf den Friedhof gehen."

Errico nickte.

Sie machten sich am Nachmittag des folgenden Tags auf die Wanderung zur Piazza Nazionale und gingen den Corso Orientale hinauf. Die Sonne stach, die Straße war staubig und die lange Strecke ermüdend. Sie sprachen während des Weges kaum ein Wort.

Als sie an dem bescheidenen Grabe standen, nahm Marcellino Caruso den Hut ab und schien lange und inbrünstig zu beten. Seine Züge hatten einen flehenden, gequälten, fast demütigen Ausdruck. Auch Errico wollte beten, aber seine stummen Lippen formten nur leere Worte, seine Gedanken schwirrten wie Insekten umher, er vermochte sie nicht andächtig zu sammeln. Am Grabe waren zwei kleine Zypressen gepflanzt, eine von ihnen stand schief und schien nicht gedeihen zu wollen, denn ihre Blätter bräunten sich. Über die Marmorplatte liefen Ameisen in emsiger Kolonne. Er mußte plötzlich daran denken, daß er gehört hatte, Würmer fräßen die Leichen auf. Er schämte sich unsäglich dieses Gedankens und konnte es doch nicht hindern, daß er sich mit eigensinnigem Zwang in seinem Gehirn festbiß. Er sah nicht Würmer, sondern Ameisen wimmelnd um die tote Mutter beschäftigt, seelenlose und fleißige Kleingespenster der Tiefe, die das heilige Gewebe ihres Leibes mit braunen Zangen betasteten und eilfertig zersägten. Und er wußte plötzlich, daß auch der Vater nur mit aller Anstrengung, sozusagen im Schweiße seines Angesichts, bestrebt war, seine Gedanken auf sie zu richten, die er doch einst so heftig und stürmisch geliebt hatte. Und daß, während sie hier standen, etwas geschah, das niemand von ihnen verhindern konnte: ein Entweichen, Entschweben, Verblassen der Toten, die bis dahin allabendlich unsichtbar an ihrem Tische gesessen hatte. Ein würgender Schmerz ergriff ihn, nicht um die leblose Gestalt unter der Erde, sondern um ihn, um den Vater, um die Menschen, deren kleine und dürftige Liebe sich immer nur an das Sichtbare band. Der Schmerz kroch herauf wie ein Haß, atembeklemmend, krallend, böse. Rico sah schräg aus den Augenwinkeln den Vater an und bemerkte, daß sein Blick über das Grab hinweg ins Leere gerichtet war.

Da wußte er, daß der Mann neben ihm an eine andere dachte.

II

Marcellino Caruso heiratete am 8. November desselben Jahres die Witwe aus Aversa, Maria Castaldi. Sie war eine hübsche, hochgewachsene und freundliche Dame. Als habe sie es sich vorgenommen, so und nicht anders die schwere Rolle der zweiten Frau zu spielen, stürzte sie sich mit atemloser Liebe auf die Kinder und ging mit Bienenfleiß daran, die verwahrloste Wirtschaft wieder zu Pracht und Glanz zu bringen. Sie putzte, sie sang, sie lachte, sie war von früh bis spät in weithin hallender Tätigkeit und erfüllte so das alternde Herz ihres Gatten mit Wohlgefallen.

Giovanni und Assunta, denen sie Geschenke mitgebracht hatte, hingen ihr bald mit zärtlicher Liebe an, während Erricos schweigende Höflichkeit einer Festung glich, die man von außen betrachten durfte, in die aber der Eintritt verwehrt war. Er sah, daß sie die Zimmer umräumte, auf Leitern stand, mit Besen hinter Gardinenstangen fegte, daß neue Bilder an die Wand gehängt und ein steifes Meublement aus Aversa in den „Salotto" gestopft wurde, darin er mit Giovanni schlief. Er sah, daß sie das Bett, in dem Anna Caruso gestorben, auseinandernahm wie eine Maschine, es bürstete und putzte, es wieder zusammenlegte und an einen andern Platz schob. Und daß sie nachts im Bette des Vaters, der Vater aber in dem der Mutter schlief, das hatte sie ihm überflüssigerweise auch verraten. Er sah, wie sie kochte und briet und mit den Tellern klapperte, und daß der Vater mit dem Feuerhunger eines jungen Mannes ihre schmackhaften Speisen hinunterschlang. In jedes Zimmer hatte sie Bildchen von Heiligen gehängt, mit kleinen Konsolen davor, auf welchen an ihren Namenstagen Kerzen entzündet wurden. Es schlug eine Brandung von betriebsamer Munterkeit durch die alte Wohnung, die den Geist würdiger und stiller Armut, der einst hier ge-

Die Mailänder Scala

Caruso als Canio im „Bajazzo"

herrscht, hinausjagte. Er hätte gewünscht, daß seine Stiefmutter etwas Böses täte, damit er sie hassen könnte, aber
sie tat nur Vortreffliches, Praktisches und Lobenswertes.
Giovanni und Assunta lachten, spielten, sangen, lärmten,
und fern im ungeheuren Äther entschwebte und zerfloß
eine Gestalt, die vor Gott allein ein Recht hatte, hier zu
walten, die auch als Tote noch seltsam gegenwärtig gewesen und manchmal wie ein Lichtschimmer im Raume
der Nacht aufgetaucht war und mit gütiger Hand segnend
seine Stirn berührt hatte.

Maria Castaldi empfand Kummer um Erricos abweisende
und keusche Befremdung. Sie wünschte sein Herz zu gewinnen, sie liebte ihn, denn sie sah, daß er Liebe brauchte,
während es ihrer forschen Natur ein Bedürfnis war, Liebe
zu spenden. So ergriff sie eines Tages seine Hände, drückte
sie fest, sah ihm herzhaft ins Auge und sagte, daß sie glücklich wäre, wenn er ihr einmal etwas Schönes vorsingen
wolle. Sie sänge selber gern, höre nichts lieber als Musik
und wisse, daß er ein begnadeter junger Künstler sei.
Errico versprach es, aber er sang ihr nicht vor. Er ging zu
Herrn Proboscide, sprach mit Frau Teresa und hörte gesenkten Kopfes an, was sie sagte.

Sie sagte, daß er um seines Vaters und um der Geschwister willen dankbar sein müsse, daß eine so ordentliche und vernünftige Frau in das leere Haus eingezogen
sei. Daß dies wohl auch im Sinne der seligen Mutter ge-
schähe, die immer nur an das Wohlergehen der andern
gedacht habe, und daß damit der Liebe zu ihr nichts genommen werde. Denn die Toten blieben wie Berge und wie
Sterne, aber das Leben der Menschen fließe vorüber und
wechsle von Gestalt zu Gestalt.

Ja, es wechselte, es floß vorüber, es war nicht zu halten
und selbst in der Erinnerung mühsam zu bewahren! Sein
Freund Giovanni, der sein Sekretär hatte werden wollen,

verließ Neapel und ging nach Sizilien, in die Gegend von Catania, wo sein Onkel einen Landbesitz hatte. Sie schrieben einander. Zuerst Briefe, dann Karten, und am Ende schlief die Korrespondenz ein. So war auch das vorbei. Diese Vorstellung, daß alles ein Ende nehme, vorüberlaufe wie ein Fluß, hatte quälend Besitz von ihm ergriffen. Er sah das Nicht-Verweilen alles Festen, Geprägten, Dauernden im Bilde der zersägenden Ameisen, die Tag und Nacht bemüht waren, den festen Bestand der Welt aufzulösen. Die Mutter tot und vorüber. Des Vaters grimmiger Schmerz vorüber. Vorüber die Kindheit, die Freundschaft mit Giovanni, die andächtigen Stunden im Chor Pater Bronzettis. Und Stella? Auch sie war den Fluß hinuntergeglitten, lautlos entschwunden, vorüber auch sie. Vorüber liefen die Tage in der Fabrik, wo er sorgfältig Listen über das einlaufende Material in den Lagerhäusern anzufertigen hatte. Sie liefen wie häßliche, kleine, vor eine Karre geschirrte Hunde, sie waren nicht gut, sie waren nicht böse, Arbeit war es, die man zu leisten hatte. Und vorüber ging auch die Abwehr gegen des Vaters Frau. Der Panzer schmolz wie eine dünne Eisschicht unter dem unaufhaltsamen Wandern der Sonne. Sie war ja eine tüchtige Frau, eine ordentliche Frau, heiter und fromm, und auf alles hatte sie ein Auge. Sie fütterte die pflanzenzarte Assunta, sie erzog den ungebärdigen Giovanni, sie strich Errico mitunter freundlich übers dichte Haar und wartete, daß er sein Herz offenbaren werde.

Als der Frühling gekommen war, sang er einige Male für zahlkräftige Seladons unter den Fenstern ihrer Damen. Die Fenster öffneten sich, die Damen blickten hinunter. Dann trat er zurück, der Anbeter glitt vor, und Herr Proboscide zahlte ihm am nächsten Tage fünf Lire aus. Man verdiente sie leicht, warum es unterlassen?

Auch in die Kirchen wurde er wieder geholt. Es sah

wirklich so aus, als schenke man seiner Stimme besondere Beachtung, habe Großes mit ihr vor, bestimmte Pläne im Auge. Doch dann geschah nichts weiter. Nun, das kannte er schon. Dumm daran war nur, daß er jedesmal von neuem den Stern seines Ruhms aufgehen sah, wenn ein Kapellmeister oder Komponist ihm versicherte, daß man gerade eine solche Stimme wie seine unter allen Umständen brauche, sie geradezu händeringend suche und mit Gold aufwiegen würde, falls er nur an den richtigen Mann käme. Da saß der Haken. Er kam wohl stets an den falschen. Auch sein wohlgesinnter Gönner Gregorio Proboscide wußte ihm nur einen Lehrer mit Namen Uccello zu nennen, zu dem viele liefen, Herren und Damen, und der ihn bestimmt umsonst unterrichten werde, das wolle er schon einrenken.

Dieser Uccello war ein üppiger, schöner und scharmanter Herr, der von früh bis spät in seinem eleganten Heim Stimmen nach ureigener Methode zugrunde richtete. Oft währte die Stunde, die er ihm gab, zehn Minuten, manchmal nur fünf. Er begründete es psychologisch, indem er sagte, daß man es als nutzlos, ja schädlich bezeichnen müsse, ein Organ zu formen, wenn sein Träger seelisch indisponiert sei. Er ließ während dieser Minuten Hörenswertes über das Geheimnis der Stimmbänder und des Kehlkopfs vernehmen und zwang den Schüler zu extravaganten Mund- und Kopfstellungen. Daß Erricos Stimme beim hohen A umschlug, fand er auf scharmante Art durchaus in der Ordnung, fast sogar erfreulich, weil es in das psychologische Diagramm paßte, welches er sich von ihm gemacht hatte. Zunächst sei es vonnöten, alles, was er bisher gelernt, zu vergessen und ganz von vorn anzufangen. Errico zeigte sich erbötig, dies zu tun, doch als Herr Uccello ihm erklärte, daß er überhaupt gar keinen Tenor, sondern einen Bariton sein eigen nenne, verließ er ihn und sang wieder wie früher in Kirchen und vor Balkonen.

So gingen die Tage hin. Man verdiente Geld und gab es wieder aus. Man hatte Freunde, mit denen man in den freien Stunden wie ein Erwachsener in Cafés saß, durch die Via Carracciolo bummelte, den Mädchen nachschaute, lachte, trank, Karten spielte. Es war so gleichgültig, ob man es tat oder unterließ, man hätte ebensogut andere Freunde haben können oder gar keine. Denn nichts von dem, was geschah, hatte die Form des Notwendigen, nichts das gebietende Antlitz der Natur, nichts eine Wurzel, die in die Tiefe ging.

Herr Proboscide zeigte sich zudem heftig erkältet, seine große Nase floß, aus allen Taschen zog er farbige Tücher, in die er zischend wie eine Lokomotive hineinblies. In jeder Erkrankung erblickte er symbolhaft die verhaßte Unzuverlässigkeit und Unvollkommenheit der menschlichen Natur. Ein Schnupfen wurde ihm zum Ausgang pessimistischer Betrachtungen über die unendliche Langsamkeit des Fortschritts. Da hatte man Wattebäuschchen mit Menthol getränkt und empfohlen, sie in die Nase zu stecken. Er tat es, doch wenn er nieste, flogen sie wieder hinaus. Er wies auf sie mit dem Zeigefinger, und während er wegen der damit verbundenen Ansteckungsgefahr Errico verbot, sie aufzuheben, stieß er ein höhnisches Lachen durch die geschwollenen Nüstern: angebliche Heilmittel einer beflissenen Halbwissenschaft! Theater, das man einander vorspiele! Fortschritt? Wo ist er? Die Welt bewege sich mit der Langsamkeit einer kosmischen Schnecke dem Ziel des allgemeinen Kältetods zu, sie werde an einem Riesenschnupfen zugrunde gehen, das sei der einzige Fortschritt, den er wahrzunehmen vermöge.

Errico begriff seinen alten Freund nicht mehr. War es doch nicht die Langsamkeit, sondern gerade die jagende Hast aller Erscheinungen seines kleinen Lebens, die ihn ermatten ließ. Sie erschienen ihm wie ein Kaleidoskop, das ein Dämon mit boshafter Geschwindigkeit abdrehte. So wußte auch Gregorio Proboscide, zumal im Zustande des verabscheuten Schnupfens, ihn nicht zu trösten.

„Was redest du von Schnelligkeit!" dröhnte sein vermummtes Organ. „Betrachte dich selber, erkenne das Gesetz des Werdens mit der Taschenuhr in der Hand, und du wirst sehen, daß dort, wo es um Werte geht, eine steinerne Langsamkeit am Werke ist. Gerade weil in deiner Stimme etwas ruht, das andern fehlt, ein metallischer Glanz, ein tropfendes Gold, ein undefinierbar Mystisches, das mein Ohr zu hören vermag – ach, nur das meine! –, gerade darum wirst du Jahrzehnte brauchen, um das zu werden, was du schon sein möchtest." Er nieste mehrere Male mit dem Gepolter eines Erdrutsches, verschwand in einem Taschentuch, tauchte wieder auf und fuhr fort: „Als du noch deine Kinderstimme hattest, Carusiello, da ging von dieser Stimme ein Reiz aus, den als engelhaft zu bezeichnen ich keine Bedenken trage. Wie soll ich ihn dir schildern? Bisweilen war es ein Schimmer vom Garten Eden, der mich aus ihr anstrahlte. Indessen, mein Freund, die Vertreibung aus dem Paradiese ist wohl eine fromme Mythe, doch nicht deshalb ist sie wahr, weil dies einmal geschah, sondern weil es in jedem Leben geschieht. Auch du wurdest aus dem Paradiese vertrieben und bist nun ein Mann geworden, oder du wirst es wohl werden müssen, und da nützt dir die ganze vergangene Herrlichkeit nichts mehr. Deine neue Stimme, um von ihr zu reden, ist klein, zart, grünend wie ein Hügel. Doch was unter dem Hügel liegt, darauf kommt es an. Auf das geheime Metall in der Tiefe kommt es an, auf etwas, das nur durch vulkanische Stöße zu befreien ist oder – durch die führende Hand eines Meisters. Und da wüßte ich nur einen, der es verstünde, danach zu graben: Guglielmo Vergine, der größte Lehrer, den wir in Neapel haben."

Errico zog seinen rechten Mundwinkel spöttisch empor und gab zur Antwort: „Nicht einmal die Köchin von Vergine würde mich empfangen."

Herr Proboscide nickte trübe und sagte, da sei es denn nötig, die lange Straße der Geduld zu gehen, den Dornenweg in die Welt hinein mit allen seinen blamablen und fatalen Sackgassen und Entwürdigungen; dennoch ein pädagogischer Weg, weil er hart mache und zäh und den Adepten der Sangeskunst lehre, sich zu bewähren, wohin auch immer das Leben ihn stelle. Wie alt er sei?

„Achtzehn Jahre."

„Achtzehn Jahre", zischte Herr Proboscide ins Taschentuch, „das ist gut, das ist vortrefflich. Ich werde dich an meinen Freund empfehlen, Cavaliere Pandolfo, Direttore der Risorgimento-Bäder, und er wird dich mit Vergnügen in sein Etablissement holen. Du wirst den Sprung in die Menge wagen, vor Hunderten singen, vor Tausenden. Nun, wie denkst du darüber?"

Gut, nickte Errico, er wolle in den Bädern singen.

„Und was wird Herr Meuricoffre dazu sagen? Wie steht es mit deiner Arbeit in der Fabrik?"

„Er hat gesagt, er will mich gern für längere Zeit beurlauben, wenn ich ein gutes Engagement finde."

„So ist alles in Ordnung. Nein, reiche mir nicht die Hand! Wenn ich noch einmal genesen sollte, woran ich ernsthaft zweifle, magst du wiederkommen, und ich werde dich dann sogar umarmen."

Frau Teresa begleitete ihn zur Tür und flüsterte, als teile sie ihm ein Geheimnis mit: „Stella ist wieder in Neapel."

Es war vorteilhaft für Errico, daß er im Schatten stand und sie die Farbe seines Gesichts nicht sehen konnte. Mußte man auch immer ein so albernes Herzklopfen bekommen? Was ging ihn Stella an! Dennoch blieb er stehen, rührte sich nicht vom Platz. Es konnte ja sein, daß die

Matrone noch etwas sagen werde und bei ihrer betulichen Art dafür Zeit brauchte. Aber sie sagte nichts.

Da ging er.

Um in den Bädern zu singen und sich sozusagen in aller Öffentlichkeit sehen zu lassen, bedurfte er eines gut sitzenden Anzugs. Der Vater lachte ihn aus, aber zu seiner Beschämung war es Maria Caruso, die ihn unter den Arm nahm und ihm versprach, er solle einen schönen Anzug haben.

Es war das erste Mal, daß er mit seiner Stiefmutter ausging, wie man mit einer Dame ausgeht. Sie trug ein geblümtes Sommerkleid, einen großen, mit Blumen geschmückten Hut und Handschuhe, denen ähnlich, die er an Stella bewundert hatte. Sie duftete nach Parfüm, was angenehm und verwirrend zugleich war. Obwohl sie aus einer kleinen Stadt kam, wußte sie doch in Neapel Bescheid; erstaunlich, was sie alles zuwege brachte. Wie die Anzüge vorgelegt wurden, befühlte sie den Stoff der Ware, wies mit sicherem Urteil diesen zurück, wählte jenen, und als er den neuen hinter einem Verschlage angezogen hatte, betrachtete sie ihn lächelnd. Er wurde rot. Dann bemerkte sie scharfäugig kleine Fehler und verlangte Änderungen, die der Verkäufer in serviler Haltung nach Wunsch vorzunehmen versprach.

Der Anzug kleidete ihn vortrefflich. Er sah in ihm wie ein junger Herr aus; alle bewunderten ihn, und Giovanni und Assunta hatten sich sogar an den Händen gefaßt und sprangen um ihn herum.

In diesem Anzug begab er sich zu Cavaliere Pandolfo, der darauf verzichtete, ihn anzuhören, weil sein Freund Gregorio Proboscide ihn so warm empfohlen habe. Er plauderte mit ihm ein paar Minuten, bot ihm sogar Zigaretten an und strich sich, während er sprach, mit der reich beringten Hand über den eleganten grauen, an den Ecken leicht in die Höhe gedrehten Schnurrbart. Er sagte, die große Welt gehe in den Risorgimento-Bädern aus und ein. Deutsche, Amerikaner, Engländer, Russen, Leute, die in ihren Opern an die besten Stimmen der Welt gewöhnt seien und es sogar im Bade nicht vertrügen, Mittelmäßiges zu hören. Deshalb erwarte er von ihm das Höchste. Er vertrete mit seinem Gesange mehr als nur sich selber, er vertrete die uralt-edle Gesangstradition Neapels, einer Stadt, in der schlecht zu singen nicht nur ein Makel, sondern ein Delikt sei. Ein Pianist von Rang, Signor Cesare Montebello, werde ihn begleiten. Hier seine Adresse, mit ihm habe er sich zu verständigen. Alles übrige besorge sein Sekretär, an den er ihn hiermit verweise.

Als Errico nach dem Honorar fragte, zog der Cavaliere die rechte buschige Braue leicht empor, fixierte den jungen Mann nachlässig und sagte: „Sie sind nicht im Bilde. Wir zahlen kein Honorar. Die Zuhörer geben, was sie für angemessen halten." Darauf streckte er ihm eine trockene, beringte Hand hin und wandte sich mit flüchtigem Gruße wieder seinem Schreibtische zu.

Errico Caruso und Cesare Montebello musizierten bei schönem Wetter – und meist lag ein leuchtender Himmel über der Bucht – im Freien, auf einem kleinen Podium. Am Boden des Podiums stand ein Teller mit einer Serviette, in den Montebello, der die Usancen des Betriebes kannte, schon vorher fünf Lire gelegt hatte, die er nach Beendigung des Konzerts vom Erlös wieder abzog. Cesare Montebello trug lange, über den Kragen fallende Haare, trug eine Krawatte, die er „in cataratto di caccia" gebunden hatte, und einen leicht grünlich schimmernden Gehrock, dessen Schöße er über dem Gesäß sorgfältig emporhob, ehe er auf dem Sessel Platz nahm. Sein Gesicht war bleich, schmal, mit schöner Stirn und fleischigen Lippen. Leider fehlte ihm das Kinn nahezu vollständig. Errico zeichnete ihn daheim als rabenartiges Fabeltier, ein wenig unheimlich und dumm zugleich. Wir wollen nichts Schlechtes über ihn melden. Sein Anschlag zeigte Grazie. Weich und wellig rauschten unter seinen langen Samtfingern die Töne, flatterten auf und ab wie Taubenschwärme, während er den dünnen schmalschultrigen Körper in flutender Bewegung hielt. Bald duckte er sich über die Tasten, als wolle er in sie hineinbeißen, bald lehnte er sich so weit zurück, daß Errico fürchtete, er werde in der nächsten Sekunde hintenüber stürzen. Dann wieder, während die Rechte perlende Läufe über die Tastatur jagte, schwebte die Linke leicht gesenkt über dem Klavier wie eine Möwe, die jeden Augenblick bereit ist, hinunterzustoßen, um ein Fischlein zu fangen.

Auch in dieser Haltung zeichnete ihn Errico und schenkte seiner Stiefmutter beide Blätter. Es war ihm nicht recht klar, warum er es tat, vielleicht als eine Art Ersatz dafür, daß er ihr bisher noch nicht vorgesungen hatte. Sie lachte eine ganze Tonleiter herunter und zeigte das Blatt allen Nachbarn und Bekannten (denn im Gegensatz zu Anna Caruso war sie bald mit vielen befreundet, und viele kamen zu ihr und guckten ihr in die Töpfe). Sie war auch sofort entschlossen, in die Risorgimento-Bäder zu gehen und sich Cesare Montebello anzusehen. Auch Vater Caruso kam mit und viele Freunde und Bekannte. Alle klatschten enthusiastisch, Montebello raste am Flügel wie der Sturmwind, und als er nach Toresschluß den Teller aufhob und sich die fünf Lire in die Westentasche steckte, sagte er: „Heute waren einmal Leute da, die nicht auf ihren Ohren saßen. Doch sonst? Lieber Caruso, haben Sie gemerkt, daß Neapel nur aus Taubstummen besteht? Diese Stadt scheint das Herz der musikalischen Welt zu sein, doch sie ist höchstens ihre Niere. Ich verrate Ihnen damit ein Geheimnis, bewahren Sie es bei sich."

Nun war er also „mitten im Leben", mitten im Farbenglanz geselligen Nichtstuns, doch, siehe da, es erwies sich als Trug. Mitten im Leben waren die, welche, zurückgelehnt in seidene Polster, in polierten Equipagen vorfuhren, an gedeckten Tischen saßen, Eis löffelten, Champagner tranken, den Badenden zusahen. Während er sang und Montebello über die Tasten stürmte, unterhielten sie sich weiter, lachten, kokettierten, riefen einander zu und schienen ihn weit weniger zu bemerken als den Kellner. Mitunter kam es wohl vor, daß an den Plätzen, die sich in der Nähe des Podiums befanden, das Gespräch verstummte, ja, manchmal blieben sogar Gäste stehen, lauschten und schlugen, nachdem das Lied zu Ende, lobend in die Hände. Er glaubte indessen zu bemerken, daß dies nie die weitgepriesenen Ausländer, sondern seine Landsleute waren und zweifellos nicht einmal die reichsten unter ihnen, da das, was sie mit taktvoller Beiläufigkeit unter die Serviette schoben, nur wenige Lire betrug.

Auch Deutsche blieben stehen und machten bewundernde Augen, doch es war ihnen wohl peinlich, Geld in den Teller zu legen, weil sie spürten, daß dort oben keine Straßensänger, sondern Künstler musizierten. Sie taten dann, als sähen sie den Teller nicht, oder sie mochten ihn auch wirklich nicht bemerken, weil sie hingerissen waren von der Schönheit der Musik. Die Deutschen baten auch oft um bestimmte Lieder, besonders die jungen Damen. Errötend und bittend legten sie die Hände zusammen und sagten: „Santa Lucia" oder „O sole mio". Und wenn ihr Wunsch in Erfüllung ging, zeigten sie sich dankbar und glücklich. Einmal schickte ein markiger Herr von einem deutschen Tisch ihnen eine Flasche Champagner und ließ durch den Kellner um ein Lied ersuchen, das er auf einen Zettel geschrieben hatte. „Es braust ein Ruf wie Donnerhall". Leider kannten weder Montebello noch Errico das Lied.

Sie wollten den Champagner wieder zurückschicken, doch der markige Herr winkte leutselig, sie möchten ihn nur behalten und die Flasche auf das Wohl seines Vaterlandes leeren. Das taten sie auch, aber erst am Abend, nachdem sie das Geld gezählt hatten; es waren 22 Lire fünfzig, die fünf von Montebello eingerechnet.

Soweit sich seine Freunde in Neapel befanden, kamen sie und ließen ihn wissen, daß es nicht unrühmlich sei, hier zu singen. Dr. Niola nahm ganz in seiner Nähe Platz, winkte ihm zu und grüßte auch Montebello höflich. Er verstand es, auf nahezu unsichtbare Art zwanzig Lire unter die Serviette zu zaubern. Ehe er die Bäder verließ, trat er zu Errico und sagte, er habe sehr schön gesungen, ließ sich den Pianisten vorstellen und drückte ihm die Hand. Natürlich kam auch Peppino Villani, sogar mehrere Male, und brachte Freunde mit großen Händen mit. Durch sein rasendes Klatschen machte er schließlich alle Gäste darauf aufmerksam, daß hier wirkliche Kunst geboten wurde. Auch Herr Proboscide und Tante Teresa erschienen, und einmal sogar Herr Meuricoffre persönlich im Kreise einer blühenden Familie.

Mit Montebello vertrug sich Errico nicht schlecht, da er sich mehr aus Höflichkeit als aus Überzeugung seiner betonten Autorität unterordnete. Er dankte ihm manchen praktischen Wink und nahm ihm auch kleine Sottisen niemals übel, weil Montebello sie in witzige Form zu kleiden wußte. „Warum wollen Sie die Arie nicht singen, sie ist doch hübsch? Ah – das hohe C! Ich verstehe, ich verstehe. Armer Rico! Es fehlt Ihnen wirklich nur ein C, um reich (ricco) zu werden."

Einen guten Begleiter konnte man ihn nicht nennen. Er nahm die Tempi nach Belieben und war im Innersten überzeugt, daß aller Beifall, auch der von Carusos Freunden, im Grunde ihm galt. Er brauchte diesen Glauben wohl, um ein Künstlerdasein schön zu finden, von dem er wußte, daß es ihn kaum weit über die Risorgimento-Bäder hinausheben werde. Häufig ließ er den jungen Sänger vom Teller seiner Erfahrung kosten, sagte ihm, was das Publikum schätze, wie man aufzutreten habe, wie zu stehen, zu lächeln, sich zu verbeugen. „Die Frauen sind es, die allen Ruhm in der Welt machen. Ihnen muß man gefallen." Er war wohl überzeugt, daß der Glanz, welcher von seiner Person ausging, den Frauen die Augen blendete. „Und dann Courtoisie! Gentilezza! Charme! Damit siegen wir. Was Kunst ist, wissen nur wenige." Bei jedem Beifall sprang er denn auch vom Sitze und verbeugte sich, die rechte Hand samtfingrig an die schmale Brust gelegt, tief, während er die in spitzen Lackstiefeletten steckenden Füße zierlich spreizte. In seinen Soli aber ging er aufs Ganze und brillierte mit flutenden Bewegungen und möwenhaft schwebenden Händen virtuos und leer. Trotz seiner Attitüden blieb der ihn lohnende Beifall schwach. Er lächelte ironisch, und sein bleiches Antlitz, aus dem er sich müde die langen Haare strich, zeigte wissenden Abscheu vor · dieser taubstummen Stadt.

Dennoch lernte Errico auch von ihm: er pfuschte nie, er liebte inbrünstig das Klavier, es erschien ihm als das ausdrucksvollste aller Instrumente, und sooft er spielte, bewies er Hingabe und Leidenschaft. Der Gute gehörte wohl einer Zeit an, die im Entschwinden begriffen war, ja eigentlich schon im Grabe lag, der Epoche des Galantuomo, in der einst der italienische Kavalier der europäischen Gesellschaft die Mode vorgeschrieben hatte. So erschien er nicht nur in seinem grünlichen Gehrock, sondern an Feiertagen in einem Frack mit kurzen Schößen, zu dem er Vatermörder und schneeweiße, seltsam verschlungene Krawatten trug. Er verriet seinem jungen Kollegen, daß es zweiunddreißig Arten gäbe, die Krawatte zu binden, und daß man ihre jeweilige Form der psychischen Stimmung, der Umgebung, dem besonderen Anlaß anzupassen habe. Er war denn vielleicht ein noch größerer Künstler im Binden seiner Krawatten als am Klavier. „Di caccia" liebte er am meisten, doch trug er die weiße Seide auch gern „in Valigna" oder „alla conchiglia" oder „alla Byron". Zum Geburtstage der Königin hatte er seine Krawatte „all'italiana" geknüpft, und es war ihm ein Schmerz, daß niemand es recht zu würdigen wußte.

So gingen die Tage hin, und nachdem sich Errico an die freundliche Gleichgültigkeit seiner Zuhörer gewöhnt hatte, fand er sich damit ab, täglich dort aufzutreten und mit gewohnter Sorgfalt Volkslieder und Arien zu singen. Er sang sie zuerst für die wenigen, welche hinhörten, bald darauf aber für sich selber, für die Musik, deren Schönheit ihn immer von neuem ergriff, sang sie aus reiner Seligkeit des Singenkönnens, des Atemführens, Steigerns, Verhaltens, Pointierens, über die Köpfe der Menschen hinweg zum Meere hin – zu Fischen und Delphinen, die silbern emportauchten in die kristallene Helligkeit des Sommertags.

Und dann erfolgte jene Begegnung, die mit einem Schlage alles veränderte und den gleichmütigen Fluß seiner Stunden in einen Katarakt stürzen ließ.

Es war ihm zur Gewohnheit geworden, gegen Ende des „Konzerts", kurz bevor er mit einem beliebten Gassenreißer schloß, zwei oder drei Opernarien zum Vortrag zu bringen, die zu Montebellos Ärger jedesmal die Aufmerksamkeit des Publikums und den Beifall der dem Podium zunächst Sitzenden fanden. Errico hatte sogar bemerkt, daß einige Gäste sich gerade um diese Stunde einzufinden pflegten, sich vor das Podium stellten und mit aufmunternden Zurufen die Darbietung begleiteten. Für Montebello bedeutete das jedesmal ein Mehr an Proben, denn weil es Errico daran lag, sein Repertoire zu vergrößern, auch von seiten des Publikums hie und da Wünsche geäußert wurden, mußten sie vormittags in einem leeren Saal des Etablissements üben.

An dem Tage nun, da Errico zum erstenmal die Arie des Grafen Richard im zweiten Akt von Verdis „Maskenball", „Di tu se fedele", vortrug, hielten ihn die Schwierigkeit der Atemführung und der wogende Rhythmus der Komposition so im Banne, daß er für die Zuhörer keine Blicke hatte. Wir sagten schon, in den meisten Fällen pflegte er – sehr gegen den Rat Montebellos – über ihre Köpfe hinweg zu singen. Diesmal schien ihm der schlagende Rhythmus der Arie gleichsam aus den Wellen des Meeres geboren, das, leicht bewegt von einem warmen Abendwinde, vor seinen Augen in seliger Bläue bis zu dem Schattenriß Capris hinaufstieg. Ergriffen von der geheimnisvollen Einheit von Natur und Musik, deren Weltweite und völkerverbindende Macht er nie so stark empfunden hatte, wagte er, fordernder und kühner, als es in seinem Plan gelegen, den Charakter der Schicksalsfrage an die Unterwelt zu betonen. Jene herrliche Phrase „Le dolci canzoni, del tetto natio" gelang ihm zur eigenen Überraschung so zart und männlich zugleich, und den Schluß „E tutte ridanno le forze del cor" schleuderte er mit einer so stürmischen Kraft hinaus, daß noch mitten in die Begleitung Montebellos hinein (der auch den Chorpart am Klavier zu markieren hatte) der Beifall einsetzte.

Man wünschte die Wiederholung der Arie, und jetzt, wo er sich fest und sicher fühlte, befolgte er den Rat des erfahrenen Pianisten, lehnte sich an den Flügel, steckte die linke Hand salopp in die Hosentasche und ließ seine Blicke über die Tische gehen, von denen aus man ihm so freundlich applaudiert hatte.

Da sah er Stella.

Ihr Anblick packte ihn mit einer solchen Heftigkeit, daß er den Atem verlor und das „irati sfidar" verschluckte.

Glücklicherweise merkte es Montebello sofort und schlug augenblicklich in die Tasten, so daß sein Versagen wohl den wenigsten auffiel. Als dann nach dem Zwischensatz des Chors mit „Sull' agile prora" die Melodie zum zweitenmal einsetzte, hatte er sich bereits gefaßt und sang die Arie ohne Fehler und mit rhythmischer Bravour, wenn auch ohne die Kraft des ersten Vortrags, zu Ende.

Stella saß keine zehn Meter von ihm entfernt mit einem stutzerhaft gekleideten Herrn zusammen, der etwas schockiert über die Begeisterung schien, mit der sie in die Hände schlug. Man schloß wohl nicht fehl mit der Annahme, daß der überraschende Beifall nach dem ersten Vortrag in der Hauptsache auf ihre akustische Agitation zurückzuführen war. Ihr Begleiter strich sich mokant über den Spitzbart, bemerkte, daß Stella ihn zornig ansah, und klopfte daraufhin flüchtig mit den Fingerspitzen der rechten Hand auf die Innenfläche der linken. Nachdem er der Kunst diesen Tribut erstattet, schob er den grauen Zylinder prätentiös um einige Zentimeter zur Seite, was ihm ein unternehmendes Aussehen gab, und winkte dem Kellner.

Nun aber geschah etwas Merkwürdiges. Stella wies mit der Hand auf einen entfernten Blumenstand und schien eine Bitte an den Herrn zu richten. Er nickte lasch, erhob sich zu imponierender Länge, so daß alle Welt den unübertrefflichen Sitz seines taubenfarbenen Anzugs bewundern konnte, und verließ sie, um mit langsamen und über die Maßen lässigen Schritten zu dem Blumenstand zu gehen. Auf dem Wege dorthin blieb er sogar stehen, entzündete eine Zigarette und hob flüchtig salutierend das feine spanische Rohr, dessen Goldknopf in der Sonne blinkte, zu einem Bekannten hin. Der Bekannte grüßte sehr höflich, fast devot. Während sich solcherlei abspielte, hatte Stella von dem Kellner einen Bleistift geliehen und wenige Zeilen auf ein Stück Papier geworfen, das sie zusammenfaltete und in ihren langen, bis über den Ellenbogen reichenden Handschuh steckte. Von diesen Vorgängen hatte Errico nichts weiter gesehen; den Herrn im grauen Zylinder freilich hatte er bemerkt, und zwar sehr genau. Dann mußte er die Arie des Nemorino aus Donizettis „Liebestrank", „Caro elisir! Sei mio!", singen, er wußte nicht, ob er es gut oder schlecht machte. Zuhörer, Tische, Strand, Meer tanzten vor seinen Augen, und als abermals geklatscht wurde, hütete er sich, ein zweites Mal in die Richtung auf Stellas Tisch zu blicken. Darauf hatte Montebello ein Solo zu spielen, und Errico zog sich zurück. Als er wieder zu einer Abschluß-Kanzone das Podium betrat, war Stella verschwunden.

Montebello nahm den Teller mit der Serviette und zeigte sich höchst verblüfft, weil sein Kollege kein Interesse an dem finanziellen Ergebnis dieses Tages bewies, ja ihn alles einzustecken bat. „Eh, eh!" rief er, „was ist los? Fühlen Sie sich nicht wohl?"

„Ich habe Kopfweh", gab Errico zur Antwort.

Montebello blickte auf den Teller und zog unter der Serviette einen zusammengefalteten Bogen hervor, betrachtete ihn erstaunt, führte ihn an die Adlernase und sagte: „Das ist ein Liebesbrief! Ich rieche es. Hm . . . ein Duft! Freundchen, Freundchen . . . und an wen gerichtet? Lesen Sie selber." Er reichte ihm das Blatt: „Für Errico Caruso! Sehen Sie, mein Freund, die Frauen! Was habe ich immer gepredigt? Anmut, Courtoisie, zierliche Haltung! Diesen Brief verdanken Sie mir. Nun, ich wünsche Ihnen neidlos Glück."

Errico hatte das Blatt in die Tasche gesteckt und las es erst, als er nach sinnlosem Herumlaufen auf einer Bank der Villa Comunale Platz genommen hatte. Der Brief bestand aus einem einzigen Satze: „Warten Sie auf mich heute abend 9 Uhr in der Via Tasso beim Hotel Britannique. St."

Die Metropolitan Opera in New York

Caruso   *Mario Lanza als ,,Der große Cari*

Er saß und rührte sich nicht. Sein Auge ging vom Blatt aufs Meer und wieder zurück auf das kleine Papier, bis er bemerkte, daß die Dämmerung die Schriftzeichen zu verwischen begann. Er fuhr auf und fragte einen Herrn, wie spät es sei. 8 Uhr 25 war die genaue Antwort. Er dankte und rannte in Richtung auf die Piazza Principe di Napoli davon.

Lange vor neun befand er sich in der Via Tasso. Das Hotel lag an der Ecke, wo die Via Tasso in den breiten, schlangenhaft gewundenen Corso Vittorio Emanuele einmündet. Der Eingang ging auf den Corso. Ein Hotel für reiche Leute; vor der Auffahrt standen Equipagen, Droschken und Bettler, die hier ihren Stammplatz haben mochten.

Was guckte er sich das Hotel an? Er ging weiter, die Via Tasso hinauf, wieder zurück, blieb stehen, lief ein kleines Stück um den Platz, betrachtete einen Herrn, der vor Parkers Hotel aus einer Droschke stieg, die bis zu den Schultern des Kutschers vollbeladen mit Koffern war, starrte ihn an, obwohl er ihm ganz gleichgültig war, und ging wieder zurück.

Die Bucht lag wie ein ungeheurer Aquamarin zu Füßen des Vesuvs. Über dem Horizont schwebten rosafarbene Wölkchen, gleich kleinen Engeln, die von einem Ausflug in den Himmel heimkehrten.

Er wußte nicht, wie spät es war. Die Zeit verfloß mit der Abenddämmerung in einen sanften Strom von Perlmutter und Lichtblau. Vor dem Hotel Britannique flammten nacheinander weiße Milchglaskugeln auf. Auch in der Stadt unter ihm erhellten sich Fenster und Straßen.

Sonderbar, plötzlich packte ihn Furcht. Eine saugende süße Angst. Wovor? Warum war er hergekommen? Gehorsam, ohne eine Minute zu zögern, nur weil eine Frauenhand diesen Satz auf ein Blatt Papier geschrieben hatte! Hatte er wirklich nur ihr gehorcht? Nicht viel mehr einer Gewalt, die aus ihm selber brach? Und auch dieser gehorchte er nicht, sie riß ihn fort, es war gleich, wohin der Strom ihn entführte. Sie riß ihn fort...

Fern schlugen Uhren, die Dämmerung nahm zu. Der große Aquamarin des Meeres hatte sich in einen Amethyst verwandelt. Die kleinen Engel waren heimgekehrt. Doch eine riesige Hand hatte im Westen ein Stück des Himmels aufgerissen, purpurner Wein floß heraus und verdunstete. Capri schlief schattenhaft wie ein zusammengerolltes Tier. Über die ungeheure Kuppel hin blinkten Sterne auf.

Er drehte sich zum Hotel Britannique um, als habe ihn jemand gerufen.

Nichts.

Aus dem Garten wehte Musik. Er wollte langsam auf und ab gehen – da sah er sie aus dem Portal treten.

Ein livrierter Hoteldiener öffnete ihr die Tür. Sie blieb stehen und blickte, während sie sich den Handschuh zuknöpfte, gelangweilt über den Platz. Ob sie ihn sah? Er wußte es nicht.

Ein Droschkenkutscher zog grüßend den Hut und erbot sich, sie durch ganz Neapel zu fahren. Sie schüttelte den Kopf. Langsam ging sie mit den wiegenden Bewegungen ihres federleichten Schrittes über den Corso zur Via Tasso hinüber. Auf dem Kopfe trug sie ein seidenes Hütchen mit einer Straußenfeder, es saß schräg und kokett auf einer Seite, das blonde Haar quoll an der andern hervor.

Errico rührte sich nicht. Doch seine Augen mußten es wohl sein, die sie herangezogen hatten. Nun stand sie vor ihm, sah ihn an, nickte gleichmütig, als pflegten sie sich jeden Tag um diese Stunde hier zu treffen, und reichte ihm die Hand.

Dann blickte sie sich um und sagte: „Kommen Sie."

III

Sie gingen die Via Tasso hinauf. Rico dachte, daß es seine Pflicht sei, etwas zu sagen, eine Unterhaltung zu beginnen. Aber er konnte nichts sagen.

Auch Stella blieb eine gute Weile stumm. Doch weil diese Stummheit auf die Nerven ging, täuschte sie ein Interesse an der Außenwelt vor, blickte einer Dame nach, betrachtete einen Hund, sah zum Himmel empor, als wollte sie das Wetter prüfen, und senkte wieder den Kopf.

Unter ihren Füßen glitt der Weg fort. Ein leichter Duft umschwebte sie, ein anderer als damals. Und wie er scheu von der Seite einen Blick auf sie warf, war ihm, als sei es auch eine andere Stella als jene, die den katarrhalischen Herrn Proboscide mit munterem Erschrecken begrüßt hatte. Wieder flog die Furchtwelle über ihn und mit ihr eine unverständliche Trauer. Vielleicht war das Glück zu groß, war zu überraschend gekommen, unvorbereitet, sinnlos wie ein Erdbeben, bei dem alles durcheinanderflog, während man zugleich eine kranke Neugier nach dem, was noch geschehen werde, nicht los wurde. Betäubt war er, und seine Erregung, die wohl einst einer zerreißenden Freude ähnlich gewesen, wich einer dumpfen Leere.

Da vernahm er ihre Stimme.

„Sie werden sich wundern, daß ich Sie hergebeten habe. Ich tat es, weil ich mich freute, Sie wiederzusehen und zu hören. Sie haben herrlich gesungen, ich mußte es Ihnen sagen, aber dort konnte ich es nicht, aus vielerlei Gründen. Vielleicht sind Sie mir böse, daß ich es Ihnen nicht gesagt hatte. Es wäre meine Pflicht gewesen, denn ich habe Sie doch schon gehört, als Sie noch ein halbes Kind waren, damals bei Onkel Gregorio, vielleicht haben Sie es vergessen."

„Nein", sagte er.

„Es ist lange her", fuhr sie eifrig und anscheinend froh darüber fort, daß endlich das Schweigen gebrochen war, „sehr lange. Viel ist inzwischen geschehen. Ehe man sich's versieht, sind ein paar Jahre um. Ich war zuerst nach Florenz gezogen und dann nach Rom . . ."

Sie hatte gesprochen, als nähme sie einen langen Anlauf. Sie war gleichsam mit den Sätzen auf ein Sprungbrett zugelaufen, jetzt aber überraschend stehengeblieben. Sie wagte wohl den Sprung nicht.

Rico wußte, daß es schicklich gewesen wäre, eine Antwort zu geben, nach den Kunstschätzen in Florenz zu fragen, aber sein Gehirn war gelähmt. Er hörte ihre junge helle Stimme melodiös auf und ab gleiten wie die perlenden Läufe unter Montebellos Händen, doch er hörte zugleich etwas hinter ihrem frischen Klang, einen Ruf, wortlos und dunkel, und der machte ihn stumm.

„Es ist hübsch von Ihnen, daß Sie gekommen sind, obwohl Sie jetzt gewiß viel zu tun haben. Singen Sie auch noch in Kirchen?" Doch ehe er antworten konnte, fuhr sie fort: „Ich würde mich freuen, wenn Sie mich in die Via Concordia begleiten wollten, der Abend ist so schön, wir können zu Fuß gehen."

„Sehr gern", sagte Errico und wunderte sich, daß sie keine Anstalten machte, umzukehren, sondern weiter die Via Tasso hinaufging und sich auf die Art immer mehr von dem Hause ihrer Eltern entfernte. Vielleicht wäre es korrekt gewesen, es ihr zu sagen, doch er unterließ es.

Dafür gelang ihm ein Satz, der denn freilich die Unterhaltung nur vorübergehend in Fluß brachte; er sagte, daß er „inzwischen" oft bei Herrn Proboscide gewesen sei. Es schien sie zu entzücken, außerdem war es ihr bekannt. Onkel Gregorio und Tante Teresa hatten es ihr selbst erzählt. Sie hatten ihr auch verraten, daß er in den Risorgimento-Bädern sänge.

Nachdem ihr dies Geständnis über die Lippen gelaufen war, schwieg sie erschreckt. Er wußte nun, daß sie seinetwegen die Bäder besucht hatte. O Gott!

Ja, das wußte er, und er verstand nicht, warum ihn nicht eine unsinnige Freude darüber ergriff, sondern die dunkle Trauer immer noch wie ein Schatten neben ihm herlief. Und noch etwas anderes fiel ihm auf: warum hatte Herr Proboscide nie ein Wort darüber verlauten lassen, daß Stella bei ihnen gewesen war? Nur einmal an der Tür hatte Tante Teresa geheimnisvoll geflüstert. Er hatte gewartet, daß sie mehr sagen werde, aber sie schien bereits das wenige bereut zu haben.

„Wollen Sie mir nicht erzählen, Rico, wie es Ihnen inzwischen ergangen ist? Es ist doch sehr lange, seit wir uns zuletzt gesehen haben."

„Über zwei Jahre", sagte er.

„Über zwei Jahre! Und es war in Onkel Gregorios Wohnung. Sie hatten mir vorgesungen und großes Lampenfieber. Ich mußte vom Fenster fortgehen, aber dann sahen Sie mich gar nicht mehr und sangen – ich möchte Sie nicht eitel machen, Rico, aber ich habe damals, glaube ich, ein bißchen geweint."

„Geweint haben Sie nicht, aber..."

„Aber? Was wollten Sie sagen?"

„Nichts. Etwas Dummes."

„Sagen Sie es doch, auch wenn es dumm ist. Männer reden oft Dummes, und das tut uns stets so wohl."

„Sie haben Onkel Gregorio umarmt und geküßt."

„Ja, das habe ich!" lachte Stella. „Wie genau Sie das noch wissen."

„Und haben mich dabei angesehen."

„Ist das wahr?" log sie. „Das hätte ich nicht tun sollen. Vielleicht irren Sie sich und verwechseln das nur..."

„Nein", unterbrach er sie streng, „ich verwechsle es nicht."

„Nun, dann ist es wohl so gewesen, wie Sie sagen. Es liegt so lange zurück, und ich erinnere mich nicht mehr daran."

Bis hierher war das Gespräch mit einer wunderbaren und Errico erstaunenden Leichtigkeit fortgeglitten wie ein Boot, das man der Strömung überließ. Jetzt aber blieb es stecken, obwohl beide wußten, daß es nun erst hätte richtig weitergehen müssen. Dennoch, es wäre dumm gewesen, wieder in das alte kindische Schweigen zurückzufallen, und so faßte Errico den Entschluß, um jeden Preis das Boot wieder flottzumachen.

„Ich hatte damals viel Mut bekommen, nachdem es mit dem Vorsingen so gut ausgegangen war. Ich erzählte Ihnen von Gounods ‚Margarethe', die ich im Teatro San Carlo gehört hatte."

„Ja", nickte Stella, „Sie rieten mir, ich solle sie unbedingt anhören."

„Und haben Sie sie gehört?"

„Ja, in Rom", gab sie zur Antwort und blickte zu Boden. „In Florenz klappte es nicht. Sie wurde auch nicht aufgeführt. Aber in Rom habe ich sie gesehen."

Merkwürdigerweise legte sich plötzlich ein kurzes bedrückendes Schweigen über ihr Gespräch, gleich als sei etwas in der Luft, das ihnen den Atem nähme.

Mühsam fragte Errico: „Gefiel Ihnen die Oper?"

„Ja", antwortete Stella bereitwillig, „sie gefiel mir sehr. Aber der Faust war nicht gut."

„Ach", sagte Errico und sah zu Boden. Und dann fuhr er fort, er wußte selbst nicht, wie es ihm über die Lippen kam, es mußte wohl die Dunkelheit sein, die ihm Mut machte. Er fuhr fort, davon zu erzählen, daß er im Teatro San Carlo geglaubt habe, sie selber sei Margarethe. Als sie Faust im Studierzimmer erschienen war und noch als sie seine Begleitung abgelehnt hatte, auch da noch habe er gedacht: das ist Stella.

Zum erstenmal hatte er ihren Namen laut ausgesprochen, und noch dazu vor ihren Ohren. Es war beklemmend und köstlich zugleich, diese Silben sekundenlang auf der Zunge zu spüren wie eine süße und edle Traube, um sie dann zärtlich zu betten in Ton, Klang und Atem. Wie sein Herz klopfte!

Sie hatte wohl von allem nichts gemerkt, aber aufmerksam zugehört. „Also nur bis zum Osterspaziergang?" fragte sie leise. „Und später nicht mehr?"

„Nein, später nicht mehr", sagte Errico.

Wieder das Schweigen, die Luft, in der es bedrückend war, zu atmen.

Sie bogen in die Via Aniello Falcone ein und näherten sich dem Park der Villa Belvedere. Stella blieb stehen, als wolle sie etwas sagen, doch dann schaute sie nur über die Bucht, die sich in dunkler Großartigkeit vor ihnen ausdehnte, hinüber zum Massiv des Vesuvs und bemerkte: „Der Rauch ist umgeschlagen, es wird anderes Wetter geben."

Errico schwieg. Der gelbe Schein einer Gaslaterne beleuchtete ihre Züge; sie waren unsinnig schön, die feinen dunkelblonden Brauen, die schmale, klassisch gebogene Nase, die Lippen, deren wolkenleichten Kuß er noch auf den seinen spürte. Dennoch ein anderes Gesicht als damals. Etwas schien daraus verschwunden. Einem Fenster glich es, in dem einmal die Morgenröte geflammt, so daß es selber sonnenhaft geworden. Dann aber war das Licht des Tages gekommen und hatte das kleine Gestirn im Fenster gelöscht, und nur das große zog noch am Himmel seine brennende Bahn.

Stella nahm den leichten Seidenmantel fester um die Schultern, als fröstle sie. „Dort kommt ein großer Dampfer", sagte sie tonlos und wies mit dem Kopf nach Osten.

Eine leuchtende Raupe glitt langsam über die Bucht in der Richtung auf den Hafen. Es war wohl eins der Schiffe, die zwischen Neapel und Palermo verkehrten. Die hellen Fensterreihen spiegelten sich im nächtlichen Wasser. Stellas Augen folgten dem Dampfer, als sei dies ein Vorgang von großer Merkwürdigkeit. Als er in die Nähe des Hafens gelangte und seine Sirene ertönen ließ, die wie der dumpfe Ruf eines Zauberfisches durch die Nacht schwebte, wandte sie ihre Augen plötzlich zu Errico und fragte: „Warum, glauben Sie, habe ich Sie gebeten, in die Via Tasso zu kommen?"

Errico hob den Kopf und zuckte die Achseln. Eine solche Frage hätte er sich nie vorgelegt. Eine Frau wünscht oder befiehlt, und damit fertig.

Sie schien sich über seine Ratlosigkeit nicht zu wundern, sondern sagte mehr zu sich selber als zu ihm: „Es war dumm von mir."

Jetzt erschrak er.

Sie lächelte. „Nein, Sie sollen nichts Verkehrtes denken. Ich freue mich, daß Sie gekommen sind, aber es ist das erste Mal, daß wir miteinander reden wie zwei erwachsene Menschen, und das ist gar nicht so leicht. Wenn ich an Sie dachte, habe ich immer Ihre Stimme gehört, die Stimme eines Knaben. Onkel Gregorio nannte sie einmal eine Engelsstimme, und ich glaube wirklich, Sie haben damals so gesungen, wie es Engel tun, rein und ganz unirdisch. Auch in der Kirche San Severino habe ich Sie gehört, und vielleicht denken Sie, ich schwatze Unsinn, aber schöner als während des Corpus Domini haben Sie nie gesungen. Damals habe ich gewünscht, Sie möchten immer ein Kind bleiben, so wie ich mir wünschte, ein Mädchen zu bleiben, verspielt und verliebt und kokett und unwissend. Aber Onkel Gregorio erzählte mir, warum Sie damals nicht weitersingen konnten. Ich habe sehr geweint, als ich es erfuhr, und war doch froh, daß ich Sie noch einmal gehört hatte. Und jetzt haben Sie die Stimme eines Mannes, nichts mehr von einem Engel, Rico. Ach, nun sind Sie wieder traurig, daß ich das sage, und es ist auch so ungeschickt von mir, aber ich wollte Ihnen nichts Schlimmes sagen, sondern nur, daß ich nicht anders konnte als Sie herbitten, obwohl es ganz falsch war, es zu tun. Doch nun ist es zu spät, und wir sind jetzt beisammen und haben unsere Gedanken..."

Sie brach ab. Rico hörte sein Herz mit dumpfen Schlägen gegen die Brust pochen.

Stella nahm seine Hand, hielt sie flüchtig in der ihren, ließ sie wieder frei und fragte: „Was haben Sie sich heute gedacht, als Sie sahen, daß ich nicht allein war?"

Errico hob den dunklen Blick langsam zu ihr auf und schwieg.

Stella wandte den Kopf fort, schaute über die Lichter Neapels und sagte: „Er ist mein Mann. Wir haben in Rom geheiratet."

Errico rührte sich nicht. Eine lange Zeit verstrich. Die Lichterraupe auf dem Meer war verschwunden.

„Gehen wir weiter", sagte sie. „Wie hell die Sterne funkeln. Zum Greifen nahe. Es ist dumm von mir, Sie gerufen zu haben, ich bereue es sehr. Ich hatte vergessen, daß ich kein kleines Mädchen mehr bin... Seien Sie mir nicht böse, Rico."

„Ich bin Ihnen nicht böse. Und ich danke Ihnen, Signora, daß Sie mich trotzdem zu sich gerufen haben."

„Warum sagen Sie ‚Signora' zu mir? Das ist lächerlich zwischen uns. Sie sollen immer Stella sagen. Sie sind für mich wie ein Jugendfreund, dem man sogar sein Herz ausschütten kann. Dabei haben wir uns im Grunde so selten gesehen. Verzeihen Sie, Rico, daß ich soviel rede, ich tue es auch nur zu Ihnen oder zu Onkel Gregorio und Tante

Teresa. Mein Mann hat einen so kritischen Kopf, da muß man sich vorsehen. Er hört gleich logische Fehler und Unsauberkeiten heraus, so wie jetzt zum Beispiel: Unsauberkeiten kann man doch nicht hören! Sie sehen, ich merke ganz gut, was ich falsch mache."

Vor Erricos Blick schob sich flüchtig und geisterhaft die Erscheinung der Dame Tivaldi, doch zerrann sie sofort und machte der eines stutzerhaft gekleideten Herrn im grauen Zylinder Platz, der mit der souveränen Lässigkeit eines Maharadschas applaudiert hatte. Und sein Bild glitt zusammen mit einem sehr ähnlichen Herrn, der ihm vor langer Zeit, als er noch ein Kind war, ein Trinkgeld in die Hand gedrückt hatte. Vor dem Hotel Vesuvio war es gewesen, in einer Rosenwolke von Duft und Seide. Wie gut, daß er den Inhalt des Tellers heute Cesare Montebello überlassen und nur den Brief genommen hatte! Diese Bilder und Gedanken flogen ihm in quälender Unordnung durch den Kopf. Und dann war nur eine schwarze Leere da, ein Abgrund an Leere, nie mehr auszufüllen in dieser Welt.

Sie gingen nebeneinander her, langsam, Schritt vor Schritt, ein Schreiten ins Zeit- und Grenzenlose. Und doch würde auch dieser Weg ein Ende nehmen und alles vorüber sein, wie die Engelsstimme und das Leben seiner Mutter vorüber waren.

Stella hob den Blick zum Himmel. „Das ist die Milchstraße", sagte sie.

Errico sah empor und betrachtete die Milchstraße.

„Jetzt, da Sie es wissen, ist mir schon leichter. Wollen Sie mir glauben, daß ich Furcht hatte, es Ihnen zu erzählen? Und ich mußte es Ihnen doch sagen, weil auch Sie mir damals in Ihrem Briefe gesagt hatten, daß Sie niemals mehr singen würden. Und dann noch etwas..."

„Haben Sie den Brief Ihrem Onkel gezeigt?" fragte Errico dumpf.

Stella schüttelte erschreckt den Kopf. „Aber Rico! Was denken Sie von mir! Nur von Ihrem dummen Satz habe ich zu ihm gesprochen, denn er war dumm, Rico, verzeihen Sie, aber ich wußte, daß Sie gar nicht anders können würden als singen. Singen ist Ihr Leben, so wie das Schwimmen das Leben des Fisches und das Wachsen das des Baumes ist. Vielleicht ist es ein dummer Vergleich, aber Sie verstehen mich schon. Alles Starke und Reine, das in Ihnen lebt, geht in Ihre Stimme. Daher kenne ich Sie auch so gut, und Sie brauchen gar nicht viel zu sprechen. Niemand kann Ihnen das Singen verbieten, auch Sie selber nicht. Und würden Sie einmal die Stimme verlieren, was Gott verhüten möge, so wären Sie nicht lange danach tot. So steht es mit Ihnen. Ich weiß es längst, und darum hatte mich Ihr Brief nicht groß erschreckt. Aber es stand noch etwas anderes in diesem Brief . . .“

Errico starrte auf die Palmensilhouette eines Gartens, dem sie sich langsam näherten.

„Verzeihen Sie, daß ich davon spreche“, sagte Stella leise. „Sie haben sich gewiß gewundert, daß Sie nie eine Antwort darauf erhielten.“

Errico schüttelte den Kopf.

„Ich hätte Ihnen antworten sollen. Damals konnte ich es nicht. Und heute ist es zu spät.“

„Ja“, sagte Errico.

Merkwürdig, nun, da er alles wußte, war die schattenhafte Trauer entwichen, das Dumpfe, Undeutliche, Atembeklemmende ihrer lautlos schreitenden Gegenwart hatte sich gewandelt, sie hatte ein ehernes Antlitz bekommen wie die Statue eines antiken Gottes, ein fremdes und kaltes Antlitz.

Sie gingen auf die Villa Belvedere zu. Der Park erschien im ungewissen Licht der Laternen theaterhaft und bemalt wie riesige Kulissen, die man voreinander geschoben hatte.

Auch Spaziergänger tauchten auf, standen schwatzend und rauchend umher oder promenierten lachend an ihnen vorüber.

„Damals waren Sie ja noch ein Kind", setzte Stella nach einer langen Pause ihren Satz fort. „Wenn ich an Sie dachte, sah ich Sie wie die Engel, die Bonfigli gemalt hat und die ich vor Jahren in der Pinacoteca Vanucci in Perugia angestaunt hatte, Wesen kurz vor der Stufe der Erweckung zum Menschwerden, angespannt von dieser Gewißheit und von einer fast schwermütigen Heiligkeit erfüllt. Und ich sah Sie niemals, ohne Ihre Stimme zu hören, den herben oboenhaften Knabenalt, der einem so an die Nerven ging, daß man gleich heulen mußte. Wie sollte ich da denken, daß Sie einmal einen Tenor haben und den Grafen Richard singen würden! Wie schön Sie das ‚Le dolci canzoni‘ gesungen haben! Ach, Rico, ich möchte es noch einmal hören und werde es auch, das weiß ich, im San Carlo oder in der Scala. Lachen Sie mich ruhig aus, ich weiß es besser. Ich schwatze soviel, Ricchino, das ist eine schlechte Gewohnheit. Sehen Sie, ich kam mir damals so viel älter vor und war es auch, aber ich kam mir ja noch viel älter vor, als ich war. Und das war mein Irrtum! Denn als Ihre Mutter starb, da hatten Sie mich plötzlich eingeholt, und heute erst, als ich Sie wiedersah, hatte ich Ihren Brief verstanden."

Sie durchquerten den Park. Es war sehr dunkel um sie. Schatten gingen vorüber. Der Duft eines Frauenparfüms und der Rauch einer Zigarette wehten sie an.

Errico sagte leise: „Als Sie mich küßten, Stella, da war ich der glücklichste Mensch auf dieser Erde. Aber dann starb Mammina, und das war wohl eine Sühne für dieses Glück."

„Nein, das war es nicht. Warum soll man ein Glück sühnen? Man sühnt Irrtümer im Leben. Ich möchte Sie etwas fragen, und Sie müssen mir darauf antworten: Sie sagten vorhin, daß Sie mich im Bilde Margarethens erkannt hatten. Aber später nicht mehr. Warum später nicht?"

Errico antwortete nach einer langen Weile: „Sie wissen es, warum."

Sie nickte. „Ja, ich weiß es. Aber es ist falsch. Ein Mädchen, das liebt, fragt nicht nach dem, was kommt. Ich hätte auch nicht gefragt." Sie legte ihren Arm in den seinen. Da spürte sie, daß er zitterte.

Es war dunkel um sie. Beider Gesichter waren nur fahl und undeutlich zu erkennen wie Mondlicht hinter Gewölk.

Zu Boden blickend, fuhr Stella fort: „O ja, ich hätte es auch gekonnt, das, was Margarethe getan hat, aber – es ist nicht geschehen. Nein, nein. Es war ja keiner da wie Faust. Und es war gut so. Ich glaube, ich könnte auch den Verstand verlieren, wenn einer mich verließe, den ich liebe. Und dann ist die Gesellschaft so stark und die Familie mit ihrer Erziehung ... das ist wie die Mauer einer Festung. Wer kann sie schon zerbrechen!"

Sie schwieg.

„Und dann haben Sie geheiratet", flüsterte Errico heiser.

„Ja, dann habe ich geheiratet. Er ist Diplomat und im auswärtigen Dienst. Im Herbst gehen wir nach London. Er ist ein Baron Compagna, und es war wohl sehr gnädig von ihm, eine simple Signorina Guardi zu heiraten. Ich war ganz berauscht: eine Baronessa Compagna und Gattin eines Diplomaten zu werden! Ich dachte immerfort daran, wie ich mich bewegen, was ich sagen und wie ich aussehen würde, wenn ich erst eine Baronessa Compagna wäre. Aber man gewöhnt sich sehr schnell daran. Nun sind wir schon über ein Jahr verheiratet, und wenn wir Neapel besuchen, wohnen wir im Hotel Britannique. Vielleicht werden Sie mich jetzt Baronessa Compagna nennen, darauf warte ich schon, weil Sie so lange schweigen. Warum sagen Sie eigentlich nichts? Sind Sie gar eifersüchtig?"

Errico gibt sich Mühe, ruhig und gleichmäßig zu atmen. Sagen kann er nichts. Vielleicht ist es so im Kriege, denkt er, die Granaten gehen über einen hinweg, die Mauern stürzen, und man versteht nicht, daß man noch lebt.

Sie sind in die Via Domenico Cimarosa eingebogen, im vornehmen Stadtteil Vomero. Von hier ist es nicht mehr allzuweit zur Funicolare Montesanto, der viel besungenen „Funicoli", die man vor kurzem zum Ergötzen der Neapolitaner und zum Staunen der Fremden erbaut hatte. Stella konnte dann von der Stazione Cumana eine Droschke nehmen und zur Via Concordia fahren. Errico geht das alles mit einer peitschenden Nüchternheit durch den Kopf. Der helle Bezirk hat sie grinsend aufgenommen und das Geheimnis entschleiert. Welches Geheimnis? Er weiß es nicht. Es ist ja auch gleich. Ihm fällt ein, daß er sie eigentlich in der Droschke heimbringen müßte, und er denkt nach, ob er soviel Geld in der Tasche hat, um den Kutscher zu bezahlen. Die Welt zeigt ein zorniges und höhnisches Gesicht, vielleicht haben auch Stellas Züge sich zum Bösen gewandelt, er sieht sie nicht an, starrt geradeaus. Haß ist in ihm und eine brennende Scham zugleich. Warum ist er hergekommen? Oh, dieses Blatt, es brennt zwischen seinen Fingern, er möchte es zerreißen, und doch ist es das einzige Gut, das er noch besitzt.

Plötzlich merkt er, daß er allein ist. Er dreht sich um. Stella ist stehengeblieben. Er geht auf sie zu. Sie sieht ihn an, und nun erkennt er ihren meerblauen Blick wieder, der rätselhaft, fragend, hart wie die Spitze eines Floretts auf ihn gerichtet ist. Er fröstelt unter diesem Blick. Unterhalb des Herzens zieht es sich zusammen gleich einem Krampf. Er spürt, daß etwas aus ihm hervorbrechen will wie das aufgestaute Wasser einer heißen Quelle, eine unbekannte, kochende Flut, von deren Dasein er nie etwas gewußt hat. Er möchte schreien, sie anpacken, würgen, an sich reißen oder töten. Seine Brauen sind finster zusammengezogen und liegen wie ein Wall über den brennenden Augen. Sein Mund ist wie in Marmor geschnitten, doch die Winkel der Lippen beben in einer Angst, die etwas Abgründiges und Zerschmelzendes hat. Und so zerschmilzt und zerbricht es in ihm wie eine Schale, und mit einem zerreißenden Schmerz stößt er sich aus ihr hinaus in das zweite Leben.

Da fühlt er die Hand der Frau an seinem Gelenk. Sie hat den Handschuh abgestreift, es ist eine nackte, warme, lebendige Hand. Sie zieht ihn ein wenig an sich. Er folgt gehorsam, senkt den Kopf und fühlt allen Krampf sich lösen in einem stillen Fortbluten, dessen Schmerz etwas fiebrig Rauschhaftes hat. Willenlos geht er mit ihr die Straße zurück. Der Park des Belvedere wächst wieder vor seinem verschwimmenden Blick empor mit den Silhouetten der Palmen und Agaven. Ein kühler Meerwind weht ihm entgegen. Er möchte die Augen schließen und versinken in die purpurne Nacht des Schicksals, das ihn nun auf seine mächtigen Schwingen genommen hat.

Wortlos gehen sie den Weg zurück, den sie gekommen. Langsam, als sei eine unendliche Zeit ihnen geschenkt, ein Ozean von Zeit. Er hört ihren Schritt und weiß, daß er leicht ist wie der Gang eines schönen Tieres. Vorsichtig wendet er seine Augen zu ihr und sieht im Lichte einer Laterne etwas, das ihn erschüttert.

Stella hat geweint. Wohl sind ihre Züge wieder klar wie der entschleierte Mond, doch auf den Wangen schimmert es noch wie zerfließender Tau. Dann fällt das Dunkel des Parks über ihr Gesicht. Da wagt er etwas Unbegreifliches. Er legt seinen Arm in den ihren und preßt sie an sich, als bedürfe sie seines Schutzes. Und sie läßt es geschehen, und so gehen sie weiter, ohne zu sprechen.

Der Meerwind ist wieder verrauscht, nur in den Kronen der Palmen raschelt es, als flüsterten sie im Schlafe.

Und nun, weil es ganz dunkel um sie ist, wagen sie wieder zu reden, und auch ihre Stimmen sind dunkel und verändert.

Stella sagt: „Wir werden uns nie wiedersehen, Rico."

„Ja", antwortet er leise.

„Ich werde meinen Mann bitten, daß er schon früher nach Rom zurückkehrt. Denn solange ich weiß, daß du hier bist, werde ich dich sehen und hören wollen, auch wenn ich es mir tausendmal verbiete."

„Ich singe nicht mehr in den Bädern", sagt Rico.

„Was wirst du tun?" fragt sie.

„Ich habe einen Posten als Lagerverwalter in einer Fabrik. Und dann kann ich auch in den Kirchen wieder singen."

„Das ist gut", sagt sie. „Und später gehst du ja doch zur Oper."

„Ich hoffe es."

„Ich weiß es, Rico."

„Mammina hat immer daran geglaubt, und wenn du auch daran glaubst, dann wird es geschehen."

„Vielleicht werde ich dich einmal in London oder New York hören. Aber ich werde nicht zu dir kommen, das mußt du nicht fürchten. Ich werde dir nur sagen lassen, daß ich da bin, damit du für mich singst."

„Ja, Stella", flüstert er.

„Es wäre schön, wenn du den Faust sängest. Möchtest du ihn gerne singen?"

„Ja, sehr gerne."

„Du wirst die Kavatine schöner singen als Lauri, den ich in Rom hörte. Du wirst sie schöner singen als alle Menschen auf dieser Welt."

Errico kann nichts antworten.

Stella ist stehengeblieben. Auch er rührt sich nicht. Sie stehen einander gegenüber. Eine lange Zeit. Ihre Gesichter sind wie blasse Schatten. Da sagt sie leise: „Ich liebe dich, Rico", hebt ihre Lippen den seinen zu und küßt ihn.

So verharren sie noch schweigend, eine lange Zeit. Sie streicht mit ihrer warmen Hand über seine Wange. Er bewegt sich nicht. Sie spürt, daß seine Wange feucht ist.

„Komm", sagt sie, „es ist Zeit."

Sie treten aus dem Park. An dem Portal einer Kirche bewegt sich in schläfriger Trägheit eine Droschke vorüber und kreuzt ihren Weg.

Stella gibt dem Kutscher ein Zeichen. Der Wagen rollt heran und hält. „Hotel Britannique", sagt sie, dreht sich zu Errico um und sieht ihm in die Augen.

Sie stehen beide im fahlen Lichte einer Gaslaterne. Ihre Gesichter sind wächsern und blutleer. Scheu hebt er den Kopf und erschrickt über ihren Blick, mit dem sie ihn ansieht.

„Leb wohl", flüstert sie und drückt ihm die Hand.

Dann fährt sie ab.

Er steht noch eine Zeit und schaut der Droschke nach, bis sie an einer Biegung der Straße verschwunden ist.

DRITTER TEIL

I

Die Kaserne des 13. Artillerieregiments lag etwas abseits der Stadt Rieti. Es war ein großer plumper Bau mit Exerzierhalle, Pferdeställen, Hof und Geschützschuppen. Doch wer von der Stadt her auf ihn zuging, hatte keinen üblen Blick. Immer näher klang ihm das Rauschen des Flusses, der die Schneemassen der Abruzzen hier unten längst in einen grünen, klaren Strom verwandelt hatte. Über den flachen Dächern sah er den seidenen Himmel des Frühmärz und ringsum den Kranz der Berge, die lieblich-schützend das Salotal umgaben. In seinem Rücken aber, im Nordosten, erhob sich die Kuppel des Monte Terminello, und die angenehme Kühle des Nachmittags und die belebende Reinheit der Luft mochten in der Nähe des Bergmassivs ihren Ursprung haben.

Major Nagliati, ein schön gewachsener Mann, leicht ergraut, doch elastisch und herrisch in seinen Bewegungen, hatte sein Stammcafé verlassen und schritt sporenklirrend die Straße zur Kaserne hinauf. Die ihm begegnenden Soldaten bezeigten seiner glänzenden Uniform die vorgeschriebene Ehre, indem sie sekundenlang in den präzis funktionierenden Mechanismus der Hochachtung fielen, der dem Rekruten ziemt, um sogleich aus der kataleptischen Erstarrung wieder in die lockere Grundhaltung zurückzukehren, die ihre Freizeit ihnen gestattete. Sie fürchteten ein wenig den Major. Man sagte von ihm, daß sein strenges Auge sogar auf einen Kilometer Entfernung einen baumelnden Uniformknopf zu bemerken vermochte, und da tat man gut, im Vorüberschreiten die Formen der Disziplin mit maschineller Genauigkeit zu beachten.

In seinem Büro dagegen herrscht zur selben Stunde noch eine vergleichsweise gemütliche Stimmung. Der Korporal Giaco hat mit einem Kameraden eine Unterhaltung über ein sogenanntes Nachtlokal, das sie am Sonntag besuchen wollen, beendet. Der Kamerad ist davongegangen, und Giaco hat auf den Kalender geschaut, um festzustellen, wie lange es noch bis zum Sonntag ist. Der Kalender zeigt Mittwoch, den 8. März 1894. Noch vier Tage! Langweilig. Dann hat er sich damit beschäftigt, einen Stoß gelblichen Konzeptpapiers in den Wandschrank zu verschließen, hat die Fenster geöffnet und eine Zigarette angezündet. Wie er am Fenster steht, hört er eine Stimme aus der daneben gelegenen Exerzierhalle ein Lied singen. Ein Lied, das alle Welt kennt, war es doch dem Komponisten gelungen, anläßlich eines Preisausschreibens mit ihm den Vogel abzuschießen. Gegen alle logischen Bedenken, die man vielleicht erheben könnte, behauptete der Dichter des Liedes keck, daß die Mädchen in Neapel „so schön, so süß, so zart, so rein" seien wie nirgendwo sonst in der Welt, und dies ausschließlich darum, weil die Sonne dort heißer scheine. Die Melodie des Liedes ist höchst ansprechend, wenn auch von einer liebenswürdigen Zudringlichkeit. Man wird sie nämlich nicht mehr los. Daher singt man das Lied, dessen Wahrheitsgehalt bisher von niemandem nachgeprüft wurde, nicht nur in Neapel, sondern auch in Kalabrien, in Sizilien, in Piemont. Die Gondolieri summen es in Venedig, die Hausdiener der Hotels pfeifen es in Mailand, und man singt es auch hier in Rieti. Der Korporal hört es gern, wenn etwas schön gesungen wird, er klopft den Rhythmus des Liedes aufs Fensterbrett und denkt nicht weiter darüber nach. Leider ist es zu Ende, aber der Sänger hat noch mehr auf seinem Programm und beginnt nunmehr ein anderes Lied, das der Korporal nicht kennt, „In mein kleines Fenster scheint der Mond, die Zypressen dunkeln".

In diesem Augenblick tritt Major Nagliati ins Zimmer. Die Zigarette des Korporals fliegt aus dem Fenster. Danach reicht er dem Vorgesetzten die Urlaubsscheine, welche auf einem Nebentisch liegen, zur Unterschrift hin.

Major Nagliati hat Platz genommen und setzt seinen Namen samt Stempel unter die Blätter, während der Korporal einen Löscher dienstwillig über die noch feuchte Tinte gleiten läßt. Das Fenster ist offengeblieben.

„Wer singt da?" fragt der Major.

Der Korporal hebt den Kopf, als höre er jetzt erst die Stimme, lauscht mit gespieltem Erstaunen, furcht sogar die Stirn und gibt zur Antwort: „Befehlen Herr Major, daß ich den Mann rufe?"

„Wer es ist, will ich wissen."

„Ich werde sofort nachsehen, Herr Major."

Der Vorgesetzte gibt ihm ein Zeichen, er solle hierbleiben, unterschreibt, stellt Fragen, blättert in einem Akt und öffnet die Tischlade, um etwas herauszunehmen.

Die Stimme hat das Lied vom kleinen Fenster und dem Monde beendet und scheint feiern zu wollen, eine Annahme, die sich indessen als Fehlschluß erweist, denn nachdem die Stimme einige Skalen gesungen, setzt sie mit einer neuartigen Erwerbung ein. Sie singt: „Gegrüßt sei mir, o heil'ge Stätte..."

Das ist dem Major zuviel, denn eine Artilleriekaserne ist keine heilige Stätte, und man sitzt entweder in der Oper, oder man will seine Ruhe haben. Er springt auf und verläßt das Zimmer.

Der Korporal nickt mehrmals mit dem Kopf wie eine Pagode aus Porzellan und denkt, daß der ahnungslose Sänger dort unten bald seine Ohren für das Kalbfell einer

Trommel halten wird, denn niemand kann so donnern wie der Herrgott und Major Nagliati. Übrigens hat der Künstler in der Exerzierhalle seine Begrüßung der heil'gen Stätte wieder aufgegeben und sich abermals mit der schlichten Weise eines Volksliedes befreundet. Der Korporal horcht auf den Gesang, doch nicht aus musikalischem Interesse, sondern gleichsam mit der Uhr in der Hand. Er kann es sich beiläufig ausrechnen, wie lange das Glück noch dauern wird, denn er kennt den kurzen Weg die Steintreppe hinunter, zum Erdgeschoß, dann rechts hinauf den Gang zur Tür der Exerzierhalle. Er kennt fernerhin den energischen Schritt seines Majors. Die Stimme singt (übrigens wirklich schön, es tut ihm aufrichtig leid um den Mann), noch singt sie, da – sie bricht ab!

„Ich hab's gewußt", sagt der Korporal laut und schließt das Fenster.

Major Nagliati war genauso, wie sein Korporal es vorausgesehen hatte, mit raschem, sporenklirrendem Schritt die Steintreppe hinunter und bis zur großen Exerzierhalle gegangen. Da stand der Sänger inmitten einer ungewöhnlichen Menge von Stiefeln, die er mit weit ausholenden Bewegungen putzte. Er hatte den Vorgesetzten weder gehört noch gesehen. Jetzt erblickte er ihn plötzlich vor sich wie eine Erscheinung. Darüber erschrak er dermaßen, daß er den Stiefel fallen ließ, mitten im Liede abbrach und die Ehrenbezeigung vergaß.

„Also du bist der Sänger!" sagte Nagliati, ohne die Stimme sonderlich zu erheben. „Wie lange bist du bei uns?"

„Acht Tage, Herr Major", stieß er heraus.

„Wo warst du vorher?"

„In Rom."

„Hast du dort Dienst getan?"

„Zu Befehl, Herr Major."

„Weißt du, daß es verboten ist, in der Kaserne während des Dienstes zu singen?"

Der Soldat deutete durch einen Ruck in seiner Haltung an, daß ihm dies bekannt sei.

„Und singst trotzdem?"

„Zu Befehl, Herr Major. Mein Dienst ist beendet. Ich habe Freizeit."

„Freizeit und putzt Stiefel?"

„Strafe, Herr Major."

„Sag nicht immer ‚Herr Major', ein Soldat ist kein Kellner. Strafe? Wofür?"

„Für schlechtes Reiten. Ich halte die Füße falsch."

„Also nicht einmal das kannst du!" sagte Major Nagliati, der natürlich vorzüglich ritt, verächtlich.

Die schwarzen Augen des Soldaten blickten wie die eines Verurteilten.

„Kannst du nur Volkslieder singen oder auch Arien?" fragte er nun mit einer drohenden Langsamkeit, während seine Augen ihn unter dichten schwarzen Brauen prüfend ansahen.

Die Frage schien den Angeredeten noch mehr zu verwirren als das plötzliche Auftauchen des hohen Vorgesetzten. Er gab leise zur Antwort: „Auch Arien."

„Dann sing: ‚La donna è mobile'!"

Der Bursche starrte fassungslos den Major an.

„Aha! Du kennst die Arie nicht", sagte er spöttisch.

Der Rekrut atmete tief ein und begann die Arie zu singen.

Als er geendet, sagte der Major: „Das hast du schlecht gemacht."

„Jawohl, Herr Major", sagte der Mann.

„Gut, daß du es weißt. Was triebst du, ehe du Soldat wurdest?"

„Ich habe studiert, um Sänger zu werden."

„Sänger? Was für ein Sänger?"

„Opernsänger."

„Sei morgen nachmittag um fünf Uhr im Café Savoia. Ich werde dich dort erwarten und dir eine Strafe diktieren. Und wenn du noch einmal in der Kaserne brüllst und mich bei meiner Arbeit störst, bekommst du Arrest."

Major Nagliati drehte sich um und schritt in aufrechter Haltung energisch und sporenklirrend davon.

Der Rekrut sah ihm fassungslos hinterher. Wie wenn er aus einem Traum erwachte, fuhr er sich mit der Rechten über das braune Gesicht, über die dunklen Augen und griff am Ende ins schwarze, lockige Haar, als wolle er daran zerren, um sich zu vergewissern, daß alles Erlebte keine Vision gewesen. Langsam schüttelte er den Kopf, ließ den Arm niederfallen und blieb wohl eine Minute lang so stehen.

Um fünf Uhr des folgenden Tags näherte er sich dem Café Savoia. In einer Nische sah er Major Nagliati zeitunglesend und rauchend vor einer Tasse Kaffee sitzen. Was sollte er tun? Die Aufforderung des Majors, ihn hier aufzusuchen, war eine Falle, so viel wußte er nun schon. Denn ein gemeiner Soldat darf ein Lokal, in dem sich einer seiner Vorgesetzten befindet, nicht betreten. Er ging also vor dem Fenster auf und ab. Doch der Major las und sah nicht auf. „In eine schöne Lage hat er dich gebracht", murmelte er. „Gehst du hinein, schnauzt er dich an, gehst du nicht hinein, schnauzt er dich erst recht an. Der Soldat ist ein Mensch, welcher mit allem, was er tut, stets den kürzeren zieht."

Da erschien ein Kellner und winkte ihm: der Herr Major dort am Fenster befehle ihn zu sich.

Er trat ein, stellte sich vor den Tisch und schlug die Hacken zusammen.

Der Major blickte auf. „Setzen!" sagte er.

Der Rekrut starrte auf Nagliati.

„Setzen, hab ich gesagt", wiederholte er.

Der Rekrut setzte sich auf die Kante eines Stuhls. Er sah aus, als sei er bereit, jeden Augenblick aufzuspringen und davonzustürzen.

Der Major nahm keine Notiz von ihm. Er hob wieder die Zeitung vor das Gesicht und fragte, ohne ihn anzusehen: „Haben Sie bereits gegessen?"

Er nannte ihn „Sie"! Vielleicht, weil sie sich außerhalb des Dienstes befanden, aber es konnte ein neuer raffinierter Schachzug sein. Man muß höllisch aufpassen, wenn man beim Militär ist. Jeder unbedachte Schritt kann einen in Teufels Küche bringen.

„Jawohl, Herr Major, danke", sagte er.

Der Major winkte dem Kellner und bestellte noch einen Kaffee, besonders stark, nicht so wie dieser hier. Er gab seine Befehle kurz, knapp, halblaut, unterstrich sie mit ein paar schönen Bewegungen seiner schmalen, braunen, adrigen Hand.

Ja, das lernt man beim Militär, dachte der Soldat. Das ist auch nicht so leicht. Aber das hohe C gut singen ist noch viel schwerer. Da liest er wieder in seiner Zeitung. Falls er sie ganz auslesen will, kann es neun Uhr abends werden. Warum habe ich nur so ein Angstgefühl? Beim Militär wird man das nie los, das gehört wohl dazu.

Plötzlich legte der Major die Zeitung fort und sah den Mann vor sich mit seinem strengen Blick prüfend an. „Wo kommen Sie her?" fragte er.

„Aus Neapel, Herr Major."

„Ihr Alter?"

„Einundzwanzig Jahre."

„Verheiratet? Verlobt?"

„Nein."

„Ihr Vater? Ihre Mutter? Sprechen Sie! Muß ich alles aus Ihnen herausziehen?"

„Mein Vater ist Werkmeister in der Fabrik des Herrn Meuricoffre. Die Fabrik geht jetzt schlecht..."

„Wie heißt er?"

„Marcellino."

„Nein, sein Brotgeber."

„Meuricoffre."

„Ein Franzose?"

„Nur sein Name, Herr Major."

„Weiter. Lebt Ihre Mutter? Haben Sie Geschwister?"

„Meine Mutter ist tot. Ich habe zwanzig Geschwister gehabt..."

„Wieso gehabt? Sind sie auch tot?"

„Siebzehn sind gestorben. Drei leben noch. Giovanni, Assunta und ich."

„Wie alt ist Giovanni? Ein Kind?"

„Nein, zwei Jahre jünger als ich."

„Gesund? Kräftig?"

„Jawohl, Herr Major."

„Gut. Weiter. Woran starb Ihre Mutter?"

„Sie hat es zu schwer gehabt im Leben. Immer nur gearbeitet. Das Herz versagte." Der Mann blickte auf die Tischkante.

Der Major räusperte sich und zerdrückte seine Zigarette auf der Untertasse.

„Wo haben Sie singen gelernt?"

„Im Kirchenchor des Paters Bronzetti und später bei verschiedenen Lehrern."

„Sind Sie öffentlich aufgetreten?"

„Nur in der Kirche. Dort sehr häufig. Sonst habe ich in den Risorgimento-Bädern gesungen. Und Serenaden für Liebhaber vor den Fenstern ihrer Mädchen, aber das war kein öffentliches Auftreten."

„Sie wollen Opernsänger werden?"

Der Soldat starrte auf den Marmortisch, wie er das vorhin

bei der Frage nach seiner Mutter getan. Er schien auf einmal keine Luft zu haben.

Nagliati sah ihn streng an: „Ich wünsche eine Antwort."

Er nickte stumm, zwei-, dreimal. Plötzlich wurden seine schwarzen Augen feucht. Er riß sich zusammen und stieß heraus: „Jawohl, Herr Major!"

Der Major sagte: „Drei Jahre Dienst – dann gute Nacht, Stimme."

Der Rekrut sah wieder die Marmorplatte an.

Jetzt brachte der Kellner den Kaffee und stellte ihn vor Nagliati, der die Tasse zum Rekruten hinschob.

Erschreckt blickte er auf.

„Ein Espresso", sagte der Major. „Wenn Sie Neapolitaner sind, müssen Sie guten Kaffee lieben. Hoffentlich schmeckt er Ihnen. Da steht Zucker."

Der Rekrut schlug gehorsam die Hacken zusammen und hob die Tasse zum Munde. Jetzt schob ihm Nagliati auch eine Schachtel mit Zigaretten hin. Wohin sollte das noch führen? Er wagte einen scheuen Dank.

„Nehmen Sie!" befahl er. „Oder rauchen Sie nicht?"

Eine zitternde Hand ergriff die Zigarette. Der Major reichte ihm Cerini. Die Flamme zuckte auf, und der Rekrut blies den Rauch seitlich gegen das Fenster. Er wünschte heiß, sein Vorgesetzter möchte ihn zur Abwechslung einmal anschreien, fortschicken, nur nicht so schweigend ansehen. Daraus konnte nichts Gutes erwachsen. Jetzt griff er obendrein wieder zur Zeitung, blickte hinein und sagte, als ob er es aus ihr abläse: „Ich glaube, ich habe etwas für Sie gefunden. In Rieti wohnt jemand, der Musik liebt und viel von Stimmen versteht. Er ist ein Freund von mir. Baron Costa heißt er. Ich habe mit ihm über Sie gesprochen, und er hat sich bereit erklärt, mit Ihnen zu üben." Er senkte die Zeitung und sah wieder den Rekruten an. „Ich werde dafür sorgen, daß Ihr Bruder Giovanni an Ihrer Stelle

Rekrut wird. Bis dahin werden Sie in Ihren Freistunden zum Baron Costa gehen. Wenn Sie faul sind und er unzufrieden mit Ihnen ist, müssen Sie Ihre drei Jahre abdienen. Da hilft Ihnen nichts."

Unter der dunkelbraunen Haut des Mannes war alles Blut gewichen. Dafür trat in seine schwarzen Augen ein Funkeln, abgründig und tierisch-stumm.

Der Major begriff, daß er an eine verborgene Leidenschaft in dem Manne gerührt haben mochte, an etwas, das, einmal freigelassen, niemals mehr Ruhe geben würde. Selber leicht verwirrt, schob er ihm wieder die Zigarettenschachtel hin, während er sagte: „Also, es liegt nicht in meiner, sondern in Ihrer Hand." Für ihn mochte dieser neuerliche Hinweis eine betonte Abschwächung seiner Gabe bedeuten, doch nicht für den andern, der langsam den Kopf senkte und so sekundenlang verharrte, ohne die Zigaretten zu bemerken.

Der Major streckte ihm die Hand hin. „Ich wünsche Ihnen Glück. Halt, ehe Sie gehen, wie heißen Sie? Ich muß doch Ihren Namen wissen."

„Caruso, Errico", sagte der Mann mit schwacher Stimme.

Nagliati schrieb den Namen auf. „Caruso", wiederholte er noch einmal, „danke. Haben Sie Ihren Kaffee ausgetrunken? Dann können Sie gehen."

Baron Costa, ein beleibter Herr mit mächtigem Grauhaar, das wie eine unordentliche Lockenmähne auf seinem Schädel lag, studierte mit Caruso den Turiddu aus der „Cavalleria". Nach fünf Tagen beherrschte er die Partie fehlerlos. Der Baron fragte ihn, ob er etwas von Harmonielehre wisse, von Theorie, Kontrapunkt.

„Nein, nichts."

Ob er Klavier spielen könne?

„Nein. Ebenfalls nicht."

„Ich habe auch den Eindruck, daß Sie schlecht Noten lesen. Irre ich mich?"

„Nein, Sie irren sich nicht", sagte Caruso bedrückt.

„Es macht nichts. Dafür haben Sie das absolute Gehör. Sie setzen, ohne daß ich den Ton vorher anschlage, sofort richtig ein. Sie sind zwar ein Analphabet der Musik, aber Ihre Musikalität ist ungewöhnlich. Sie könnten natürlich das alles lernen, aber ich weiß nicht, ob es einen Zweck hat. Die alten Griechen waren vermutlich das musikalischste Volk der Erde, aber sie kannten keine Notenschrift. Sie sangen sich alles vor, und dann behielten sie es, und ein jeder sang es nach und behielt es. Sie legten keinen Wert darauf, viel zu Papier zu bringen, eben weil sie gleich alles auswendig konnten. Pindar schickte seine Siegeshymnen zu den delphischen Spielen durch einen Boten, der sie vortrug, aber nicht vorlas. Und wer sie hörte, konnte sie auswendig. Wozu sollte man da noch viel aufschreiben? Es wird überhaupt viel zuviel geschrieben. Wer hat da noch Zeit, etwas zu behalten? Sie sind Neapolitaner?"

„Ja."

„Sehen Sie! In Neapel steckt heute noch viel mehr Griechisches, als ihr alle wißt."

Er schob seine Hände in die Jackentaschen und ging auf und ab. Dann blieb er vor Caruso stehen und sagte: „Sie haben eine Stimme – der Teufel soll mich holen, wenn das keine schöne Stimme ist. Sie sind zum Singen geboren, aber Ihre Höhe sitzt fest wie eine Maus in der Falle. Wie wollen Sie ein Tenor werden, wenn Sie nicht einmal das A zustande bringen? Nun, Geduld, mein Freund! Es wird alles werden. Ich werde versuchen, die Maus aus der Falle zu holen. Indessen, merken Sie wohl: Singen ist kein Spaß. Singen ist Arbeit. Ich glaube sogar, es ist eine der allerschwersten Arbeiten, die es in der Welt gibt. Darum lernen es im

Grunde auch so wenige." Er zog seine Rechte aus der Jackentasche und reichte sie ihm hin. „Arbeiten Sie."

Caruso arbeitete. In seiner Kammer sang er die Übungen, die ihm der Baron empfohlen. Er summte sie, wenn er über die Straße ging. Er sang sie lautlos im Kopfe, wenn er im Bett lag. Die Stimme war mit den Jahren größer und voller geworden, doch zugleich mit dieser Veränderung hatte sich etwas in ihr vollzogen, das eine Folge fehlender systematischer Schulung sein mußte. Sie glich einem halbwilden Vogel, den er zähmen wollte, einem schönen, glänzenden, fremdartigen Vogel, der ihm manchmal ganz nah war, vertraut, ja zärtlich auf seiner Hand flatterte. Kaum aber, daß er nach ihm greifen wollte, stob er davon und schien ihn höhnisch auszulachen.

Wenn er mit geschlossenen Augen nachts dalag, fühlte er die Töne wie diamantene Kugeln, die er durch einen Druck in der Kehle in klingende Bewegung versetzen konnte. Er sah sie gehorsam seinen Befehlen folgen, als liefen sie leicht über den Arm eines Meisterjongleurs. Er kämpfte mit diesen rätselhaften Gebilden, die stofflos und doch Blut von seinem Blute, luftlos und doch Hauch von seinem Atem, kleine Lichtgeister aus fremder Welt und doch innerstes Leben aus seinem Ich waren, der reinste, sinnvollste, edelste Ausdruck seiner Natur.

Es war eine Arbeit, zu der ihn ein Dämon antrieb. Noch vor wenigen Jahren war ihm die Heftigkeit dieses Impulses fremd gewesen; fleißig war er immer, doch er hatte stets nur auf einen Zweck hin, dann aber entflammt und leidenschaftlich arbeiten können. Nun aber trat ihm mehr und mehr etwas fast Unheimliches ins Bewußtsein. Nicht er hatte Macht über die Stimme, sondern sie gewann zunehmend Macht über ihn. Sie war stärker als er. Er litt Pein und wußte zugleich, daß nur dies allein sein Leben war: singen.

Wenn der Baron es „Arbeit" nannte, irrte er. Es war mehr als Arbeit, ein Kampf war es. Kampf um den Gehorsam unfaßbarer Kräfte, Kampf um Gewalten, für die Herr Uccello wohl Namen gehabt und sie psychologisch erklärt hätte, doch sie hatten keine Namen und blieben unerklärlich. Baron Costa konnte ihm auch nicht viel helfen. Kämpfen mußte er allein. Kämpfen um das Anschwellen des Tons, kämpfen um die Lockerheit und Leichtigkeit des Ansatzes, kämpfen um die Schwingenkraft des Atems und kämpfen um die Höhe. Es gab Augenblicke, in denen der drückende Nebel, der um die Spitze des Berges lag, wich und er plötzlich den strahlenden Gipfel des Tons packte. Doch wieder stürzte er ab. Die Tiefe seiner Stimme zeigte den edelsten Klang biegsamen Metalls, schön und stark schwoll sie an in der mezza voce, doch in den hohen Lagen brach sie.

Er wußte bald, daß Baron Costa nicht der Lehrer war, ihm den sicheren Weg zur Höhe zu weisen. Es gab einen, Herr Proboscide hatte ihn genannt, den großen Vergine. Aber würde Vergine ihn überhaupt nur anhören wollen?

So ging es einen Monat und länger. Inzwischen hatte es sich in der Kaserne herumgesprochen, daß Major Nagliati im Rekruten Caruso einen Sänger entdeckt haben sollte. Die Kameraden, welche vordem seiner Kunst nicht mehr Aufmerksamkeit geschenkt hatten als dem Liede eines Vogels, das uns auf der Wanderschaft flüchtig fesselt, veranlaßten ihn nun, bei jeder sich bietenden Gelegenheit seine Stimme zu erheben. Er tat es und schmetterte, wo immer er sich befand. Weil er keine Müdigkeit kannte und der Beifall der Kameraden ihm schmeichelte, hörte er erst auf, wenn der Dienst ihn zum Schweigen verurteilte.

Da tauchte eines Tages wieder Major Nagliati inmitten der Schar seiner Verehrer auf. „Habe ich dir nicht verboten zu singen?" schrie er. „Zum letztenmal: ich will

deine Stimme nie wieder im Umkreis der Kaserne hören!"
Caruso erschrak, und die zu marmorner Haltung erstarrten
Kameraden waren wie er der Meinung, daß sich die Gunst
des Gottes von ihm gewandt habe.

Nicht genug, daß der Major ihn angebrüllt hatte – und
wie konnte er brüllen! Sein Fortissimo ersetzte ein ganzes
Blasorchester – nicht genug das, er hatte auch gepetzt.
Da stand Errico vor Baron Costa, und der Baron betrachtete
ihn wie einen Aussätzigen. Die Hände in den Jackentaschen,
den grauen Löwenkopf drohend erhoben, fragte er: „Wissen
Sie eigentlich, was Sie tun, wenn Sie bei jeder Gelegenheit
in die Welt hinaustrompeten? Glauben Sie, junger Esel,
daß selbst des Orpheus Stimme ein unbegrenztes Kapital
gewesen ist, von dem er verschwenden konnte, soviel er
wollte? Sind Sie sich dessen bewußt, Bursche, daß eine
Stimme ein Geschenk Gottes ist und Ihnen nicht gegeben
wurde, damit Sie und Ihre Kameraden Spaß daran haben?"
Sein Organ schwoll an, er hob den kurzen Arm drohend
gen Himmel und rollte einen Satzdonner gegen den nieder-
geschmetterten Schüler: „Wehe Ihnen, wenn Sie glauben,
daß Sie fortan mit dieser Stimme tun dürfen, was Sie wollen!
Wehe Ihnen, wenn Sie vergessen, daß Sie ihr zu dienen
berufen sind, so wie ein Priester der Kirche dient und
verpflichtet ist, die Freuden des Lebens einem heiligen
Berufe zum Opfer zu bringen!"

Caruso blickte beschämt zu Boden.

„Verstanden?" knallte es aus dem Munde des Barons wie
ein Revolverschuß.

„Jawohl", gab Caruso demütig zurück.

„Dann kann ich Ihnen verraten, was mir Major Nagliati
mitgeteilt hat: Ihr Bruder ist für tauglich befunden worden,
an Ihrer Stelle dem Vaterlande als Soldat zu dienen. Sie
sind von morgen an entlassen. Danken Sie Gott und –
Ihrem Major!"

Die Abschiedsfeier mit den Kameraden verschlang seine Löhnung, doch der Staat sorgte für die Heimreise von Rieti nach Neapel. Sie dauerte elf Stunden, und wenn er davon absah, daß seine letzten zwei Soldi ihm nur ein Morgenfrühstück, Mittag- und Abendessen, bestehend aus Brot und ein wenig Wein, gestatteten, war sie köstlich, taumelnd im Rausch großer und unbestimmter Illusionen, flatternd wie eine Märchenfahne im Morgenwinde des Lebens.

II

Da stand er also wieder in Neapel! Es war das erste Mal, daß er seine Heimatstadt verlassen hatte, und als er nun wiederkehrte, schien ihm sogar der Bahnhof überwältigend schön zu sein. Sein Weg durch die Via Sant' Anna alle Paludi glich einem Triumphzug. Er traf bei jedem Schritte Nachbarn und Freunde, die ihn beglückwünschten. Der gute, dicke, dralle Bruder Giovanni hatte das Opfer für die Kunst gebracht, nicht freiwillig zwar, da der Staat ihm hierzu den Befehl erteilt, dennoch bereitwillig, denn er bewunderte Errico und sah überdies in der Militärzeit eine gute Gelegenheit, sich der väterlichen Autorität zu entziehen, um dagegen die des größeren und anonymen Vaters Staat einzutauschen. Assunta, die zu einem Jungfräulein erblüht war, aber ihre etwas transparente Zartheit nicht verloren hatte, jubelte hysterisch und warf sich dem Bruder an den Hals. Dann kam die Stiefmutter an die Reihe, und auch sie küßte ihn ab, und dann umarmte ihn der Vater.

Ein Literfiasco stand auf dem Tisch, Gläser, Teller, ein gutes Essen, ein prächtiges Essen. Frau Maria hatte es zur Feier des wiedergekehrten Sohnes hergerichtet. Kurzum, ein Nachmittag, wie man ihn nicht oft in dieser Welt erlebt, noch dazu ein Sonntag! Herrlich war das Leben, mochte es nur immer so weitergehen.

Leider fragte ihn der Vater, was er nun zu tun gedächte, nachdem er seinen Dienst so ruhmreich quittiert habe.

„Singen!" gab er das Glas schwingend zurück. Die Antwort einer Nachtigall, welche den alten Mann sichtlich unbefriedigt ließ. Nein, der Mensch ist kein Vogel, und mag Gott die sorglosen Lilien auf dem Felde nähren, er wünscht, daß die Menschen sich das Leben sauer machen, insonderheit die, welche er besonders zu lieben scheint.

So erwies sich denn die Wolke, auf der Caruso nach Neapel geschwebt war, als unzuverlässig. Sie zerfloß auf Wolkenart, und er lag wieder auf harter Erde. Seine dürftige Hoffnung, in Herrn Meuricoffres Fabrik die alte Stellung antreten zu können, zerfloß nicht minder. Der Fabrik ging es schlecht, die ausländische Konkurrenz beherrschte den Markt, man hatte große Einschränkungen im Personalbestand vornehmen müssen, und der Vater war heilfroh, daß man ihn wegen seines Dienstalters und seiner Erfahrung noch behielt.

Da entschloß er sich, zu Herrn Proboscide zu gehen, seinem alten Gönner und Freunde. Hier wurde er nicht minder emphatisch begrüßt. Herr Proboscide war nun auch nicht mehr der Jüngste. Er aß zwar noch mit dem alten Appetit, aber der Arzt hatte ihm den Wein untersagt, oder so gut wie untersagt; nur einen halben Liter täglich durfte er trinken. Aber was ist schon ein halber Liter! Besser als gar nichts? Nein, schlimmer als gar nichts! Dann aber war noch etwas Übles hinzugekommen. Einem unseligen Zahnarzte blieb es vorbehalten, für Herrn Proboscide ein Gebiß anzufertigen. Es leuchtete zwar weithin und erhöhte seine Schönheit, aber er wußte nicht damit fertig zu werden, er verabscheute es geradezu, verfolgte es mit Schmähreden und behauptete, er habe seitdem größte Unbequemlich-keiten im Munde und nur noch ein geringes Vergnügen am Essen. Ja, er äße eigentlich nur, um nicht zu verhungern. „Sei froh, Rico, daß du noch deine schönen Zähne hast. Du weißt gar nicht, was du damit besitzt. Gesunde Zähne sind ein kleines Königreich!"

Trotz der Unbequemlichkeiten im Munde – er brach manchmal plötzlich mitten in der Rede ab, sperrte den Mund auf, klappte ihn hörbar zu und schüttelte sorgenvoll den Kopf –, trotz dieses Verdrusses hatte sein erfindungs-reicher Kopf nichts an Frische eingebüßt. Die Mär von Ricos Befreiung vom Militärdienst auf Grund einer schö-nen Stimme, diese Mär, rief er aus, gehöre in die Zeitung! Man dürfe sie der Öffentlichkeit nicht vorenthalten. Trage sie doch einen nationalen Charakter, sei echt italienisch und ein beglückendes Zeichen dafür, daß dieses Volk ein musi-kalisches und ein von Apoll gesegnetes sei. Im alten China sei vielleicht einmal ein Soldat vom Militärdienst befreit worden, weil er besonders viele und schöne Schriftzeichen habe tuschen können. Gut, gut! Aber sei dadurch die Welt schöner geworden? Er bitte die Frage genau zu beachten: sei die Welt jemals durch Schriftgelehrte schöner geworden? Mitnichten! Schöner werde sie nur durch die Kunst. Aber gerade darauf komme es an, daß sie schöner werde! Nicht besser, sondern schöner. Wenn nämlich das Leben wirklich schöner werde, müsse es auch besser werden, denn die Ästhetik sei eine klügere Erzieherin als die Moral. Die Moral mache es wie jene gewisse Dame, er wolle ihren Namen nicht nennen, weil sie auf ihre Männer mit einer Flinte geschossen und ein Lineal auf Ricos schwächlichem Kopfe zerschlagen habe, die Moral klopfe gleich auf die Hand.

Die Ästhetik dagegen erziehe unmerklich, lächelnd, sanft, wie eine duftende, blonde junge Frau, wie eine echte Muse.

Nach diesem Satz blickte er etwas verlegen zu Boden, denn er sah, daß seines jungen Freundes Auge einen starren Glanz erhalten hatte. Außerdem machte ihm Schwester Teresa auffällige Zeichen, tippte sogar mit dem Zeigefinger an ihren Kopf. Nun, nun, er hatte ja schon verstanden.

„Alsdann!" rief er aus, brach aber jäh ab, faßte an seine porzellanweiße Zahnfassade und rüttelte ein wenig an ihr, indem er sorgenvoll seufzte.

„So laß doch deine Zähne! Du darfst sie nicht immer anfassen!" tadelte ihn Teresa.

„Alsdann – beginnen wir mit der Presse! Ich habe einen Freund, Redakteur Filippo Filippi, einen Meister der Feder. Ihm werde ich einige Winke geben, wie er den Artikel zu verfassen habe. Ich werde ihm auch, obwohl es mein eigener Gedanke ist, sagen, daß er in seinen Artikel hineinbringen solle, was ich dir vorhin über die alten Götter verraten habe. Sie sind nicht gestorben, sondern leben weiter als Patronatsgeister der Völker. Ich habe darüber nachgedacht, als ich nur noch eine ekelerregende Breinahrung zu mir nehmen durfte, und entdeckt, daß Italien unter dem Schutze Apolls steht. Frankreich steht unter dem der Venus oder Aphrodite – nun, darüber herrscht wohl kein Zweifel! – England unter dem des geschäftskundigen Götterboten Hermes, Deutschland unter dem des Mars oder Ares, Spanien unter dem der eifersüchtigen alten Göttermutter Hera. Österreich-Ungarn unter dem des verliebten Dionysos, der bekanntlich schon als Kind die Götter durch seine Witze zum Lachen brachte. Und Griechenland, ja, unter welchem Zeichen stand doch Griechenland, Schwester?" rief er, indem er sich zu Teresa umdrehte. Aber sie war aus dem Zimmer gegangen.

Da sagte Herr Proboscide verschmitzt: „So will ich dir noch verraten, daß ich persönlich unter dem Zeichen des

Bacchus stehe!" Er klatschte in die Hände, machte einige mirakulöse Gebärden und rief: „Eccola!" Mit einer sicheren Bewegung zog er hinter einer Standuhr eine Flasche mit Capreser Wein hervor, auch ein Glas war wie durch Gotteswunder zur Stelle, doch mußte er sogleich beides wieder fortzaubern, da Schwester Teresas langsamer Schritt sich der Tür näherte.

Um es gleich zu sagen: der Artikel von Redakteur Filippo Filippi hatte nicht die erhoffte Wirkung. Vielleicht, weil er weder den Namen des Majors Nagliati noch den der Stadt Rieti noch den Carusos nennen konnte, der Verfasser auch Herrn Proboscides rückschrittliche Theorie von einem Patronat der Götter nicht teilte. Die alten Götter seien längst tot, fertig und aus. Wie würde sich, fragte Filippi, die katholische Kirche zu einer solchen Wiedererweckung des verblichenen Heidentums stellen! Seine Zeitung müsse hier gewisse Rücksichten nehmen. Freilich, er werde seinen Aufsatz mit einer Hymne auf den italienischen Kunstverstand schließen, obwohl das Bäume in den Wald tragen hieße.

Auf diesen Artikel liefen zwei Briefe von Damen ein, welche Namen und Adresse des Sängers zu wissen wünschten. Redakteur Filippi gab sie seinem Freunde Proboscide, Herr Proboscide gab sie Caruso, und Caruso zerriß sie.

Es blieb ihm also nichts übrig, als wieder für Liebhaber unter den Fenstern junger Damen zu singen, und das Geschäft blühte, weil der Frühling mit Flöten und Harfen in Neapel eingezogen war. Schließlich wurden auch die Risorgimento-Bäder wieder eröffnet.

Es war wohl der schwerste Weg für ihn, Cavaliere Pandolfo aufzusuchen, aber er tat es, denn man mußte leben. Cesare Montebello, der Krawattenkünstler, befand sich nicht mehr in Neapel, sondern in einem Hotelorchester in San Remo. An seiner Stelle hatte Cavaliere Pandolfo einen rundlichen und quicklebendigen Pianisten mit Namen Giambattista Klecker engagiert, einen Mann, der merkwürdigerweise aus dem Tessin hierher verschlagen worden war. Er begleitete exakt und technisch einwandfrei, fraglos besser als Montebello, hatte nur leider die Angewohnheit, beim Spielen zu schnaufen. Er schnaufte wie eine Bulldogge, sogar die Zuhörer merkten es.

So stellte sich mit Beginn der Saison Caruso nicht mehr in den Dienst der Liebe, sondern sang seine Canti, Arietten und Arien auf dem alten Podium, sang sie über die Köpfe der Gäste hinweg dem Meere zu, sang sie, weiß Gott für wen, verschwimmenden Auges in einen Himmel der Vergangenheit, den er allein sah und der immer noch wie eine Sternenkuppel über der Bucht und den grünen Höhen des Posilip ausgespannt war.

Die Gäste lauschten. Ob aufmerksamer als vor drei Jahren, wußte er nicht, da ihm schien, als sei damals sein Singen umkränzt gewesen von erstem Lorbeer, als habe der Beifall anders geklungen, leidenschaftlicher, liebender, gläubiger. Ja, es kam ihm sogar vor, als habe das ganze Etablissement inzwischen an Licht und Lebenskraft eingebüßt. War es nicht enger geworden? Dürftiger? Zudem hatte Cesare Montebello mit seinen rauschenden Samtfingern, seiner Courtoisie und den fünf lockenden Lire es besser als Herr Klecker verstanden, die Börsen zu öffnen. Wohl gab es Tage, an denen die Gäste es für geboten hielten, gegen den Glanz seiner Stimme den abgegriffenen des Geldes zu tauschen, aber es kamen auch solche, an denen er ohne eine Lira die Bäder verließ. Falls aber Apoll wirklich ein Ohr für diesen Sänger hatte, so mochte er es nun für richtig befunden haben, eines Abends ihm einen Mann in den Weg zu stellen, der an der Stimme Gefallen fand.

Eduardo Missiano war ein hochgewachsener schöner Herr, wohlhabend, wie schon der erste Blick lehrte, denn er trug einen funkelnden Brillanten in der Krawatte und einen gleichen am kleinen Finger. Wohlhabend war er und mit guten Beziehungen reich gesegnet. Selber ein Bariton, wenn auch damals noch unbekannt, studierte er bei Vergine und verkehrte sogar im Hause des berühmten Lehrers. Er klopfte Caruso leutselig auf die Schulter und sagte, seine Stimme sei sehr schön, aber er mache technische Fehler, und was die Höhe angehe...

„Ich weiß", unterbrach Caruso, „ich habe keine."

„Doch, Sie haben eine. Sie wissen nur nicht, wie sie auszugraben ist. Aber das könnte Vergine Ihnen vielleicht zeigen."

„Mir, einem aus den Risorgimento-Bädern? Ohne einen Soldo in der Tasche? Ich soll zu Vergine?"

„Halt", sagte Missiano, „wenn Ihre Stimme Vergine gefällt, wird Geld keine Rolle spielen. Ich werde mit dem Maestro reden, und er wird Sie prüfen."

Vergine empfing Caruso. Missiano stand, während er vorsang, dabei und beobachtete aus den Augenwinkeln angespannt des Lehrers Züge.

Der lehnte, die Hände in den Hosentaschen, am Fensterbrett und schien versteinert.

Caruso hatte geendet. „Noch etwas?" fragte er.

„Danke", sagte Vergine, hob den schönen scharfen Römerkopf, betrachtete Caruso von oben bis unten und meinte nachlässig: „Eine kleine Stimme. Sie klingt wie der Wind, der durch ein Fenster pfeift."

Missiano ließ seinen Brillantring funkeln und versuchte Vergine klarzumachen, daß man hier weder von einem Winde noch von einem offenbar schlecht schließenden Fenster reden könne, daß der junge Mann vielmehr einen eigentümlichen Goldton in der Kehle habe, ein edles Metall, das nur der Bearbeitung eines großen Goldschmieds bedürfe, um leuchtend zu strahlen.

Vergine stand, ohne sich zu rühren, am Fenster, blickte bald zur Decke, bald zu Boden, dann sah er Caruso interesselos an und sagte: „Also gut. Kommen Sie in einer Woche wieder. Ich will Sie noch einmal anhören."

Caruso kam. Wieder sang er. Wieder stand Vergine mit dem Rücken zum Fenster, die Hände in den Taschen, und schien zu überlegen, ob es sich wohl lohne, das Zimmer neu tapezieren zu lassen, denn es zeigten sich bereits bedenkliche Risse in den Winkeln, und das sah nicht schön aus. Missiano war während dieser Prüfung nicht zugegen. Caruso, den Radames mit all seiner Liebe zum göttlichen Verdi erfüllend, fühlte sich verlassen und verurteilt, ehe noch der Spruch des Richters erfolgt war. „Noch etwas?" fragte er leise, als er die Arie beendet.

Der Begleiter am Klavier, ein milchblasser Mensch, engbrüstig und mit etwas verwischtem Gesicht, sah gleichmütig auf die Tasten.

„Danke", sagte Vergine, entzündete gemächlich eine Zigarette, blies den Rauch gegen die schadhafte Stelle der Tapete, wandte langsam den müden Blick Caruso zu und versetzte gleichmütig: „Ich weiß nicht, was Missiano an Ihnen findet. Erwarten Sie viel von sich?"

Caruso schien etwas in der Frage verborgen zu sein, das er nicht zu deuten vermochte, doch das Antlitz des Lehrers zeigte keinerlei Bewegung, es war kalt und verschlossen.

„Ja", antwortete Caruso, „sonst würde ich es nicht gewagt haben, zu Ihnen zu kommen!"

Vergine machte einen langen Zug in die Lunge, warf die Zigarette aus dem Fenster und ging zu einem Wandschrank. Er entnahm ihm ein Blatt, auf dem mehrere Sätze in Paragraphenform gedruckt standen. Er reichte das Blatt Caruso.

„Lesen Sie es sich durch, und wenn Sie damit einverstanden sind, unterschreiben Sie."

Caruso sah Vergine an, danach das Blatt, welches die Bedingung enthielt, daß der Schüler von dem Tage an, da er eine bestimmte Gage und darüber hinaus erhalte, auf die Dauer von fünf Jahren fünfundzwanzig Prozent davon an Vergine zu zahlen habe. Er nickte hingerissen und stumm. Nicht minder wortlos reichte ihm Vergine Tinte und Feder, ließ ihn seinen Namen daruntersetzen, löschte die Unterschrift und trug das Blatt wieder in den Schrank.

„Bleiben Sie gleich hier", sagte Vergine, „in einer Viertelstunde beginnt der Unterricht."

Caruso schien zu erwarten, daß Vergine nunmehr aus seiner wortkargen Rolle hervortreten und ihm raten werde, was er zu tun habe, um aus dem Stadium des durch ein Fenster pfeifenden Windes hinauszuwachsen in das eines Sängers. Doch zu seiner Verblüffung unterrichtete Vergine in Klassen. Es wimmelte darin von Schülern, die einander bereits kannten, sich sippenhaft zusammentaten, einander zuwinkten und ihm höchstens einen neugierig-abschätzenden Blick schenkten. Sie schienen durch besseres Können als das seine die Gunst des Lehrers bereits gewonnen zu haben. Er fühlte das Niederdrückende vollkommener Isolierung, setzte sich wie ein Schüler, der eine Lektion schlecht präpariert hat, auf einen fernen Stuhl und wartete ab.

Aufmerksam lauschte er den Stimmen der andern, und es schien ihm, als pfiffe bei vielen von ihnen der Wind durch ein Fenster. Er hörte Vergines Lob oder Tadel, hörte seine Ratschläge und Verbesserungen, er selber aber schien für ihn tot zu sein. Der Maestro kam und ging, sein scharfgeschnittener Römerkopf blickte wohl den einen oder andern cäsarisch an, doch was Caruso betraf, so änderte sich nichts an dieser tödlichen Pädagogik.

Es änderte sich auch in der nächsten Stunde nichts, auch nicht in den folgenden. Missiano, der sich des Genusses einer Einzelstunde erfreute, riet Caruso nach einem Monat, ungebeten den Mund aufzutun und, sobald sich eine Gelegenheit böte, drauflos zu singen. Vergine müßte ihm ja dann irgend etwas sagen. Caruso nickte und nahm wieder seinen Platz auf dem Paria-Stühlchen ein.

Vergine setzte sich ans Klavier und erklärte eine besondere Schwierigkeit in der Tonbildung beim Übergang vom Forte zur mezza voce. „Nehmen wir irgendein Beispiel", sagte er und schien nachzudenken.

Da ertönte aus dem Hintergrund eine rein und klar gesungene Phrase, die mit Genauigkeit das vom Lehrer Gesagte deutlich machte.

Vergine hob den Kopf. Sein Auge schien zum erstenmal seit Wochen Caruso zu bemerken. „Wie?" rief er. „Was soll das heißen? Sie sind immer noch hier?"

Es gibt Augenblicke im Leben, in denen es vielleicht Stolz verrät, sich aufzuhängen oder wenigstens davonzugehen und die übrige Welt sich selbst zu überlassen. In solchen Augenblicken mag man sich daran aufrichten, daß ein Leben ohne die Achtung der Mitmenschen auch der notwendigen Selbstachtung abträglich ist. Eine harte Jugend voller Püffe und Spott hatte Caruso glücklicherweise diesen Stolz zwar nicht verlieren, doch für Zeiten aufsparen lassen, in denen er ihn nicht mehr teuer bezahlen mußte. Vergines spöttische Frage bezeichnete den erniedrigendsten Augenblick seines bisherigen Lebens. Daß in nicht zu langer Frist ihm ein noch erniedrigenderer, einer von geradezu kannibalischer Entehrung beschert werden sollte, konnte er infolge der segensreichen Unwissenheit der menschlichen Natur damals noch nicht ahnen. Einstweilen mußte ihm dieser genügen.

Alle Schüler drehten sich nach dem vorlauten Schmetterer um. Ihr Lächeln war wie ein Gas, das ihm den Atem benahm. Er wurde purpurrot, dann schoß ihm das Blut zum Herzen, und einen Augenblick war es ihm, als müsse er einen wild aufsteigenden Zorn in einen der derbsten neapolitanischen Flüche entladen. Indessen, merkwürdig, in derselben Sekunde fiel ihm seine Mutter ein. Er sah die früh gealterte Frau in grauer Morgenstunde einen Wasserkessel tragen, um ihn auf den Herd zu stellen, darin schon das Feuer prasselte. Sie ging barfuß, während er noch im warmen Bette lag. Und gleich darauf sah er sie in ihrem Bette liegen, zerbrochen von der Last des Lebens, fühlte ihre Hand auf seinem Haar und vernahm ihre Stimme: „Heute nacht hast du im Traum gesungen, Rico. Die Heilige Jungfrau hat dir eine schöne Stimme gegeben."

Und plötzlich war es Caruso, als könne gegen das Wort dieser Mutter keine Macht der Welt an, auch nicht der große Lehrer. Ihr Glaube lag wie ein Zaubermantel um ihn, der ihn vor jeder tödlichen Verletzung schützte. Er hatte über dieser Erinnerung sekundenlang die Augen geschlossen. Als er sie öffnete, sah er zum erstenmal auf den Lippen des Lehrers ein Lächeln. Vergine wandte sich wieder dem Klavier zu, blickte auf die Tasten und sprach weiter.

In der nächsten Stunde ließ er Caruso singen.

III

Ein Jahr später wurde Nicola Daspuro Direktor des Il Fondo oder Mercadante. Theaters an der Piazza Municipio. Die ersten Künstler Italiens waren für das umgebaute Opernhaus gewonnen worden. Getreu seinem Vorsatz, zu lernen und zu arbeiten, saß Caruso allabendlich im billigsten Rang des glänzenden Hauses und sang lautlos die großen Tenorpartien mit.

Eines Tages rief ihn Vergine nach der Stunde zu sich und sagte: „Sie werden Daspuro vorsingen."

„Ich, Daspuro?" fragte Caruso erschrocken. „Er wird mich nie im Leben empfangen."

„Er wird Sie empfangen. Ich habe ihn bearbeitet wie Leder. Auf ihm herumgeschlagen habe ich, habe die Toten seiner Familie beschworen, daß sie seinen Trotz brächen, habe ihm gesagt, daß Sie – nun, das brauchen Sie nicht zu wissen. Also: Sie werden morgen vorsingen. Ich selber bin dabei und wünsche nicht, daß ich mich Ihretwillen etwa schämen müßte. Ich habe nämlich erklärt, daß Sie ein hohes C sängen wie Tamagno. Falls Daspuro auf den wahnwitzigen Gedanken verfallen sollte, meine Versicherung nachzuprüfen, bräche alles zusammen. Aus diesem Grunde werden Sie nicht die ‚Stretta' aus dem ‚Troubadour', nicht ‚Fausts' Kavatine ‚Salve dimora' singen, auch dann nicht, wenn Daspuro das etwa vorschlagen sollte. Sie singen Graf Richards ‚Di tu se fedele' und dann meinethalben noch ‚La donna è mobile'. Sollte der Mann immer noch nicht genug von Ihnen haben, brüllen Sie ihm die Arie ‚M'appari' aus der ‚Martha' in die Ohren. Und gehen Sie mit Ihrer Höhe vorsichtig um wie mit rohen Eiern, die man weder quetschen noch an die Decke schleudern darf, wozu Sie unklugerweise neigen. Singen Sie zart, halten Sie den Ton zurück und vergessen Sie nicht, daß, sobald Sie über das G kommen, der Kopf nicht hochzuheben ist wie eine Regimentsfahne, sondern zu senken. Aber drücken Sie dabei nicht auf den Kehlkopf! Falls Sie Falsett singen, schieße ich Sie tot, so, wie Sie da stehen. Und dann belcanto, das haben Sie heraus, und brillieren Sie, was Sie können, mit Ihrer Tiefe, auf die ist Verlaß. Wenn Sie aber so zittern wie jetzt, gehen Sie lieber in ein Sanatorium, als morgen um 10 Uhr ins Mercadante. So. Und nun Gott befohlen." Er reichte ihm die Hand und verließ das Zimmer.

Caruso sang vor Nicola Daspuro auf der Bühne des Mercadante-Theaters. Es war das erste Mal, daß er das

Wunder eines akustischen Raumes spürte, auch wenn ihm dieser Raum dunkel und leer entgegengähnte. Aber die Luft der Kulissen, die geisterhafte Unwirklichkeit und Weite des Bühnenhauses packten und erhoben ihn in der seligen Gewißheit, daß in dieser Welt der gemalten Farben und des goldflimmernden Prunks sein Lebensschicksal sich erfüllen müsse. Frei und groß hallte seine Stimme in die schattenhafte Tiefe des Saals, darin er nur undeutlich die Gesichter einiger Männer zu erkennen vermochte.

Als er geendet, trat Daspuro auf ihn zu und sagte: „Sie haben mir gefallen. Vergine hat nicht zu viel versprochen. Ich möchte, daß Sie in einem der nächsten Monate in einer Matinee singen. Sind Sie schon einmal in einem Theater aufgetreten?"

„Nein", antwortete Caruso.

„Nun, es wird sich wohl nicht vermeiden lassen, falls Sie Sänger bleiben wollen, und das hoffen wir beide. Sie sollen den ‚Wilhelm Meister' in Thomas' ‚Mignon' singen."

„Ja", sagte Caruso.

Wieder vergingen Wochen, da erhielt er ein Schreiben Daspuros, das ihn zu einer Klavierprobe lud. Vergine hatte Caruso gebeten, ihn abzuholen. Er wolle ihn ins Theater begleiten, um ihm vorher noch einige Winke zu geben. Jetzt erschrak er über die gelbliche Blässe seines Schülers. „Sind Sie krank?" fragte er ihn.

„Nein", antwortete Caruso schwer atmend, „ich fühle mich ganz wohl, aber ich habe Angst."

Vergine blieb auf der Straße stehen: „Angst? Wovor?"

„Man weiß nie genau, wovor man Angst hat, Maestro. Ob vor der Rolle und der Probe oder dem Publikum…"

„Aber das Publikum ist ja noch gar nicht da!"

„Ich weiß. Aber einmal wird es da sein."

Vergine faßte sich an die Stirn. „Wenn Sie Angst haben, sollten Sie etwas trinken. Halt! Nein, trinken Sie nichts, das schadet der Stimme. Aber Sie haben doch schon einmal Daspuro und dem Kapellmeister Zuccani vorgesungen! Damals haben Sie doch auch keine Angst gehabt!"

„Nein. Aber da sah ich niemanden. Das Theater war dunkel. Ich sang in den leeren Raum."

Vergine winkte einen Wagen heran: „Fahren wir lieber", murmelte er.

Caruso betrat hinter Vergine den Probensaal. Daspuro begrüßte ihn herzlich und stellte ihn einem schlanken, auffallend eleganten Herrn vor, Maestro Giacomo Puccini. „Sie werden vielleicht einmal die Rolle des ‚Des Grieux' in des Meisters herrlicher ‚Manon Lescaut' singen", sagte er. „Jedenfalls besteht der Plan, dieses Meisterwerk in unser Repertoire aufzunehmen. Maestro Puccini hat von dem ausgezeichneten Eindruck gehört, den Sie kürzlich auf uns gemacht haben. Er ist begierig, Sie zu hören. Ah, da kommt ja auch Zuccani! Dann können wir gleich anfangen – falls es Ihnen recht ist, Maestro", wandte er sich höflich an Puccini.

Puccini hob nur die schönen, edel geschwungenen Brauen und deutete eine zustimmende Verbeugung an.

Kapellmeister Zuccani hatte die Herren begrüßt und auch Caruso etwas Nettes gesagt. Es fiel ihm auf, daß Vergine seinen Schüler wie ein Rennpferd ansah, bei dem man kurz vor dem Start bemerkt hat, daß es ein wenig lahmt. Er wandte den Kopf dem jungen Sänger zu und glaubte zu bemerken, daß dieser anscheinend kürzlich einen Anfall von Gelbsucht überstanden hatte. Seine Gesichtsfarbe war ungesund. Nun, das hat wohl nichts auf sich, dachte er.

Puccini nahm neben Daspuro auf einem Stuhl Platz, den ein Theaterdiener mit seliger Erbötigkeit für ihn hereingebracht hatte. Er schlug die schlanken Beine übereinander, zog ein wenig an den Bügelfalten, warf einen flüchtigen Blick auf seine Lackstiefel und dann einen aufmerksamen auf Caruso.

Oben links: Selbstkarikatur
Oben rechts: Umberto Giordano
Unten links: Selbstkarikatur
Unten rechts: Selbstkarikatur

Zeichnungen Carusos

Madame Caruso

Es war ein heller Vormittag. Durch die hohen Fenster blaute der wolkenlose Himmel, grelle Sonne fiel auf den Flügel und die Noten. Daspuro stand auf und zog die Vorhänge zu. Vergine ließ seinen Stuhl unberührt. Er stellte sich mit dem Rücken zum Fenster, steckte die Hände in die Taschen und blickte zu Boden.

Caruso bemerkte alles mit krankhafter Deutlichkeit. Nichts entging ihm. Er sah sogar Dinge, die ihn gar nichts angingen, zum Beispiel, daß Puccini die Arme über der Brust kreuzte und den schmalen Kopf so weit zurücklehnte, daß er die Wand hinter seinem Stuhl berührte. Er sah auch, daß Zuccani tadellos rasiert und gepudert war und daß ein Puderfleck auf dem linken breiten Revers seines modischen Jacketts lag. Auf einem Tischchen standen eine Flasche Wasser und ein Glas. Caruso ging darauf zu.

Vergine blickte erschreckt auf. „Wasser?" fragte er.

Caruso ließ die Hand, die nach der Karaffe griff, entmutigt sinken und begab sich zum Flügel, an dem Zuccani Platz nahm. Er hatte einmal auf einem Öldruck gesehen, wie ein Mann zum Richtblock geführt wurde, neben dem der Henker im Frack stand. Jener Mann schien ihm seine Züge gehabt zu haben.

„Was wollen Sie uns vorsingen?" fragte Daspuro mit verbindlichem Lächeln.

„Gounod, ‚Faust'. ‚Gegrüßt sei mir, o heil'ge Stätte'", flüsterte eine Geisterstimme neben dem Flügel.

Vergine hob mit einem Ruck den Kopf: war der Mensch wahnsinnig geworden? Er stieß einen ächzenden Laut aus, vergrub seine Hände noch tiefer in den Taschen und fing sogar aufdringlich mit den Hausschlüsseln zu klimpern an.

„Sehr gut", sagte Daspuro zu Caruso hinauf, „dann hören wir gleich Ihr C. Maestro Vergine rühmte es damals besonders."

Vergine knirschte mit den Zähnen. Nur Puccini hörte es

und warf unter den halb geschlossenen Lidern einen melancholischen Blick auf den Gesangslehrer.

„Haben Sie die Noten zum ‚Faust‘ da?"

Zuccani nickte, legte ein Blatt auf das Pult und schlug die Tasten an.

In diesem Augenblick wußte Caruso, daß er seine Stimme verloren hatte. Nicht verloren, doch sie war davongeflogen wie ein mutwilliger Vogel aus einem Bauer, saß irgendwo auf dem Aste eines Baumes und war durch keine Lockung zu bewegen, wieder ins Bauer zurückzukehren. Statt der Stimme saß etwas im Halse, das er, um bei der Zoologie zu bleiben, unschwer als eine Kröte bestimmen konnte. Es ist bekannt, daß Kröten nicht singen, sondern nur mißtönende Laute von sich zu geben vermögen. Was er auch anstellte, die Kröte blieb, und der Vogel saß draußen auf dem Baum.

Ein flüchtiger Blick auf Vergine belehrte ihn darüber, daß die Gesichtshaut seines Lehrers dem Kalk an der Wand glich. Der stolze Römerkopf hatte etwas Verfallenes und Morbides erhalten. Ein zweiter Blick auf Daspuro ergab zweifelsfrei, daß der Direktor ihn mit entsetztem Staunen betrachtete. Puccini anzusehen, wagte er nicht. Indessen konnte er so viel wahrnehmen, daß der Maestro sich nicht rührte, sondern wie vordem, die Arme über der Brust gekreuzt und den Kopf rückwärts an die Wand gelehnt, aufmerksam zu lauschen schien.

Zuccani bagatellisierte den Fehlstart mit einer lächelnden Phrase und begann von neuem die einleitenden Takte zur Arie zu spielen.

Wieder versuchte Caruso zu singen. „Salve dimora casta e pura . . ." Wohl, es kamen Töne, aber sie gehörten nicht ihm. Er peitschte die Töne wie einen störrischen Esel, es half alles nichts, sie blieben ihm fremd. Erst als seine Stimme beim hohen C zu allem Überfluß brach, erkannte er sie wieder.

Jetzt ergriff Vergine das Wort und gab zu verstehen, daß er dieses Ergebnis, rundheraus gesagt, für unverständlich halte. Sein Schüler müsse krank sein. Er habe noch gestern die Arie fehlerlos gesungen. Bitte noch einmal! Auch Daspuro hielt die Diagnose Vergines für wahrscheinlich. Alle drei bemühten sich um ihn wie um einen, der vom Dach gefallen war, auf der Straße lag und sich wieder aufrichten sollte. Er konnte sich nicht aufrichten. Seine Augen irrten flackernd durch den Saal. Puccini saß mit gekreuzten Armen zurückgelehnt und lauschte, und Zuccanis Puderfleck lag immer noch auf dem Revers. Was die drei Männer auch in väterlicher Güte zu ihm sagen mochten, die Klammer, die seine Stimmbänder verschloß, öffnete sich nicht. Er war in Schweiß gebadet.

Zuccani verlor als erster die Engelsgeduld, stand auf und sagte zu Daspuro: „Wenn wir ihn vor die Rampe stellen, haben wir im Mercadante den ersten Theaterskandal seiner Geschichte."

„Ohne Zweifel", stimmte Daspuro zu.

Nur Puccini schwieg.

„Kommen Sie", sagte Vergine düster zu ihm, „wir wollen gehen."

Es lag durchaus auf der Ebene seiner Geistesverwirrung, daß Caruso, ehe er hinausging, vor Puccinis Stuhl haltmachte und sich verbeugte.

Der Maestro erwiderte mit tödlicher Höflichkeit den Gruß, indem er die Brauen hob und wortlos den Kopf neigte.

Daspuro und Zuccani sahen einander stumm an.

Die Tür des Probensaals schloß sich hinter Caruso und Vergine.

Als sie draußen eine Weile ihren Weg fortgesetzt hatten, sah Caruso, daß Tränen über Vergines Wangen liefen. Auch er weinte. Nun, das war das mindeste, was er tun konnte. Eine tiefe Beschämung würgte ihn. Er blieb stehen, ergriff die Hand seines Lehrers und bat: „Verzeihen Sie mir."

Vergine nickte.

Sie gingen weiter.

Caruso faßte in seine linke Brusttasche, schien etwas zu suchen, faßte in die rechte und sagte: „Ich weiß, warum ich nicht habe singen können. Ich habe etwas vergessen."

„Was vergessen?" fragte Vergine tonlos, ohne ihm einen Blick zu schenken.

„Ein Blatt."

„Was für ein Blatt?" erkundigte sich Vergine nervös, „ein Notenblatt?"

„Nein, ein Stück Papier, auf dem etwas steht, eine Art Amulett. Ich trage es sonst immer bei mir. Ich habe es im andern Anzug gelassen."

„Ein Stück Papier!" stieß Vergine verächtlich hervor, „das hätte Ihnen auch nicht mehr helfen können!"

„Doch, es hätte mir geholfen!" beharrte Caruso eigensinnig.

„Warum haben Sie es dann nicht mitgenommen?" schrie Vergine. „So haben Sie sich die größte Chance Ihres Lebens verpatzt!" Er schlug sich mit der flachen Hand an die Stirn, daß sein Hut erschreckt ein Stück zurückfuhr, blieb stehen und ächzte: „Und Puccini mußte dabeisein!"

Wieder schwiegen sie eine lange Zeit. Dann sagte Caruso leise: „Ich glaube, daß ich jetzt singen könnte."

„Ja, das ist nun zu spät", antwortete Vergine.

Caruso ging langsam durch die Straßen, die rechte Hand in der Tasche, den Hut etwas auf die Seite gerückt, den Stock mit lässiger Bewegung in bestimmten Abständen auf das Pflaster setzend. Von weitem hätte man ihn für einen jungen flanierenden Herrn halten können, der darüber nachdachte, wie er sein Geld auf die angenehmste Weise unter die Leute brächte. Hie und da blieb er stehen, um sich die Auslagen in den Schaufenstern zu betrachten; besonders die Geschäfte mit modischer Herrenkleidung fanden sein Interesse. Er wäre gern hineingegangen, doch er unterließ es. Der Oktober hatte die pralle Fülle goldgrüner und stahlblauer Trauben über das Land geschüttet. Berge von Feigen türmten sich auf, Fiaschi hingen in den Schaufenstern, köstliche Birnen lagen zwischen Holzwolle in Kisten auf der Straße, rotbäckige Äpfel – man konnte für wenig Geld viel haben. Obst ist gesund, man muß nicht immer Fleisch essen.

Leuchtender Oktober. Hellblau die Bucht, weitausschwingend ihre vergeudende Gebärde bis nach den Felsen von Sorrent. Procide schwamm wie ein riesiger Delphin am verdunstenden Horizont, die Villen auf dem Hügel des Posilip schimmerten im Samtgrün ihrer Gärten, daran schloß sich der Stadtteil Vomero mit seinen Parks Floridiana und Lucia. Und der helle Punkt dort oben konnte das Hotel Britannique sein. Man hätte Zeit, hinaufzuspazieren und eine Weile stehenzubleiben. Auch dies unterließ man. Es hatte so wenig Sinn wie der Besuch in einem Geschäft für Herrengarderobe.

Dann wurde der Himmel über Nacht grau. Der Regen kam. Er kam, blieb da und ließ sich nieder. Es war seine Zeit, niemand hatte das Recht, ihn zu vertreiben. Es regnete morgens, es regnete mittags, nachmittags, nachts. Es regnete ohne Unterbrechung auf eine so gründliche, verläßliche und vorbildliche Art, daß andere Städte Europas, die wie Salzburg oder Hannover sich vielleicht etwas auf ihre Regenmassen einbilden mochten, davon noch hätten lernen können. Tage und Wochen liefen die Bäche an den Bordschwellen entlang, plätscherten die schmalen Steige hinunter, sammelten sich in den Parks zu Pfützen, zu Teichen, bildeten auf manchen Plätzen kleine hübsche Seen, in denen sich die Häuser anmutig spiegeln konnten, wenn nicht die Blasen der hineinfallenden Wasserschnüre dies verhindert hätten. Die Damen mußten ihre Röcke heben, sie konnten es endlich mit dem besten Gewissen tun. Unter schwarz glänzenden Regenschirmen folgten ihnen wohl die Blicke vorüberplatschender Herren, doch auch diese Blicke schenkten nur ein flüchtiges Vergnügen.

Man begann zu frieren. Zuerst draußen, dann in den Cafés und in den Häusern. Die ganze Stadt fror und schüttelte sich wie ein begossener Hund.

Vater Caruso saß, nachdem er die nassen Stiefel an den Herd gestellt, in der Küche und schaute trübe aus dem Fenster. An solchen Tagen sah er das Unheil mit schnellen Schritten auf sein Haus zukommen. Die Fabrik stand schlecht. Sein Ältester, auf den er einst große Hoffnungen gesetzt, versagte. Ein quälender Rheumatismus pochte mit Knochenfingern an sein Kreuz. Am besten wär's, man verließe diese Erde.

„Wo ist Errico?" fragte er klagend und gereizt. „Er kann doch bei diesem Regen nicht spazierengehen!"

„Ich weiß es nicht. Ich bin nicht seine Amme!" kam es kurz angebunden vom Herde. Ach Gott, auch Maria Caruso war die gute Laune fortgeschwommen!

Errico befand sich im Vico Colonne Cariati 33 und saß, die Hände auf die Knie gestützt, finster zu Boden blickend, im Wohnzimmer. Frau Teresa hatte einen Wermut vor ihn hingestellt und ihn gebeten, zu warten. Ihr Bruder habe Besuch. Nein, er dürfe nicht fortgehen, Gregorio würde sonst sehr böse sein.

Wie Errico den Kopf hob, fiel ihm auf, daß es eine alte Frau war, die vor ihm stand. Ihre Hängebacken, ihr fleischiges Kinn, sogar ihre Hände schienen ihm welk und fahl. Er erschrak. Ging die Zeit so vorüber, lautlos wie ein Dieb, der durchs Fenster stieg und Dinge stahl, deren

Verlust man erst viel später bemerkte? Nur ihre sanften Augen zeigten den gleichbleibenden Schimmer der Güte, der ihn stets so wunderlich erwärmt hatte. Wenn sie nun auch stürbe, was dann? Er fühlte sich plötzlich unsäglich traurig.

Da öffnete sich die Tür zum Nebenzimmer. Herr Proboscide schaute heraus, sah ihn und rief ihn zu sich.

Wieder befand er sich inmitten der Massen von Akten, Faszikeln, Mappen, Zeitschriften, Büchern, die über Tische, Tischchen, Stühle und Sofas gegossen, in Schränke gestopft, in Regalen aufgetürmt waren. Eine Welt von so eigentümlicher, nahezu systematischer Chaotik, daß sich in ihr nur ein Mann zurechtfinden konnte, Luigi Gregorio Proboscide. Tadeln wir ihn nicht trotz der Staubwolken, die aufflogen, wenn er einen gefüllten Aktendeckel auf den Tisch warf; vielleicht ist sein Zimmer sogar ein winziges Abbild der irdischen Unordnung, in der Gott allein sich zurechtfindet, während wir nur wie Mikroben in den Winkeln scheinbar vergessener Faszikel herumsitzen und die Gesetze dieses erhabenen Durcheinanders zu ergründen suchen.

Herr Proboscide hatte Besuch. Es war ein breitschultriger, effektvoller Herr, den er „Maestro Zucchi" nannte und dem Caruso sogleich vorgestellt wurde: eine Persönlichkeit, frappant durch die hektische Auffälligkeit ihrer Kleidung wie durch den Pomp strenger und imponierender Züge. Zucchi mochte die Fünfzig hinter sich haben, trug aber immer noch die langen Raffaellocken eines Jünglings, dazu einen lackschwarzen Schnurrbart, der durch eine steifhaltende Pomade nach rechts und links gewaltig emporgebürstet war. Um den Vatermörder hatte er eine Lavallière-Krawatte geschlungen, sein mächtiger Körper, aufgerichtet und achtunggebietend, war in einen mausgrauen Gehrock mit breiten Seidenrevers gehüllt, unter dem enge, knallig karierte Hosen auf spitze Stiefel fielen.

Er hatte vernommen, wie Proboscide ihm den Ankömmling als „einen Tenor von seltenen Gaben und mit gottbegnadeter Stimme" vorstellte, schaute ihm durchbohrend ins Gesicht und sagte, indem er ihm seine große fleischige Hand ohne Druck reichte: „Caruso? Noch nie gehört. Wo singen Sie?"

„Im Augenblick ist er ohne Engagement", fiel Herr Proboscide ein, „aber das ist nur vorübergehend. Die Scala interessiert sich bereits für ihn, da Vergine in Caruso die größte Hoffnung Italiens sieht."

„Vergine?!" stieß Zucchi hervor, und es gelang ihm gleichzeitig, mit dem verächtlich ausgeblasenen Namen ein Räuspern zu erzeugen, das den Eindruck erweckte, als wolle er Vergine am liebsten anspucken. „Der versteht von Stimmen soviel wie Sie und ich vom Kanonengießen."

„Aber aus seiner Schule sind hervorragende Sänger gekommen!" wagte Proboscide einzuwerfen.

„Glück, mein Freund, nichts als Glück! Ich gebe zu, daß er sie nicht direkt ruiniert hat, aber statt den Stimmen Macht, Glanz und Größe zu geben wie mein Freund Lombardi, macht er sie klein wie Mäuse, reduziert sie auf das Minimum des Zulässigen – nein, junger Mann, erst wenn Sie Vergine verlassen haben, kann aus Ihnen etwas werden."

Caruso ertrug es nicht, wenn man seinen geliebten Lehrer herabsetzte, er sah starren Blicks auf den majestätischen Schnurrbart Zucchis und versetzte: „Ich verdanke Maestro Vergine sehr viel. Er hat mich gelehrt, leicht zu singen und nie das Publikum merken zu lassen, daß hinter dem Gesang eine schwere Arbeit steckt." Diese Antwort verriet Noblesse, aber keine Diplomatie. Herr Proboscide erkannte es sofort und warf einen Blick an die Zimmerdecke.

Zucchi hatte während Carusos Erwiderung die Hand ans Ohr gelegt, als höre er plötzlich schlecht. Nunmehr rollte er auf seiner mächtigen Stirn förmliche Laufgräben von Falten empor, spießte Caruso noch einmal auf seine Augendolche und gab zur Antwort: „Nun denn, so habe ich nichts weiter zu erwidern. Sollten Sie indessen eines Tages, gekrümmt von Erfahrung, den Wunsch hegen, sich bei Francesco Zucchi Rat zu holen, so finden Sie mich im Café dei Fiori in der Via del Municipio. Doch lassen Sie es sich gesagt sein, daß ich Sie nicht eher anhören werde, als bis Sie Vergine verlassen haben. Teurer Freund", wandte er sich, ohne den Sänger noch weiter zu beachten, an Herrn Proboscide, „ich hoffe und erwarte, daß dieser Wolfshund Membrini demnächst das Haus räumen wird, und zwar nachdem er es in den Zustand versetzt hat, in dem ich es kaufte. Andernfalls fliegt ihm eine Klage um die Ohren, gegen die Obsidianbomben ein Schnupftuch sind."

„Sie können sich darauf verlassen", sagte Herr Proboscide kulant, doch würdig.

„Sie haben den Brief?" fragte Zucchi und stieß einen beringten Zeigefinger gegen ihn.

„Er liegt gut verwahrt", war Proboscides Antwort, während er, ohne zu suchen, in ein Faszikel griff, das aus einem zusammengebrochenen Aktenschrank hervorgequollen zu sein schien.

Zucchi verabschiedete sich. An der Tür hob er flüchtig die Hand zu Caruso hin; es war der Gruß eines Souveräns, der im Vorbeifahren die Verbeugung eines Bauern bemerkt.

Als Caruso mit Herrn Proboscide allein war, sagte dieser, nachdem er die Backen aufgeblasen und wieder entleert hatte: „Also das war Zucchi! Mächtig wie der Pförtner des Paradieses, und mich dünkt, wir haben da wieder einmal etwas verpaßt."

„Ja", sagte Caruso. „Aber ich kann es nicht hören, wenn man auf Vergine schimpft."

Herr Proboscide blieb vor ihm stehen, legte beide Hände

auf seine Schultern und sagte: „In dieser Welt schimpfen alle, Rico. Es ist eine hygienische Methode, um Schlacken loszuwerden. Das Regenwetter draußen, geschäftlicher Ärger, eine verschleimte Stimme – du hast wohl gemerkt, wie verschleimt er war –, da schimpft man eben. Du solltest trotzdem zu ihm gehen."

„Und Vergine verlassen?" fuhr Caruso auf.

„Auch Vergine wirst du einmal verlassen. Man verläßt eines Tages seine Lehrer, wie man seine Eltern verläßt. Das ist keine Untreue, sondern Selbständigkeit. Übrigens arbeitet Zucchi auch mit Vergine, ich weiß es. Nun, genug davon. Was schaust du dorthin? Ja, eine Bildermappe ist geplatzt, ich muß sie fort tun, sie gehört nicht hierher." Er hob die Mappe auf, eine Photographie fiel heraus, Caruso bückte sich.

Er reichte sie Herrn Proboscide, doch die kurze Sekunde hatte genügt, um das Bild zu erkennen: es war ein junges Mädchen, helläugig, mit etwas schief aufgesetztem Straußenfederhut, unter dem das blonde Haar munter hervorquoll.

Proboscide war rot geworden und griff danach. Auch Carusos Gesicht zeigte Purpur. Langsam verblaßte seine Haut und nahm eine gelbliche Farbe an.

Beide schwiegen verwirrt.

„Willst du das Bild haben?" fragte Herr Proboscide.

Caruso schüttelte den Kopf.

Schwester Teresa kam herein und sagte, das Essen sei angerichtet, und wenn Rico jetzt fortging, brauche er überhaupt nie mehr wiederzukommen.

Er blieb. Nach Tisch spielten sie alle drei Karten, und dann musizierten sie. Es war ein schöner Abend, fast so wie in alter Zeit.

IV

Wenn Caruso gewußt hätte, daß auf der Bühne des Men-
schenlebens Logik und Zuverlässigkeit nur die Rolle
vornehmer Statisten spielen, würde er sich über das, was
ihm einige Wochen später zustieß, nicht gewundert haben.
Vergine sagte ihm, der sizilianische Agent Francesco
Zucchi sei bei ihm gewesen. „Warum erstaunt Sie das?"
unterbrach er sich, fuhr indessen gleich fort, eine flüchtige
Skizze von Zucchi zu entwerfen. Ein Mann mit der Fassade
eines Colleoni, indessen – Fassade! Aber er wolle auch nicht
schlecht über ihn sprechen, zumal er über Verbindungen
verfüge, ein gutes Ohr für Stimmen habe und sich wie kein
anderer Impresario für seine Leute einsetze. Zucchi also
habe ihn nach einem begabten Tenor gefragt, der in einigen
Sondervorstellungen in Caserta die Rolle des „Faust" kreieren
könnte. Nun, da habe er gleich an ihn, Caruso, gedacht,
weil er doch so vernarrt in die vertrackte Kavatine sei.
„Sie starren mich an, als redete ich irre! Was ist daran
so Besonderes?" Also das sei in Ordnung, und Zucchi
bitte ihn, zur Unterzeichnung des Vertrages in das Café
dei Fiori zu kommen.

Als Caruso in das Café rannte, in dem Zucchi residierte,
glaubte er immer noch, der Impresario werde für diesen
überraschenden Vorschlag eine Erklärung abgeben, doch
Zucchi erkannte ihn nicht einmal wieder. Er strich sich die
majestätischen Schnurrhaare, klopfte mit der Innenfläche
seiner imponierenden Hand auf den Tisch, hob den beringten Zeigefinger (es war der Wink für einen herbeifliegenden
Kellner) und erging sich in Lobreden auf das Cimarosa-
Theater in Caserta. Diese Bühne gehöre zwar zum Rayon
seines Kollegen Ferrara, doch habe dieser sympathische
Sechziger sich mit einer akuten Lungenentzündung zu Bett
gelegt und ihn röchelnd gebeten, daselbst nach dem Rechten

zu sehen. Er, Zucchi, habe denn freilich nur Künstler allerersten Ranges an der Hand, die gewohnt sind, im San Carlo und in der Scala zu singen, er könne daher den wenigsten zumuten, in einer kleinen Landstadt, sei es selbst das liebenswürdige Caserta, zu gastieren. Um aber dem sterbenden Ferrara einen letzten Dienst zu erweisen, habe er sich entschlossen, eigens zu diesem Behufe eine Stagione aus dem Boden zu stampfen, und habe bereits hervorragende Kräfte dafür gewonnen. „Sie erhalten Reise und Aufenthalt frei und für jedes Auftreten zwanzig Lire. Sind Sie einverstanden? Dann unterschreiben Sie!"

Caruso war sofort bereit zu unterschreiben, fragte aber noch einmal, ob Signor Zucchi ihn nicht vorher anhören wolle.

„Warum?" rief Zucchi und richtete die Dolchspitzen seiner schwarzen Augen auf ihn. „Es genügt mir, daß ein Mann wie Maestro Vergine Sie auf das wärmste empfohlen hat."

Er hob den Arm zu schön geformter Begrüßung gegen einen Gast, der in höflicher Haltung an den Tisch trat. Ohne sich von seinem Platze zu erheben, machte er mit fürstlich ausladender Gebärde die Herren miteinander bekannt: „Dies ist – wie heißen Sie? Ich vergaß Ihren Namen..."

„Caruso."

„Dies ist Caruso, ein aufstrebendes Talent von phänomenaler Begabung. Er wird den ‚Faust' singen. Und in diesem Herrn haben Sie ohne Zweifel sofort Enrico Pignataro erkannt. Der beste Valentin, den die italienische Bühne heute aufzuweisen hat. Meine Herren, ich freue mich, daß es mir gelungen ist, nach Überwindung beträchtlicher Schwierigkeiten Sie für dieses Unternehmen zu gewinnen. Haben Sie unterschrieben?" wandte er sich an Caruso.

„Jawohl."

„Vortrefflich! Ah, dort kommt auch Laporta, mein

Sekretär, und die entzückende Elena Bianchini-Capelli, die leider für Caserta nicht mehr frei war. Laporta, machen Sie die Herrschaften miteinander bekannt. Kellner, bringen Sie fünf Americanos alla Zucchi und stellen Sie den Musikapparat im Nebenzimmer ab, sonst verwandele ich mich in einen Vulkan. Was lispeln Sie? Es ist ganz gleich, wer ihn angestellt hat, hier bin ich zu Hause!"

In der Tat, Caruso hatte nicht zuviel von Francesco Zucchi gehört. Er leitete von seinem Stabsquartier im Café dei Fiori aus mindestens ein Armeekorps in der gewaltigen Front des italienischen Kunstlebens. Die Sänger kamen und gingen, die Kellner flogen, duftende Künstlerinnen schwebten auf Augenblicke herein, um ihrem General wenigstens ein Lächeln zu schenken oder sich von ihm die Wange streicheln zu lassen. Er tat auch dies mit fürstlicher Lässigkeit, beiläufig-liebenswürdig, während er dem kurzsichtig über Blätter geduckten Laporta Briefe diktierte und zur selben Zeit einen belehrenden Vortrag über die Entwicklung der Arie von Rossini zu Verdi hielt. Er kannte alle Welt, und alle Welt kannte ihn. Er hatte Feinde, gefährliche, böse; es waren Neider, mißgunstgeblähte Schurken. Nun, er schlug sie mit einem Satze zu Boden, da lagen sie und rührten sich nicht mehr.

Er bedauerte, daß seine erdrückenden Geschäfte ihn verhinderten, nach Caserta zu reisen und auf die „Faust"-Aufführung noch rasch einen prüfenden Blick zu werfen. Indessen könne man sich voll und ganz auf den Kapellmeister Ricci und den Spielleiter Orta verlassen, beides Männer seines Vertrauens. Sie würden einen „Faust" inszenieren, von dem man noch lange sprechen werde.

Tatsächlich sprach man in Caserta noch lange davon, wenn auch anders, als es sich Zucchi gewünscht hatte.

Alles in allem war es eine nicht üble Aufführung, vielmehr, man hätte sie als eine solche bezeichnen können, falls sie über den zweiten Akt hinausgelangt wäre. Zucchi hatte sich mit der Wahl der Oper vergriffen. Er glaubte, die brillante Musik werde das ländliche Publikum von Caserta zum Beifall hinreißen, doch kaum, daß die schlichten Leute den Teufel auf der Bühne erblickten, nahmen sie weit mehr Anteil am Stoff als an den Stimmen der Sänger. Sie waren gewohnt, daß man einander in den Opern lustig betrog, daß die Hüter der Tugend an der Nase herumgeführt und die eifersüchtigen Großmäuler verprügelt wurden, auch daß Dolche blitzten, daß Sbirren ihr dunkles Geschäft trieben und die Darsteller reihenweise abgeschlachtet wurden, das alles schätzten und liebten sie. Doch daß der Teufel ein reines junges Mädchen an einen alten Mann verkuppelte, den er extra zu diesem Zweck verjüngt hatte, das erzeugte Stürme der Entrüstung.

Als am Ende des zweiten Aktes der teuflische Bassist mit naturalistischer Bosheit Fausten versprach:

> „Wohlan! So meng' ich mich drein,
> und bald ist Margarethe dein!"

flogen zwei Fiaschi aus dem Zuschauerraum gegen die Bühne. Einer rollte an Mephistos Beine, der zweite, zu kurz geworfen, fiel mit dumpfem Laut auf die Kesselpauke. Kaum konnte der Chor der jungen Mädchen mit leichtfertigem Gesang den Akt beenden. Die bäuerlichen Zuschauer schrien, drohten, pfiffen, kletterten auf die Rampe, zerrten am Vorhang und schienen willens, Mephisto und Faust umzubringen. Carabinieri mußten herbeigerufen werden, um das Leben der armen Darsteller zu schützen. Die Polizei sah sich genötigt, die Fortsetzung der Aufführung zu untersagen.

Als sich Caruso in seiner Garderobe abschminken wollte, bat man ihn, darauf zu verzichten und, begleitet von

Carabinieri, das Haus durch ein Hinterpförtchen zu verlassen.

Das war das ruhmlose Ende seines Debüts als Faust, jener Partie, auf die er jahrelang mit erregten Sinnen gewartet und die seit dem Abend im Teatro San Carlo für ihn nichts von ihrem Zauber verloren hatte.

Mit welchen Gefühlen war er nach Caserta gereist! Wie berauschte ihn die Luft des kleinen Bühnenhauses, das lampenfiebrige Geschwätz der Kollegen, das erste Aufbranden des Orchesters, als er zitternd mit langem Patriarchenbart in dem nach Leim, Holz und Farbe riechenden Studierzimmer Fausts stand! Wie wünschte er, seine Mutter könnte diesen überwältigenden Augenblick des aufgehenden Vorhangs erleben, während ihr Sohn, kaum atmend vor Angst und Glück, die Hand auf einem Totenschädel, leise zu singen anhub! Ach, man sollte sich im Leben auf nichts freuen!

Dabei war der einzige welke Vorteil an der ganzen Katastrophe, daß er um das hohe C im dritten Akt herumgekommen war. Vor ihm hatte er eine bodenlose Angst gehabt.

Da stand er denn wieder auf dem Punkte, den sein Gönner Proboscide mit dem tröstlichen Worte einer „Luftakrobatik der Geduld" zu bezeichnen pflegte. Er warnte ihn nachdrücklichst, jetzt die Nerven zu verlieren, abzustürzen in Hoffnungslosigkeit und Kleinmut. Er warnte ihn auch, wieder zu Cavaliere Pandolfo zu gehen, Serenaden zu singen oder andere Ausflüge ins Reich der Afterkünste zu unternehmen. Jetzt komme es darauf an zu zeigen, wer er in Wahrheit sei. Gerade jetzt, wo er herumgehe, keinen Soldo verdiene und mit Versprechungen und schönen Aussichten gefüttert werde! Gerade jetzt habe er zu beweisen, ob er auserwählt oder nur berufen sei. Wenn er aber jetzt die Spannkraft behalte, werde er eines Tages dafür belohnt sein. Woher er, Sprecher, solches wisse? Aus der Geschichte! Kein großer Künstler, der nicht Jahre der Entwürdigung und Verkennung durchgemacht habe.

So sprach Proboscide, sein alter Freund, selbst schon betagt und zuzeiten eigentümlich verfallen aussehend, mit ungesunden roten Bäckchen und zittrigen Händen, dennoch ein ungebrochener Streiter auf den Barrikaden des Lebens, sofern nicht gerade ein Katarrh oder eine Magenverstimmung seine Tatkraft vorübergehend lähmte.

Vergine, weniger zu großen Worten aufgelegt, sagte nur dasselbe, was damals in Rieti Baron Costa gesagt hatte: „Arbeiten Sie!"

An einem Tage, da ihn wieder sein Kopfweh plagte, das ihm später noch so viele Stunden zersägender Schmerzen bereiten sollte, saß er gelangweilt in seinem Lieblingscafé „Bella Napoli alla Ferrovia" vor einem Espresso und wartete auf einen Bekannten, mit dem er sich hier zum Kartenspiel verabredet hatte. Seiner Gewohnheit nach summte er vor sich hin. Das hörte ein Herr, der am Nebentisch Zeitung las, wurde aufmerksam, winkte den Kellner herbei, wies auf Caruso und fragte ihn etwas. Der Kellner gab eine leise Antwort. Danach erhob sich der Herr, zog sich die Weste glatt, strich über den dichten Bart, trat an Carusos Tisch und stellte sich als Callaro vor, Direttore Callaro, Leiter einer Stagione. Ob er recht verstanden habe, daß er das Vergnügen genieße, mit Herrn Caruso zu sprechen?

„Mein Name ist Errico Caruso."

„Pignataro, der auch Ihnen bekannte Bariton, nannte mir Ihren Namen mit dem Ausdruck besonderen Respekts. Darf ich fragen: sind Sie derselbe Caruso, von dem Guglielmo Vergine sagt, er sei sein begabtester Schüler?"

„Es ist mir nicht bekannt, daß der Maestro noch einen andern meines Namens unterrichtet."

Caruso mit seiner Gattin

Enrico Caruso, wie ihn Millionen Menschen in Erinnerung haben

„Ausgezeichnet!" rief Callaro, nahm an Carusos Tisch Platz, ersuchte auch Caruso, Platz zu behalten, und fragte, ob er gewillt sei, für eine Tournee durch Sizilien abzuschließen. Die erste Vorstellung werde in Palermo stattfinden, später werde man in Trapani, Catania und anderen Orten gastieren.

Carusos Augen leuchteten auf. Callaro bemerkte es, bot ihm Zigaretten an, räusperte sich bedeutend und bemerkte: „Ich glaube Ihnen nicht zuviel zu versprechen, wenn ich sage, daß sich Ihnen damit eine große Chance bietet. Meine Aufführungen genießen einen hervorragenden Ruf, nun, das wissen Sie ohne Zweifel. Ich habe den Bariton Pignataro engagiert und den großen Giorgi, einen Künstler, dessen Name bald mit den Posaunen des Ruhms durch alle Welt getragen werden wird. Falls Ihre Stimme mir gefällt, könnte ich Sie als Tenor neben Giorgi engagieren."

„Wo soll ich Ihnen vorsingen?"

„Bei Maestro Vergine", sagte Callaro und stieß einen Pfiff aus, der den Kellner herbeilocken sollte. Callaro bezahlte gleich Carusos Espresso mit seinem Aperitif zusammen, erhob sich und forderte ihn auf, mitzukommen.

Vergine begrüßte beide Herren freundlich und stieß halblaut zu Caruso durch die Zähne: „Es geht um Leben oder Tod. Mach mir nicht ein zweites Mal Schande!"

Caruso schickte mehrere Stoßgebete zur Madonna, gedachte seiner Mutter, schloß die Augen und hub an, die Kavatine aus Gounods „Faust" zu singen.

Vergine fuhr zusammen, als habe er auf einen Nerv gebissen. Wenn das nicht heller Wahnsinn war, dann mußte der Vesuv kopfstehen. Die Kavatine, mit deren Hilfe dieser Bube im Mercadante vor Puccini und Daspuro einen einzigartigen Reinfall erlebt hatte! Da sang er sie wieder, der Narr, sang sie mit geschlossenen Augen, als ob ihm beim hohen C (an dem er zersplittern wird wie eine Nußschale auf einem Riff!) sein Schlafwandeln auch nur das allergeringste hülfe! Und in seiner Angst begann jetzt sogar Vergine zu beten, Madonna mia, Madonna mia, laß diesen Callaro einen Schlaganfall bekommen, ehe Caruso beim C angelangt ist!

Die Madonna erhörte Carusos Gebet und nicht das Vergines. Das Wunder geschah: er sang das C leicht und sicher, wenn er es auch etwas spitz und kopftonig nahm, dennoch sang er es weder im Falsett noch mit umschlagender Stimme! Es war ein gesundes hohes C, niemand konnte es ihm fortnehmen. Sogar der blasse Begleiter mit seinem verwischten Gesicht zeigte darob ein leichtes Erstaunen.

Nachdem Caruso geendet, schickte er einen triumphierenden Blick zu seinem Lehrer. Vergine nickte. Gottlob! Jetzt durfte er auch Callaro ansehen.

Der Direktor betrachtete ihn mit weit aufgerissenen Augen, dann ging er durch das Zimmer, kehrte zurück, stellte sich vor Caruso und sagte: „Va bene. Ich engagiere Sie! Wir fahren nach Trapani, danach gen Palermo, Catania, kurzum, Sie werden in ganz Sizilien singen."

Caruso konnte nichts antworten. Es war wie ein Geschenk des Himmels: dieser Herr, der als Direktor einer Stagione ihn angehört hatte, engagierte ihn für eine große Tournee als Tenor (wenn auch neben irgendeinem Giorgi). Er würde den Herzog in „Rigoletto", den Gouverneur im „Maskenball" und endlich, endlich auch den Faust singen! Er würde berühmt werden! Alle Mühe hatte sich gelohnt. O Madonna, wenn dies doch seine Mutter gehört hätte!

Callaro deutete sein Schweigen falsch, steckte die Hände in die Hosentaschen und rief: „Ach so, die Gage! Selbstredend werde ich Ihnen eine Gage zahlen, junger Mann. Mehr als jeder Anfänger sonst erhält, denn Sie gefallen mir. Aber Sie müssen noch viel lernen, amico, allein mit belcanton ist es nicht getan. Und dafür, daß Sie bei mir alles lernen können, dessen ein Opernsänger bedarf, wäre es eigentlich an Ihnen, mir etwas zu bezahlen. Nun, erbleichen Sie nicht, ich habe ein Herz für meine Truppe, bin nicht nur der Padrone, sondern auch ihr padre, der Vater. Alle kommen zu mir, wenn Sorgen sie drücken, und ich tröste sie. Da ist die kleine Carragi, eine Gilda, wie es wenige in ganz Italien geben dürfte, auch sie kommt zu mir, wenn sie der Schuh drückt, und ich tröste sie. Lieber Freund, seien Sie stolz darauf, Mitglied der Truppe Benjamino Callaros zu sein!"

Caruso verbeugte sich.

Glücklicherweise war Vergine über dieser Ansprache nicht eingeschlafen, sondern hatte mit aufmerksamem Ohr die Szene verfolgt. „Also, Direttore? Was für eine Gage werden Sie meinem Schüler zahlen?" fragte er gelassen.

„Ah, die Gage!" rief Callaro noch einmal, machte abermals ein paar Schritte, stellte sich wieder vor Caruso, legte die Hand auf seine Schulter und versetzte: „Sie sollen nicht hungern, junger Mann! Sie erhalten für jedes Auftreten acht Lire!" Und ehe noch Vergine oder Caruso ihre Meinung hierzu kundgetan, fuhr er fort: „Das sind, falls Sie allabendlich singen, zweihundertvierzig Lire im Monat. Zweihundertvierzig Lire, junger Freund!"

„Daraus wird nichts!" fuhr Vergine dazwischen. „Für Trinkgelder gebe ich diesen Sänger nicht her!"

Und nunmehr auch sein Organ erhebend, rief er aus: „Einen Schüler Vergines für zweihundertvierzig Lire den Monat? Dazu noch ohne die Sicherheit, daß er sie wirklich erhält? Denn wer garantiert ihm, daß er allabendlich auf der Bühne steht, was obendrein seine Stimme ruinieren würde? Tamagno, der nicht besser singt, erhält monatlich zweitausend. Die Bianchini-Capelli, ebenfalls meine Schülerin, hat vor kurzem für zweihundert den Abend abgeschlossen. Mattia Battistini, der auch einmal bei mir war, wird in der Scala mit tausend Lire pro Abend bezahlt.

Und Sie wollen diesen Sänger mit acht Lire für den Abend abspeisen wie einen Gepäckträger? Niemals!"

Callaro hatte während Vergines Rede, deren oratorischer Glanz ihn mehr kniff als der Inhalt ihrer nahezu in einem Atem gesprochenen Perioden, seine Rechte von Carusos Schulter genommen und sie abwehrend, fast wie zum römischen Gruß, gegen den Lehrer erhoben. „Gestatten Sie, Maestro! Gestatten Sie mir ein Wort! Ich höre die Namen Tamagno, Bianchini-Capelli, Battistini, Namen, die jedes Kind kennt und die bereits Marksteine in der gloriosen Geschichte der italienischen Sangeskunst sind. Ich werde jetzt Ihr gastliches Haus verlassen und auf der Straße einige Dutzend Mitbürger fragen, ob sie Caruso kennen. Guglielmo Vergine!" dröhnte er nunmehr mit wirkungsvoller Brustresonanz in den Raum, „Guglielmo Vergine! Warum bin ich hergekommen? Um diesen Knaben nicht nur zu hören, sondern auch, um ihn berühmt zu machen. Er bewähre sich, und Benjamino Callaro ist der letzte, ihm die Gagen zu versagen, welche Sie genannt haben. Ich erhöhe mein Angebot! Dreihundert Lire!"

„Sechshundert Lire, Signor Callaro!" ertönte Vergines Antwort. „Sechshundert Lire oder nichts!"

„Wofür?" schrie Callaro mit entsetzt aufgerissenen Augen. „Wissen Sie, was Giorgi erhält? Was die zauberhafte Carragi?"

„Ihr Giorgi ist mir ganz gleichgültig. Ich glaube ihn zu kennen, ein Faß, aus dessen Spundloch Laute tönen, die manche für eine Stimme halten..."

„Giorgi ein Faß? Giorgi ein Spundloch?" ereiferte sich Callaro. „Er, dem allabendlich Tausende zujubeln? Vergine, das durften Sie nicht sagen! Alles, aber das nicht! Nun denn, weil Sie diesen sympathischen Anfänger protegieren: Ihr Schützling wird vierhundert Lire erhalten, falls er allabendlich singt!"

„Er darf nicht allabendlich singen, ich sagte es schon einmal, und er wird es auch nicht. Sie haben außerdem gar nicht die Absicht, ihn jeden Abend vor die Rampe zu stellen. Sie werden ihm dagegen für jedes Auftreten dreißig Lire zahlen, und zwar jeweils am Wochenende. Das ist mein letztes Wort."

Callaro, der die Hand auf Carusos Schulter gelegt hatte, gleich als wolle er sich seiner Beihilfe in diesem Handel versichern, preßte sie mit einer jähen Bewegung, als fühle er einen Stich im Herzen, an seine Brust, trat mehrere Schritte zurück und röchelte: „Maestro! Impossibile! Unmöglich! Ich bin ein ruinierter Mann, wenn ich solche Gagen für einen Anfänger zahlen wollte! Was würde mein großer Bariton Pignataro sagen, was der herrliche Bassist Berbera, was die reizende Carragi (ein werdender Weltstar!), was nicht zuletzt die Finanzbehörde, der ich erklären müßte, daß ich mich außerstande sähe, meine Steuern zu entrichten, da ich nicht mehr Direttore, sondern Mäzen geworden sei und für einen lächerlichen Adepten des Gesanges, der dauernd in Gefahr schwebt, beim Betreten der Bühne lang hinzufallen, pro Abend dreißig Silberlire zahlen müsse, das sind neunhundert im Monat! Man würde mich nicht nur pfänden, meinen kostbaren Fundus, meinen Schmuck, sondern auch als Geisteskranken in ein Haus sperren, hinter dessen Gittern aller Wahnsinn lacht!" Und mit entschlossenem Ruck sich zu Caruso wendend, hob er gleichsam eine unsichtbare Trompete an die Lippen und stieß hinein: „Ich zahle Ihnen die Reise, ich zahle Ihnen drei Lire täglich Diäten, ich zahle Ihnen obendrein zehn Lire für jedes Auftreten und beglückwünsche Sie gleichzeitig zu diesem außergewöhnlichen Angebot. Schlagen Sie ein!" Er streckte Caruso die Rechte hin, und ehe noch Vergine erneute Einwendungen erheben konnte, hatte Caruso aus Furcht, daß alles Wunder wie ein Zauberbild versinken könnte, die Hand Callaros ergriffen, der ihn gleichzeitig an sich zog und theatralisch umarmte.

Vergine schnitt eine Grimasse. Doch wie er die Seligkeit in den Augen seines Schülers bemerkte, reichte auch er ihm die Hand und murmelte, er solle es gut machen.

Caruso schritt wie im Traum durch die Straßen. Er sang alle Tenorpartien, mit denen er nun bald berühmt werden würde, vor sich hin, zunächst leise, dann laut – was indessen in dieser Stadt des Gesanges kaum auffiel –, betrat seine Kammer und kniete vor dem Madonnenbilde über dem Bett nieder, in überströmendem Glück der Heiligen Jungfrau Dank sagend für dieses Himmelsgeschenk. Als er das Dankgebet vollendet, nahm er eine kleine Photographie seiner Mutter, die sich stets auf einem Tische befand, in beide Hände und rief aus: „Oh, meine Mutter! Du hast für mich gehungert und gearbeitet! Du bist barfuß gegangen, um ein paar Centesimi für deinen Sohn Errico zu sparen, damit er singen lernen kann. Was habe ich für dich getan! Ich konnte ja nichts als singen (und kann auch heute nicht mehr), Gassenhauer sang ich dir vor und heilige Lieder, und du weintest einmal über meine Stimme und sagtest, in ihr blinke der Tau des Himmels, das seien die Tränen, die die Erde aus Freude darüber vergieße, daß Gott sie liebe. Du glaubtest an mich, du gabst mir Kraft und Lust und Mut, und ich werde es dir danken mit Arbeit und noch einmal Arbeit. So wie du dein ganzes Leben gearbeitet hast, so werde auch ich arbeiten. Und wenn ich singe, so werde ich für dich singen, und du wirst mich droben im Himmel hören und mir zunicken. Wenn ich aber schlecht singe, so sollst du mich tadeln. Und wenn ich es gut mache, so sorge bitte dafür, daß ich einmal so viel verdiene, um der kleinen Assunta ein neues Kleid zu schenken und meinem Bruder Giovanni einen Anzug, weil er für mich Rekrut geworden ist. Auch dem Major Nagliati werde ich danken, ich weiß nur noch nicht wie, aber das wird mir schon einfallen. Und nie werde ich es meinem lieben Freunde Gregorio vergessen, was er für mich getan. Und sag's der heiligen Mutter Gottes, daß ich auch für ihren Beistand danke, den sie mir gewährte, als ich Callaro vorsang und beim C nicht umgeschlagen bin. Und sage ihr, bitte, daß ich ihr zum Ruhme singen werde, mein ganzes Leben lang, so schön singen, daß die Menschen, die mich hören, froh und rein werden und nicht wissen, warum es sie so ergreift. Ich aber weiß es, denn meine Stimme kommt von Gott. Er hat sie mir gegeben, damit ich mit ihr wuchere wie mit dem Pfunde und sie mehre und wachsen lasse Ihm zur Ehre, denn nicht mir gehört sie, sondern Ihm, und Er, der Herr, soll sie eines Tages zurückerhalten und mir sagen: du hast sie gemehrt und gepflegt, Errico, du bist deiner Mutter braver Sohn gewesen."

Seine Augen schwammen in Tränen, er vermochte die strengen und doch so gütigen Züge auf der verblaßten Photographie nicht mehr zu erkennen. So küßte er das Bild noch einmal, stellte es auf den Tisch zurück, legte sich aufs Bett und überließ sich dem Glück berauschender Träume.

V

Der Weg zum Ruhm führt über eine lange und steinige Straße; die Füße werden wund, das Herz müde, das Auge sieht keine Herberge, und die Last, die man trägt, wächst mit jedem Schritte. Die meisten, die frohen Mutes am Morgen ihres Lebens die Wanderung beginnen, können am Mittag nicht mehr weiter. Hunger und Mattheit lähmen ihre Schritte, und die Gräber derer, die auf diesem Wege verendet sind, nehmen ihnen die Hoffnung. Sie verlieren die Spannkraft, sie taumeln, sie gleiten vom Wege ab, sie glauben nicht mehr an sich selber. Denn nicht das Talent sichert den Ruhm, nicht Wille, nicht Fleiß, nicht Arbeit allein, sondern die unbeirrbare Vorstellung des großen Ziels, die keine Sekunde vom inneren Himmel der Seele weichen darf, das große magische Bild der Vollendung, in dessen Dienst man das Leben zu stellen, dem man alles bedingungslos zu opfern hat, sein Glück, seinen Frieden, seine Freuden. Vermag man aber das Opfer zu bringen, so wird das Bild lebendig, es kommt auf einen zu, es verbrennt einen mit seinem heißen Atem, es wird zu einer strengen und schmerzhaften Freude, die Macht gewinnt über den Menschen, so wie er Macht gewinnt über alle Menschen, die an seinem Werke teilnehmen.

Dieses Bild der Vollendung sah Caruso vor sich Tag und Nacht, keine Enttäuschung zerstörte es, kein Hunger, kein Neid der Kollegen, keine Furcht vor der eigenen Unzulänglichkeit. Ja, gerade diese Unzulänglichkeit machte ihn schöpferisch. Dieses Wissen um das Nichtkönnen, das Noch-nicht-Können machte ihn stärker, glühender im Ehrgeiz, zäher, entschlossener. Und weil er jung war, schienen seine Kräfte unerschöpflich. Er rief sie, wenn er ihrer bedurfte, und sie waren wie gehorsame Geister zur Stelle. Dabei war er weder ein Riese noch ein Athlet, eher zart von Gestalt, mittelgroß und durchaus keiner, dessen Anblick Erstaunen hervorrief. Vielmehr schien nichts Auffälliges an ihm zu sein, nicht einmal seine Stimme verursachte besonderes Erstaunen, denn unter seinen Kollegen, ja im ganzen Lande gab es viele schöne Stimmen. Die weiche italienische Luft, die belebende Sonne, die Frische des nahen Meeres machten jede Kehle gesund und stark.

Vater Caruso hatte nicht so unrecht gehabt, als er darauf hingewiesen, daß alle sängen. Ihre Stimmen schmetterten, wenn sie frühmorgens auf den Rädern zur Arbeit fuhren oder Brot austrugen, wenn sie vor der Werkstatt Reifen nagelten oder Töpfe flickten, wenn sie Ziegel um Ziegel zusammensetzten oder hinter dem Pflug schritten. Sie sangen und freuten sich am farbigen Bande der Töne, das im hellen Lichte des Tages lustig flatterte. Unter ihnen mochten viele sein, deren Stimme an Glanz der des jungen Tenors in Callaros Stagione wenig nachgab, manche vielleicht, die ein noch biegsameres, noch weiter gespanntes Organ ihr eigen nannten. Doch sie machten sich nichts daraus. Niemand hatte sie aus der Menge der Namenlosen herausgehoben, und es genügte ihnen, wenn sie abends heimschritten, zu spüren, wie das silberne Gespinst der Töne die Frau an ihrer Seite zärtlich einfing ins Netz der Liebe. Auch die Mädchen in diesem Lande sangen und freuten sich ihrer hellen, offenen, fast flachen Stimmen, die mühelos wie die Lerchen in große Höhen stiegen und dort in seligem Zwitschern unter dem Segen eines leuchtenden Himmels verharrten.

So waren Klang und Lied über diesen Küsten ausgespannt gleich fliegenden Sommerfäden. Schön-singen-Können bedeutete nicht eben Großes und fiel so wenig auf, wie Gut-Skilaufen in Norwegen auffällt.

Auch mit der Stimme des jungen Tenors Errico Caruso machte man kein Aufhebens. Zunächst schon deshalb nicht, weil er wenig zum Singen kam. Nichts da mit dem Herzog im „Rigoletto" oder dem Turiddu aus der „Cavalleria" – diese Partien sang der Kollege Giorgi, ein großer feister Mann von anscheinend vortrefflicher Gesundheit. Hätte Caruso auf seinen Tod warten sollen, so wäre er darüber fünfzig Jahre geworden. Es blieb also bei den kleinen Rollen, den drei Lire Diäten und den zehn, die ihm nur dann ausgezahlt wurden, wenn er auftrat. Auch aus Palermo wurde nichts. Das war nur so eine Fahne, die

Callaro aus dem Fenster gehängt hatte und wieder einzog, als sie nach Cefalù, Termini, Monreale und Alcamo zogen. In diesen kleinen Städten gastierten sie manchmal unter Bedingungen, die den Direktor eines Wanderzirkus nervös gemacht hätten, doch Callaros Ruhe war unerschütterlich, und, um gerecht zu sein, daß sie sich nicht erschüttern ließ, darin lag sein Rang. Das wurde erst in Trapini anders. Doch davon später. Haben wir ihn nicht ein wenig lächerlich gemacht? Nun, so ist uns an dieser Stelle Gelegenheit gegeben, über ihn Rühmenswertes zu sagen. Vielleicht gibt es Männer seiner Art nur in Italien. Großsprecher und dennoch keine Nullen. Egoisten und doch Männer von echter Empfindung. Provinziale Geister und doch Kämpfer für eine große Sache. Callaro war besessen von der kulturellen Idee seines Unternehmens: er wollte die unsterbliche Musik der italienischen Oper in die fernsten Städte der Insel tragen. Er glaubte an die erzieherische Kraft der Bühne. Er sah weder etwas Entehrendes noch etwas Lächerliches darin, daß dies notwendigerweise unter merkwürdigen Umständen und gegen absurde technische Mängel durchgeführt werden mußte. Er überwand diese Mängel. Er predigte seiner Truppe jeden Tag, sie hätte ihre Leistungen auf demselben Niveau zu halten, das sie anstreben würde, wenn sie in San Carlo oder Il Fondo gastieren müßte.

Tatsächlich spielte das Orchester mit jener gleichbleibenden Hingabe und Musikalität, die den Italiener vor allen andern Völkern des Abendlandes auszeichnet. Sein Kapellmeister Maestro Bogatini, der mit wehenden Haaren gewaltige Gesten ausführte, dirigierte meist vor, einmal aber auch hinter der Bühne, und die Sänger verloren sich an diesem Abend weder in verkehrten Einsätzen, noch verwirrten sie die Tempi. Sie machten ihre Sache vortrefflich, und Callaro fand das alles nicht einmal besonders bemerkenswert. Es gehörte sich, daß man stets sein Bestes gab. Was freilich die Bühne betraf, so ging der Vorhang einmal zu spät auf, dann wieder schwer herunter. In Cefalù stürzte er mit Gepolter, eine Wolke von Staub aufwirbelnd, mitten in das Liebesduett Giorgis und der Carragi. Das Publikum jauchzte, weil Giorgi darunter verschwunden war. Indessen kroch er zur allgemeinen Überraschung und zum Bedauern Carusos lebend wieder hervor.

Auf die Einnahmen hatte freilich Callaro ein scharfes Auge. Er stand neben der Kasse, und wenn das Theater gefüllt war, ergriff er die Kassette mit dem Gelde und trug sie fort, niemand wußte wohin.

So kamen sie nach Trapani, einer westsizilianischen Küstenstadt von mäßiger Größe und fast orientalischem Gepräge, schön gelegen, mit Blumengärten, fröhlichen Menschen und vielen Friseurläden. Und mochte auch die kunstgeschichtliche Bedeutung des Ortes nicht erheblich sein, so geschah doch hier Bemerkenswertes, ja Erstaunliches, und davon soll im folgenden ausführlich berichtet werden.

Zunächst fiel es den Mitgliedern der Stagione auf, daß es ein richtiges Theater mit Rängen und Logen war, in dem sie spielten, daß der Vorhang nach Wunsch emporstieg oder fiel und das Orchester seinen ordentlichen Platz hatte.

Dann aber erschien während der letzten Tage des Gastspiels ein Herr, hochgewachsen, mit mächtigen Schultern, rabenschwarz gefärbtem, drohend emporgebürstetem Schnurrbart und langen, auf die Schulter fallenden Locken. Wir erkennen ihn wieder, es ist Francesco Zucchi, der berühmte Agent. Er hatte sein Stabsquartier im Café dei Fiori an der Piazza del Municipio verlassen und war nach der Front aufgebrochen, um die strategische Lage zu überprüfen. Sein Auftreten wirkte machtvoll und alarmierend. Nicht nur, daß seine Garderobe auffiel und die Bewunderung der Trapanesen erregte – er trug auch jetzt

unter dem Vatermörder die Lavallière-Krawatte, den grauen
Gehrock mit breiten Seidenrevers und die enge, in farbige
Quadrate eingeteilte englische Hose –, nicht nur, daß er
wegen dieser dekorativen Elemente zum Staunen hinriß,
seine Persönlichkeit war es, die, wo immer sie auftrat,
sogleich die Szene beherrschte. Die Friseure von Trapani
rissen sich darum, seine Locken vermittels Schere und
Kamm noch pomphafter zu gestalten. Sie offerierten ihm
eine Kollektion von Bartbinden, er wies sie mit einer Hand-
bewegung ab. Fremde Leute blieben stehen und grüßten
ihn, und er schritt vorüber, nachdem er mit beringtem
Zeigefinger flüchtig die Krempe seines Borsalino berührt
hatte.

Callaro verlor ihm gegenüber stark an Bedeutung. Er
berichtete ihm in fast unterwürfiger Haltung von den
Leistungen einzelner Mitglieder, rühmte die unvergleichliche Carragi, pries Pignataro, schwieg aber merkwürdigerweise von Giorgi.

Zucchi ließ sich herab, seine Phrasen zur Kenntnis zu
nehmen, indem er gelegentlich die linke Hand an die
Ohrmuschel legte und seine Augendolche furchterregend
auf den Direktor richtete. Dann verfügte er, daß ein
bestimmtes Café an der Piazza Garibaldi als sein Haupt-
quartier anzusehen sei, und ließ sich dort auf dieselbe
königliche Art nieder wie in Neapel. Die Kellner flogen.
Die Künstler kamen und machten ihre Reverenz. Die
Carragi setzte sich ihm fast auf den Schoß, doch er tätschelte
sie nur flüchtig am feisten Nacken, während er seinem
kurzsichtig über Blätter geduckten Sekretär Briefe diktierte.
Auch Caruso erschien voller Hoffnung, durch Zucchis
Einfluß endlich eine größere Rolle zugeteilt zu erhalten.
Nun, Zucchi begrüßte ihn zwar mit edel geformter Gebärde, es war indessen ersichtlich, daß er ihn nicht wieder-
erkannte. Er kannte und behielt nur Stimmen. Gesichter

interessierten ihn nicht, und Carusos Stimme hatte er nie gehört.

Als Zucchi in Trapani auftauchte, hatte es Caruso so gut wie aufgegeben, für sich noch irgend etwas auf dieser Tournee zu erreichen. Giorgi sang fast in jeder Aufführung. Das Publikum war mit seinem ungemein schallkräftigen Organ einverstanden. Einmal freilich – Zucchi war leider noch nicht zugegen – geschah es wohl, daß nach seinem fadendünnen C in der Stretta der großen Troubadourarie ein Fiasco auf die Bühne flog, doch konnte Giorgi darauf hinweisen, daß er diese Korbflasche vordem in der Hand eines erklärten Feindes gesehen habe. Er blitzte dabei Caruso an, als habe dieser den Schleuderer bestochen, während Caruso nicht einmal imstande gewesen wäre, ihm den ausgetrunkenen Wein zu bezahlen.

Es waren schwere Tage für ihn. Hie und da sah man ihn in kleinen Rollen, die keine Möglichkeit boten, Lorbeeren zu sammeln. Als er sich deswegen an Callaro mit scheuer Anfrage wandte, sagte dieser höflich: „Junger Freund, Sie müssen noch viel lernen. Was ich von Ihnen gehört habe, konnte ansprechen, ja, es klang nicht übel. Wollte ich indessen den Wahnwitz begehen, Ihnen etwa den Rodolfo in der ‚Bohème‘ anzuvertrauen – Sie kennen die Oper noch nicht, als ein Werk des Maestro Puccini tritt sie soeben den Weg um die Welt an –, würde ich solches tun, junger Freund, so müßte ich fürchten, daß Mimi schon im ersten Akt stürbe, und zwar lediglich deshalb, weil Ihre Gesten von einer schreckenerregenden Heftigkeit und Ihr Gesichtsausdruck so starr wie eine Kriegsmaske des Bantustammes ist. Lernen Sie vor allem von unserem vortrefflichen Giorgi die schöne Bewegung, den leichten Rampenschritt, der das Publikum entzückt. Denn wenn er auch, ich leugne es nicht, bereits ein Embonpoint sein eigen nennt, so weiß er sich doch jugendlich und anmutig zu bewegen, weshalb auch seine Liebesszenen bei einem verwöhnten Publikum, wie es die Trapanesen sind, die Überzeugung erwecken, aus ihm spreche echte Leidenschaft."

Caruso hörte die wohllautende Rede des Direktors gesenkten Hauptes an. Es war ihm unmöglich, etwas zu erwidern, das nicht sogleich als Mordabsicht erkannt worden wäre. Also blieb er so lange stehen, wie die Suade andauerte, betrachtete die Hände Callaros, die in den Hosentaschen wühlten und aufdringlich klimperten, gedachte flüchtig seiner zehn Lire plus drei Lire täglicher Diäten und verließ ohne Antwort die Stätte dieser Unterhaltung.

Über Trapani stand die unbarmherzige Sonne eines windstillen Apriltages. Die Straße gab den Blick auf ein Gefunkel von Saphiren frei, das war das Meer. Doch seine Weite ließ Caruso die beklemmende Aussichtslosigkeit des eigenen Daseins nur um so quälender empfinden. Erst jetzt wurde ihm deutlich, wie sehr ihm der ermutigende Zuspruch des wackeren Proboscide und die gleichmäßigstrenge Arbeit bei seinem Meister Vergine fehlten. Zum erstenmal dünkte ihm der Besitz seiner Stimme eine überflüssige und schmerzende Last zu sein, die er gerne abgeworfen hätte. Zugleich fühlte er, daß seine Stimme und sein Leben nicht mehr voneinander zu lösen waren.

Hatte er einst in ihr nur den Ausdruck unbestimmbarer Lebenskraft und eines Spiels gesehen, das ihn die Sorgen des Alltags, Hunger, Armut und Enttäuschung vergessen ließ, so war – dies erkannte er mit fast erschreckender Klarheit – diese Stimme nun mit den tiefsten Schichten seines Ichs verwachsen. Aus ihnen wurde sie nicht nur gespeist, sondern das Singen war es, das diesem Ich überhaupt erst das Recht auf Forderungen ans Leben gab, wenn anders er es als eines Mannes unwürdig empfinden mußte, mit dem sein Brot zu verdienen, was andere zur Freude ausübten, so wie eine Quelle nur sich und dem Walde und den Nymphen zur Freude aus dem Felsen springt. Doch diese Quelle war aus einem sprudelnden Bach zum Bergstrom geworden, der in sich eine verborgene Kraft besaß, die nicht mehr versickern konnte, sondern treiben mußte, vielleicht sogar zerstören, wenn niemand sich fand, der sie in sinnvolle Energie umsetzte. Ein großes Talent, das man verhindert, sich einzugliedern in nutzvolle Ordnung und in der Bewährung zu wachsen, ist wie ein Leid, dem sich kein Ausweg, keine Tröstung, kein Verstehen zeigt. So sah er in dieser Stadt alle Wege versperrt. Sein Temperament riß ihn fort zu Monologen verzweifelter Selbstanklage. Er fürchtete sich, die elende Stube in dem kleinen Artistenalbergo zu betreten und das Bild der toten Mutter anzusehen. Würde sie ihn nicht verachten, weil er es nicht weiter gebracht hatte als bis zum zweiten Tenor in einer Truppe, die ihm kläglich dünkte und deren Direktor, ein phrasengepolsterter Rodomonteur, abends die Kassa versteckte? Und gleich vielen vorwärtsstrebenden jungen Menschen die Fülle seiner Jahre bereits als uneingelöste Verheißung empfindend, rechnete er sich aus, daß andere mit dreiundzwanzig schon einen Weinberg unter ihrer Obhut hatten oder mit einem eigenen Fischerboot und einem Netz aufs Meer segelten. Er kannte zwar keinen dieser Art, war aber zur Stunde überzeugt, daß alle oder nahezu alle, die so alt wie er waren, es zu etwas gebracht hatten, wohl gar eine Familie zu ernähren wußten.

Solcherart verfinsternde Gedanken haben es an sich, daß man sie mit schmerzhafter Inbrunst ballonartig aufbläst, statt sie zu verjagen; und wer kann sagen, wohin sie noch gewachsen wären, wenn eine überraschende Begegnung ihnen nicht Halt geboten hätte.

Aus einer Trafik, wo es Salz, Zeitungen und Tabak zu kaufen gab, trat ein Mann, stutzte, als er Caruso ansichtig geworden, blieb stehen und rief ihn an: „Rico!"

Caruso fuhr herum. Er sah einen schlanken, braunhäutigen Herrn, dessen hübsches Gesicht ein kleiner Kinnbart zierte, starrte ihn an und fragte halblaut: „Giovanni? Bist du's?"

Und nun geschah etwas so Elementares, daß die Buben, welche am Garibaldi-Denkmal spielten, erschrocken innehielten, dann aber herbeirannten, in die Hände klatschten und jubelnd die Männer umtanzten.

Denn Giovanni, der wie ein Herr aussah, schrie. Er schrie, als sei er vierzehn, und Erricos Wolke des Schmerzes entwich unter dem Gebrüll der Freude, das er anstimmte. Ja, sie brüllten, riefen ihre Namen, schüttelten sich die Hände, umarmten und küßten sich.

Welch ein Wiedersehen nach sieben langen Jahren! Was gab es zu fragen und zu berichten!

Giovanni hatte vor zwei Jahren geheiratet und war mit seiner Frau, deren Schwester und seinem jüngeren Bruder, dem wirbligen Alessandro, nach Trapani gezogen, wo er einem Unternehmen vorstand, das Öl und Mandarinen versandte.

„Rico!" rief Palma noch einmal. „Ich glaubte meinen Augen nicht zu trauen, aber du bist es wirklich und wahrhaftig. Bei der heiligen Jungfrau, wer hat dich nach Trapani verschleppt? Denn freiwillig kannst du unmöglich hergekommen sein!"

Caruso fühlte sich tröstlich angerührt durch die stürmische Begrüßung des Freundes, der den Arm um seine Schulter legte und ihn sogleich aufforderte, das Wiedersehen in der „Casa Palma" zu feiern. Der vertraute Ton des neapolitanischen Dialektes, die wohltuende Wildheit heimatlichen Gebarens, das klangvolle Gelächter Giovannis umgaben ihn wie eine Rosenmauer zarten Schutzes, über die keine trüben Gedanken mehr Einlaß fanden. Plötzlich hatte sich das fremde Trapani in einen Ort von heimatlicher

Süße verwandelt. Während sie sich dem Hause des Freundes näherten, glaubte er sich schon lange nicht so wohl gefühlt zu haben wie in dieser Stadt. War sie nicht schön mit ihren orientalischen Gassen, palmenbestandenen Plätzen, mit ihrer bunten Wäsche, ihren fröhlichen Menschen und zahlreichen Friseurläden? Und das Meer? Und der Markt mit seiner berstenden Fülle von Früchten, Tintenfischen, Krebsen, Muscheln, Blumen, farbigen Seidenstoffen, bunten Teppichen und Zuckerwaren? Ein prächtiger Markt! Dort die Straße, sie führt zu Giovannis Haus, ach, eine vortreffliche Straße! Und endlich das Haus, rosafarben, flach, umgeben von Lorbeer, Palmen und Rosen – „Hier wohnst du? Du wohnst ja wie ein Fürst!"

„Ja, hier wohne ich, Rico, tritt ein! Und dein Eingang sei gesegnet!"

Und dann saßen sie unter dem von Sonne durchflimmerten Weindach hinter Palmas Hause. Die junge Frau, der man es ansah, daß sie bald ihrer Niederkunft entgegenging, hatte den Freunden einen Fiasco eigenwüchsigen Weines gebracht. Am Tische stehend, füllte sie lächelnd die Gläser und trank selbst einen Schluck auf das Wohl des Gastes. Dann brachte sie Brot, Käse und gebackene Fischchen, Scambi, Gamberetti und köstlich fette Hundshaie („Palombi!" schrie Caruso, als er sie sah, „Palombi!" sagte er noch einmal leise und fast zärtlich). Sie brachte grüne und schwarze Oliven, eine appetitliche Mortadella, deren Anblick Caruso den Hunger spüren ließ, den er seit Wochen zu überlisten bemüht war. Er aß, er trank und blickte erstaunt auf, als ein zierliches schwarzäugiges Mädchen, die kleine Elena, des Freundes Schwägerin, scheu grüßend zu ihnen trat.

Und dann erschien Alessandro Palma, der kleine ungebärdige Wildling, der sich zu Boden geworfen und geschrien hatte, als es ihm verboten wurde, in den „Faust" zu gehen.

Alessandro, der so gern immer und überall dabei war und wegen seiner entsetzlichen Aufregung in der Kirche nicht hatte Theater spielen dürfen. Da stand er, ein erwachsener Mann, nicht so groß wie Giovanni, sondern etwas kurz geraten, aber doch ein Mann. Und auch er stieß ein Indianergebrüll aus und umarmte den Freund und befahl zu trinken, sofort zu trinken und den großen Tag durch entschiedene Ablehnung jeder Arbeit zu feiern. Auch er schien zaubern zu können wie Herr Proboscide, denn eine zweite bastumgeflochtene Flasche befand sich plötzlich in seinen Händen. Er entfernte mit einem geschickten Schwung das aufliegende Öl aus dem grünlichen Flaschenhals und ließ den stierblütigen Wein mit melodischem Glucksen in die Gläser rinnen.

Man war beisammen wie in guten alten Tagen, redete durcheinander, erinnerte sich an vergangene Ereignisse, die dadurch, daß sie vergangen waren, mythischen Goldglanz erhalten hatten. „Weißt du noch, wie du auf der Via Carracciolo dein grandioses Konzert gabst? Wie das Geld nur so in meine Mütze strömte und der lächerliche Straßensänger sich dann das Leben genommen hat?"

„Hat er sich wirklich das Leben genommen?"

„Ohne Zweifel! Es blieb ihm nichts anderes übrig."

„Und wie ein Herr zu uns getreten und . . ."

„Herr Proboscide! Ach, der liebe, prächtige Proboscide! Ich muß ihm von hier aus unbedingt schreiben, wie gut es mir geht. Er ist alt geworden, seine Hände zittern ein wenig, doch hinter Nachttischchen und Standuhren stehen die gefüllten Flaschen, und er wird bestimmt eine Flasche sogar in seinen Sarg hineinzuschmuggeln wissen."

„Sprich nicht von Särgen, Rico, wir leben!"

„Ja, wir leben! Und wie leben wir! Die Palombi sind wundervoll, fett, schmackhaft wie frische Ferkel, deine Frau ist eine Meisterin der Kochkunst wie Vittoria Cipolla."

„Wer ist Vittoria Cipolla?"

„Die beste Köchin der Welt, sie kommt gleich nach Rossini."

„Rico, weißt du noch, wie wir im Teatro San Carlo saßen, und du hast geweint, weil Margarethe verrückt wurde?"

„Nein, ich habe geweint, weil sie so schön sang. Ich habe nie wieder eine so schöne Stimme gehört. Heute gibt es keine so schönen Stimmen mehr. Außerdem hast du auch geweint."

„Ja, ich habe auch geweint. Und der Herr mit dem Waldgesicht, Rico, erinnerst du dich noch an ihn?"

„Er soll leben!" Gluck-gluck rann das Stierblut die trockene Kehle hinab.

„Und der gute Pater Bronzetti! Falls er noch lebt, soll er leben!"

„Bis zum Jüngsten Tag! Und Major Nagliati soll auch leben, mein guter Major Nagliati! Er ist sicher jetzt General."

„Evviva General Nagliati!" Gluck-gluck-gluck.

Der Nachmittag verblaßte. Der Abend stieg mit seinen rosigen Schleiern aus dem östlichen Bereiche. Durch die hohen Fächerpalmen atmete ein warmer Wind, der die erhoffte Kühle der Nacht ankündigte.

Tief atmend sog Caruso den süßen Duft der Holzfeuer ein, die in den offenen Kaminen brannten. Seine Sinne waren durch den Weingenuß erregt. Er empfand zum erstenmal seit langer Zeit die Schönheit einer sizilianischen Siesta, diese lautlose Musik von Düften und Farben, die den Tag auf blumengeschmückten Nachen leise ins aufziehende Dunkel entführte. Sein Ohr vernahm beglückt die guten Stimmen der Freunde, sein Auge sah Elenas pflanzenhafte Grazie – sie trank ein wenig, nippte eigentlich nur am Glase, starrte ihn indessen mit ihren nachtschwarzen Augen neugierig an, sobald er selber den Blick von ihr nahm –, es riß ihn hin, er mußte seine seligen Gefühle in einem Liede ausströmen, irgendeinem alten neapolitanischen Volksgesange, halb Gassenreißer, halb Liebeskanzone. Zuerst sangen Alessandro und Giovanni mit, dann aber horchten sie staunend auf diese Stimme, die in wunderbarer Mischung von Samt und Stahl den weiten Raum der Dämmerung aufleuchten ließ, daß es wie ein schimmernder Regen über ihre Haut lief.

„Wie?" fragte Giovanni, nachdem Caruso geendet und das Glas abermals geleert hatte, „wie? Du sitzt hier bei uns und singst, anstatt im Theater deine wundervolle Stimme erschallen zu lassen? Ist denn heute keine Vorstellung?"

Caruso fühlte einen Stich, doch der genossene Wein hatte dem Dolch die Spitze abgebrochen. Das Theater... Nun ja, es stand immer noch, das Comunale, ein alter, fleckiger Bau, in dessen Räumen es nach Knoblauch und Schminke, nach Wein und Schweiß roch, ein höchst lächerlicher Bau, weiß Gott, wer ihn errichtet hatte. Es wäre vielleicht gut, die ganze Wahrheit den Freunden zu gestehen, das ganze Elend seiner Groschenexistenz, und daß dieser Giorgi mit seinem fadendünnen C die Abende bestritt und er, Caruso, seiner Mutter Sohn und ein Schüler Vergines, nur drei Lire täglich Diäten von dem Schurken Callaro erhielt! Es wäre wohltuend gewesen, nichts zu verheimlichen, doch die Augen der kleinen Elena waren nach beendetem Liede wie die sanften Lichter einer Antilope auf ihn gerichtet. Er spürte ihre Ergriffenheit; und diese hüllte ihn in den Mantel eines edleren Rausches.

So gab er zur Antwort: „Heute abend habe ich nicht zu singen. Ich bin frei, gottlob! Ich kann bei euch das Wiedersehen feiern, brauche mich nicht zu schminken und zu kostümieren, kurzum, ich bin Herr meiner Zeit!"

Das mit dem Schminken und Kostümieren hatte er mit

der übersättigten Lässigkeit eines Sängers, der allabendlich vor der Rampe stehen muß, vorgebracht; es war ein wenig übertrieben, er wußte es, doch Elena gefiel es, und schließlich war es ja nicht gelogen.

Sein Gesang hatte Giovannis Nachbarn herbeigelockt, zwei Männer, Vater und Sohn, denen in gemessenem Abstande ihre Frauen folgten, um bescheiden stehenzubleiben und auf die zechende Gruppe zu blicken.

Giovanni Palma winkte und machte, ohne sich von seinem Platze zu erheben, Caruso mit den Ankömmlingen bekannt.

„Dies sind meine lieben Freunde Antonio und Paolo Erbone. Antonio ist, wie du siehst, der Vater. Er hat einen Ölberg und im Orte unten eine Trattoria, doch sie ist verpachtet an einen gewissen Zecchino, nun, das tut nichts zur Sache. Ja, also dies ist hier Errico Caruso, mein ältester Freund, heute einer unserer größten Sänger, ihr habt seine Stimme gehört, was sagt ihr dazu? Ist sie nicht die Stimme eines Löwen? Setz dich, Antonio, und auch du, Paolo, hier ist noch Platz, und hier steht Wein. Alessandro wird noch eine Flasche bringen, auch Brot, Schinken und Käse. Heute feiern wir, wir feiern die ganze Nacht, alles, was wir haben, wird aufgetischt, nichts versteckt. Aber warum stehen die Damen weitab? Kommt her, Maddalena und Gabriella, setzt euch zu uns!"

Elena hatte sich erhoben, doch weil die beiden Frauen nur scheu näher traten und nicht am Tische Platz nehmen wollten, blieb auch sie an einem Pfosten der Weinlaube stehen.

Alessandro kam mit Wein. Die Gläser füllten sich. Die Männer tranken einander zu. Dann flüsterte Alessandro seiner kleinen Schwägerin etwas ins Ohr, sie lief davon und erschien bald darauf mit einer Gitarre, die sie Alessandro einhändigte.

Auch Giovannis Frau hatte sich eingestellt und mit den Freundinnen ein wenig abseits Platz genommen, denn sie wußte, nun würde man Musik machen und der schwarzlockige Gast, der so weich und erregend gesungen hatte, würde sich nicht lange bitten lassen und vielleicht eine Arie vortragen, zu der Alessandro ihn auf der Gitarre begleiten konnte.

Die Männer saßen um den Tisch. Antonio, der Alte, hatte sich eine Pfeife angesteckt, sog an ihr und schwieg. Sein Hemd stand offen, man sah das graue Haar auf der breiten Brust. Um seine Schultern lag ein Jackett, in dessen Aufschlag ein Myrtenzweig stak. Denn tags zuvor hatte man im Hause Erbone silberne Hochzeit gefeiert, und die Myrte war noch eine Erinnerung an dieses Fest.

Paolo, ein kleiner Bursche, der nicht älter als zwanzig Jahre aussah, doch bereits dreißig zählte, verheiratet war und vier Kinder besaß, trug ein farbiges Hemd, das durch eine feurige Krawatte in seinem Effekt noch gesteigert wurde. Hinter das rechte Ohr – übrigens ein sehr wohlgeformtes kleines Ohr – hatte er ins dichte schwarze Wollhaar eine Oleanderblüte gesteckt, was ihm ein tänzerisches Aussehen gab, zu dem seine muntere Art und die schnellen Bewegungen gut paßten.

Sobald sein Glas gefüllt war, hob er es Caruso zu, trank es halb leer und stieß wohlig ächzend die Luft aus. Vermutlich hatte der Knoblauchgeruch, der die Luft erfüllte, in Paolos Atemführung seine Ursache.

„Signore", sagte er zu Caruso, „Ihre Stimme flog wie ein Vogel. Ich sagte zu meinem Weibe Gabriella – nicht wahr, Gabriella? –, ,da singt ein Maestro, keiner von uns, sondern ein großer Künstler, dem die Heilige Jungfrau eine göttliche Stimme geschenkt hat.' Ah, wie schön Sie sangen! Und nun hören wir, daß Sie bei der Oper sind, und das wundert uns gar nicht."

Sicher hatte er seine Anrede weit wirkungsvoller enden wollen, doch soeben erklangen sanfte Arpeggien. Alessandro saß auf einer Ecke der Bank, hatte ein Bein über das andere geschlagen, den Kopf genießerisch zur Seite geneigt und präludierte mit lockerer Hand. Indessen schien der Ton ihn nicht zu befriedigen; er legte den Kopf noch schiefer, zog zwei Saiten leicht an, zupfte ein wenig an ihnen, lauschte und erweckte so im Kreise die Erwartung auf einen Kunstgenuß.

Wie Caruso das melodische Gewimmer der Gitarre vernahm, wurde die Erinnerung an zurückliegende Zeiten, da er für fünf Lire zu den Balkons fremder Fräuleins emporgesungen, mächtig in ihm. Er glaubte nun doch, daß er es weiter als damals gebracht habe. Allein die bewundernde Erwartung, mit der man ihn in diesem Kreise betrachtete, die schweigend auf ihn gerichteten Blicke der Frauen und Mädchen, der laue und ein wenig trunkene Glanz des absinkenden Tages gaben ihm die Gewißheit wieder, im Leben noch Außerordentliches leisten zu können. Es tat gut, so zu sitzen, den schweren herbsüßen Sizilianer durch die Kehle rinnen zu lassen, über die efeubewachsene Mauer hinweg ins Tal zu schauen, wo sich Licht an Licht entzündete, während Himmel und Wasser in einem milchigen Lila verschwammen. Es tat gut, zu wissen, daß man nur ein wenig Atem zu holen brauchte, um gleich den runden warmen Ton der mühelos strömenden Stimme zu hören, die alle Schlacken der Seele leicht fortspülte, sie löste und befreite.

Und obwohl er, sich erhebend, einer gewissen Unsicherheit gewahr wurde und die Nötigung fühlte, sich am weinberankten Pfosten der Pergola festzuhalten, zeigte er sich doch erbötig, so viel zu singen, als man nur irgend von ihm hören wollte. Nach kurzer Verständigung mit Alessandro, der auf seiner Gitarre zu präludieren anhub, reckte er sich empor und sang Pergolesis „Nina", ein Lied, dessen plüschweiche Trauer sich gleich dem etwas zu süßen Dufte des Faulbaums verwirrend in die Sinne der Zuhörer schmeichelte. Mochte vor dem strengen Auge des Kenners der melodische Reiz der Komposition allzu stark durchsetzt erscheinen von sentimentaler Phrasierung, durch seinen Vortrag wuchs das Lied in das Nachtgewölk echten Schmerzes empor; ergreifend und rührend für die Frauen, die lautlos an der steinernen Brüstung lehnten, erschütternd für die Männer, die während seines Gesanges schweigend ins Glas starrten.

Antonio, der Alte, ließ seine Pfeife ausgehen. Giovanni blickte, als Caruso geendet hatte, staunend zu ihm empor, trat auf seinen Freund zu und umarmte ihn. „Wieviel du uns schenkst, Rico!" sagte er mit Tränen in den Augen. „Wenn das noch deine Mutter hören könnte!"

Auch Carusos Augen füllten sich beim Worte „Mutter" mit Wasser. Er sah die Gruppe undeutlich verschwimmen, sah die Silhouetten der Frauen ohne Bewegung gegen den opalfarbenen Abendhimmel und glaubte darüber im verbleichenden Rot das verklärte Antlitz der alten Frau zu erkennen, die an ihn geglaubt und für ihn gelebt hatte. Ihrem Geiste wollte er ein Zeichen seiner Dankbarkeit geben. Er verständigte sich leise mit Alessandro und hub an, den Abschied von der Mutter aus „Cavalleria rusticana" zu singen, die große Arie des Turiddu, darin alles Wissen um den nahen Tod wie unterirdisches Feuer glimmt. Seine Stimme wuchs wehend zum Sturme auf, und sein Schrei „Mamma, Mamma!" flog wie ein schwarzer Vogel in die dämmernde Nacht hinaus, langsam absinkend ins verhauchende Sterben.

Nachdem er die Arie beendet, reichte ihm Giovanni das gefüllte Glas. Caruso trank es leer und sagte, rundum blickend, mit bewegter Stimme: „Meine Freunde, ich schwöre euch in dieser Stunde, ich werde mich eurer Liebe würdig erweisen. Ich werde nicht vergessen, daß ihr mich zu euch geladen habt, damit ich wieder meiner Kraft gewiß werde, wieder fühlen darf, wozu ich geboren bin und wofür ich leben muß. Wo ich auch singen werde in der weiten Welt, immer werde ich denken, ihr säßet vor mir und hörtet mir zu. Du, Giovanni, und du, Alessandro, auch deine Frau und Elena und ihr, liebe Nachbarn."

Die Trunkenheit mochte ihn zu dieser Eloquenz befähigt haben, doch nicht minder das Bewußtsein, in Gnade zu stehen. Nach der tiefen Niedergeschlagenheit des Nachmittags war dieser Aufschwung zu größter Hoffnung, ja zu leidenschaftlichem Wissen um seine Berufung so unerwartet gekommen, daß er selber wie im Traume eine Weile auf der Stelle blieb, von der aus er gesungen, den berauschten Blick in den Himmel erhoben, die Brust geschwellt von wogenden Empfindungen des Glücks. Um die etwas theaterhafte Szene bedeutend zu enden, erhob sich nun Antonio Erbone als der Älteste im Kreise und sagte: „Maestro Caruso, ich danke Euch im Namen meiner Familie für den Genuß, den Euer Singen uns allen geschenkt. Wir hoffen, daß Ihr noch lange Zeit in Trapani bleiben und uns auch von unsrem Kunsttempel aus einen Beweis Eures herrlichen Könnens, das unsere Herzen beglückte, geben werdet. Dürfen wir fragen, wann es uns erlaubt sein wird, Euch auf der Bühne zu bewundern? Doch vorerst laßt mich dies Glas auf Euer Wohl leeren." Danach hob auch er sein Glas und trank es leer.

Kaum aber hatte Caruso das Wort „Bühne" vernommen, als die Erinnerung an seine elende Stellung ihn wie einen luftgefüllten Ballon anstach. Er fiel schwer auf die Bank zurück, vergrub seine Hände im dichten Haar und stieß zwischen zusammengebissenen Zähnen höhnisch und zornig aus: „Der Kunsttempel von Trapani! Ihr wißt ja nicht, was dieser Callaro für ein Hund ist! Ja, ein Hund, ich sage es noch einmal. Er gibt alle Rollen dem dicken Giorgi, weil er mit Giorgis Frau, der Carragi, ein Verhältnis hat. Mich hat er mit Versprechungen in seine Stagione gelockt, doch wenn ich einmal zehn Takte singen durfte, dann war es eine Auszeichnung, für die zehn Lire zu zahlen ihm fast zu schwerfiel. Sprecht mir nicht vom Theater! Nie mehr! Es ist ein Pfuhl der Gemeinheit, eine Stätte des Schmutzes! Die Kunst hat darin nichts zu suchen. Nie werde ich hier singen, und das schwöre ich euch, mein Stolz wird es mir verbieten, es jemals zu tun. Wo ein Giorgi seinen knotigen Faden spinnt, da kann ein Caruso nicht seine Stimme ertönen lassen!"

Die letzten Worte hatte er zwar laut, doch bereits mit schwerer Zunge ausgestoßen. Weil aber die andern ebenfalls nicht mehr nüchtern waren und die Frauen in dieser Expektoration nur die berechtigte Forderung des Genius sahen, überzeugte sie alle sein Schwur, und sie sahen im Geiste Giorgi als einen Zementblock Caruso im Wege liegen. Er brauchte nur fortgeschafft zu werden, damit ihr Freund auf diesem Wege wie ein Sieger von Erfolg zu Erfolg eilen konnte.

„Man sollte dem Lumpen Gift in den Wein tun!" rief Giovanni zornig aus und hob sein Glas hoch empor, als habe er dieses Glas und diesen Wein bereits dazu ausersehen.

„Oh, da wüßte ich etwas Besseres!" warf der muntere Paolo Erbone ein. „Es gibt eine Wurzel, ich kenne sie, weil sie hier im Gebirge wächst. Ihr Geschmack ist scharf wie ein Dolch, und wer sie kostet, kann tagelang nur noch flüstern, der Gaumen ist ihm davon verbrannt. Das ist die Wurzel des wilden Schlangenkrautes. Ein Hauch davon in die Minestra gerieben, macht sie köstlich schmackhaft, wer aber die ganze Wurzel ißt, glaubt in der Hölle zu braten."

„Ausgezeichnet! Großartig!" rief Alessandro lachend, „die muß er fressen!" Es herrschte nur noch keine Einigkeit darüber, wie man Giorgi veranlassen wollte, diesem Befehl nachzukommen.

Caruso schien die Vorschläge seiner Freunde zur Beseitigung oder zeitweiligen Unschädlichmachung des störenden Tenors nicht vernommen zu haben. Eingesponnen in zornigem Schmerz, fuhr er fort, mit träger Stimme von der stimmlichen Unfähigkeit Giorgis einen Begriff zu geben, indem er sagte: „Hört her! Ihr alle kennt doch die herrliche Arie des Radames, mit der er Aïda besingt. Wer kennt sie nicht! Jetzt frage ich euch: muß man sie nicht leise ansetzen, ergriffen von der Schönheit der geliebten Sklavin, aber auch betörend und werbend, so?" Wiewohl soeben noch seine Prosa durch eine Unstabilität der Zunge entstellt war, sang er jetzt mit einer Vokalisation, die sogar die Dame Tivaldi erfreut hätte, zugleich mit zartestem Tonansatz und schwebendem Piano die ersten Takte. Die lauschenden Frauen erschauerten, als liefe ein warmer Frühlingswind ihnen über die nackte Haut. Danach aber jäh abbrechend, fuhr er fort, Giorgis Vortrag den Hörern dadurch recht anschaulich zu machen, daß er mit der Lautstärke einer Regimentstrompete die Arie im Stile des Kollegen bis zur Fermate vortrug.

Ein schallendes Gelächter belohnte die akustische Illustration. Giovanni hob mit einer schlaffen und trunkenen Geste den Arm, indem er nochmals seinen Vorschlag von vordem wiederholte: „Rico, wir werden ihn vergiften."

Antonio Erbone aber sagte mit dem ernsten und fast feierlichen Gesichtsausdruck, den er unentwegt beibehielt: „Wir werden das Theater nicht betreten, solange er singt."

„Warum nicht?" rief Paolo lachend. „Ich nehme drei leere Fiaschi mit, und werfen – per bacco! – das kann ich! Huiihh!" pfiff er zischend zwischen den Zähnen, während er gleichzeitig tat, als schleudere er eine leere Flasche auf den unsichtbaren Tenor.

Die Frauen brachen in ein Gelächter aus, das der alarmierten Stimmung der trinkenden Männer erst die rechte Legitimität verlieh.

Alessandro hatte seine Gitarre an eine Palme gelehnt, erhob sich, trat auf Caruso zu und rief: „Heute abend noch gehe ich hin, und wenn Giorgi das Maul auftut, werfe ich ihm eine faule Mandarine hinein. Krrftsch!" Den Laut einer solchen Frucht, die klatschend auf entblößte Zähne prallte, verstand er mit Hilfe von Lippenspeichel und knirschendem Gaumenlaut so treffend nachzuahmen, daß auch seine Produktion lauter Beifall krönte.

Ja, man war gut beieinander in helfender Freundschaft und aktivistischem Kunstverständnis. Denn sosehr den sangesfrohen Italiener eine gut vorgetragene Arie entzückt, so entschieden weiß er eine schlechte durch energische Zurückweisung abzulehnen.

Giovanni erhob sich, stützte beide Hände schwer auf den Tisch und bat: „Rico, mach noch einmal: wie singt Giorgi die Aïda an?"

„So!" gab Caruso mit brausender Trunkenheit zurück und wiederholte mit Donnerstimme die Eingangsphrase des Radames.

VI

Niemand unter den Anwesenden war während dieser Unterhaltung der Ankunft zweier Männer gewahr geworden, die Giovannis Frau vom Hause her in den Garten geführt hatte. In der Dunkelheit schienen sie sich im Augenblick nicht gleich zurechtzufinden, obwohl auf dem

Tische ein Windlicht brannte, das die Gesichter notdürftig beleuchtete.

Sie blieben stehen, wünschten einen guten Abend, und während die Frauen erstaunt beiseite traten, fragte einer von ihnen: „Befindet sich hier Herr Caruso?"

„Ja. Was gibt's?" erklang seine Stimme aus dem dunkelsten Winkel der Weinlaube.

„Du mußt sofort ins Theater!" rief einer der beiden Ankömmlinge, „aber sofort!"

„Ich hahheute nicht zu singen, ich wer' ühhaupt nie mehr singen!" lallte Caruso.

„Im Gegenteil!" rief der zweite der beiden Männer – es war der Kapellmeister der Stagione, Bogatini –, „wenn du heute abend so singst, wie du soeben gesungen hast, kannst du dein Glück machen. Nie hätten wir hergefunden, wenn uns dein schmetternder Radames nicht zufällig den Weg gewiesen hätte. Besser kann es Giorgi auch nicht. Steh auf und komm, es ist höchste Zeit! Du mußt dich noch umziehen und schminken. Heilige Madonna, was sitzt du noch da!"

Auf diese Rede folgte sekundenlang ein Schweigen wie in einer nächtlichen Kirche.

„Ist er denn so betrunken, daß er nicht mehr hört, was wir sagen?" wandte sich der andere der beiden Männer an Giovanni Palma, der aufgestanden war und ihn ratlos anstarrte. „Giorgi", fuhr er fort, „ist plötzlich erkrankt, hat hohes Fieber, weiß der Satan, wann er wieder wird auftreten können! Die Leute laufen schon ins Theater. Es wird die ,Lucia' gespielt. Caruso soll den Edgar singen. Wenn er es nicht tut, muß die ganze Vorstellung abgesagt werden."

Caruso schwieg immer noch. Schwerfällig und heiser kollerte die Frage aus seinem Munde: „Giorgi – ist – krank, sagst du?"

„Ja, er ist krank, du hörst es! Frag nicht lange, komm!"

beschwor ihn Bogatini. „Callaro wird dir für die Vorstellung zwanzig Lire zahlen, und Zucchi ist auch im Theater. Du kannst dein Glück machen!"

Alle starrten Caruso an, und es war ersichtlich, daß ein und derselbe Gedanke sie beherrschte: ihre bösen Wünsche, Gift, Schlangenwurzel und faule Mandarinen, hatten Giorgi aufs Krankenlager geworfen. Es war ein Wunder geschehen, so echt wie nur irgendeines, von dem die Legenden berichteten, und weil es geschehen, schien Caruso auserwählt zu großen Taten.

„Heilige Mutter Gottes!" rief er plötzlich so laut, daß alle erschraken, sprang mit einem Ruck empor und torkelte auf die Abgesandten des Theaters zu. „Den Edgar soll ich singen? Was für einen Edgar?"

„In Donizettis ‚Lucia von Lammermoor'! Du trittst erst im zweiten Bilde auf, und sobald du in der Garderobe bist, fange ich an", sagte der Kapellmeister, packte Caruso am Arm und zog ihn zur Tür des Hauses, durch die sie beide in den Garten eingetreten waren. Den andern Arm ergriff sein Begleiter Beppo, der Komiker der Truppe. Beide bemühten sich, ihn ohne weitere Erklärungen fortzuschleppen.

„Aber ... aber ich habe ihn noch nie gesungen!" stotterte Caruso stolpernd und sich jäh seiner Trunkenheit bewußt werdend.

„Das macht gar nichts", tröstete Bogatini, „du hast ihn ja studiert. Außerdem werden wir dir alle soufflieren. Bist du denn dermaßen betrunken, daß du nicht mehr gehen kannst? Du mußt deinen Kopf in kaltes Wasser stecken, hörst du?"

„Jawohl, in kaltes Wasser", sagte Caruso gehorsam, als befände er sich noch in der Artilleriekaserne und stände vor dem guten Major Nagliati, der ihm diese schöne und schreckhafte Karriere erschlossen hatte.

Die Freunde sahen ihm nach. Stumm, außerstande, die geradezu kosmische Geschwindigkeit der Vorgänge, diesen jähen Wechsel vom Dunkel zum Licht, zu begreifen. Er entschwand ihren Augen auf eine Art, die man kaum bedeutend nennen konnte. Nicht wie ein Held schritt er den steilen Weg zum Ruhm hinan, sondern in die Mitte genommen von zwei fremden Männern – denen freilich in diesem seltsamen Schauspiel die Rolle von Himmelsboten zufiel –, von diesen zwei Himmelsboten an den Armen gepackt und fortgeschleift, gleichsam wider Willen und wohl auch wider eine gewisse physische Sicherheit, entglitt er ihren Blicken.

Sie sahen ihm nach: sein Gang glich so durchaus dem eines Betrunkenen, daß im Hinblick auf die Rolle, die er spielen sollte, eine gewisse Sorge wohl am Platze war. Wird er so unsicheren Ganges einen englischen Aristokraten, den edlen Edgar von Ravenswood, glaubhaft verkörpern können?

Mochte dieser Gedanke dem jungen Gitarrenkünstler Alessandro flüchtig durch den Sinn gehen, er verblich vor dem Scheinwerfer des Ruhms, den sie alle nunmehr auf ihren Errico gerichtet sahen. Kein Zweifel, dies war die Stunde, auf die jeder Künstler wartet und die jedem Genie einmal schlägt: der große Augenblick der Berufung, in dem es sich entscheidet, ob er auserwählt ist vor andern zu leuchtendem Werk. Der wunderbare Augenblick war auf eine Art vom Himmel gefallen, die sie glauben ließ, Errico gehöre unbedingt zu den Auserwählten. Mochte daher sein Abgang von der Bühne der Wirklichkeit jener überzeugenden Würde entbehren, die man sich gern vorstellt, wenn man eines großen Mannes gedenkt, auf der Bühne der Oper würde er – daran zweifelte niemand – als ein Verwandelter, als ein strahlender Fürst im Reiche des Gesanges wieder auferstehen und alle, die ihn sehen und hören, zum Jubel hinreißen.

Dieser Glaube an den Freund ergriff sie, und als Giovanni das Schweigen brach und begeistert die Anwesenden aufforderte, mit ihm ins Theater zu eilen, um teilzunehmen an Carusos Aufstieg, war niemand unter ihnen, der sich vor der Fortsetzung des Abends gefürchtet hätte.

Erbone, Vater und Sohn, wünschten nur rasch in ein feiertägliches Gewand zu schlüpfen; in wenigen Minuten würden sie fertig sein. Auch die Frauen zitterten vor Erregung und Freude. Die kleine Elena weinte, weil dies alles sie vollkommen märchenhaft und unbegreiflich anmutete. Als die ältere Schwester ihr mitzugehen gestattete, lief sie wie ein verängstigtes Huhn hin und her. Sie wollte ihr Sonntagskleidchen aus dem Schranke holen, doch ließen Giovanni und Alessandro dies nicht zu, da sie unter allen Umständen rechtzeitig im Theater einzutreffen wünschten. Gleichwohl knüpften auch sie sich Krawatten, bürsteten ihre Scheitel und ihre Röcke, wuschen sich die Hände und zeigten sich nur um ein geringes fester auf den Beinen als ihr Freund Errico, der in dem dunklen Tunnel entschwunden war, um am andern Ende im strahlenden Lichte wieder aufzutauchen.

Und dann liefen sie alle laut redend, gestikulierend, schreiend und lachend die Straße zum Comunale hinauf, das, je mehr sie sich ihm näherten, zu einer Oper von Rang, ja von Bedeutung emporwuchs.

Giovanni und Alessandro hatten vor einer Woche hier Verdis „Maskenball" gehört und gar nicht bemerkt, daß ihr Freund Rico die Rolle des Richters im ersten Akt gesungen hatte. Freilich, sie war winzig, außerdem trug der Richter einen weißen Bart, und kaum aufgetaucht, war er schon wieder verschwunden. Caruso hatte es ihnen darum auch verschwiegen, daß er der Greis im Talar gewesen, welcher die Indianerin Ulrica verdammt hatte. Sie konnten sich daher ein Urteil bilden, rühmten das Orchester, und

Alessandro, der musikalischste der Brüder, wußte sogar aus Donizettis „Lucia" ein paar Motive ungenau zu singen. Er sagte, es sei eine tragische Oper, und die Frauen würden bestimmt sehr weinen.

Ob Errico nach seinem Debüt dann wohl im San Carlo in Neapel auftreten werde? fragte Giovanni.

Zweifellos bald in Neapel, verkündete Alessandro.

Oder gar in Mailand?

Warum nicht auch in Mailand?

Als sie das Theater sahen, fingen sie alle zu rennen an. Callaro stand diesmal nicht an der Kasse. Seine Frau saß allein im Verschlage, eine Dame, deren man sonst selten ansichtig wurde, da sie sich mit der Rechnungsführung beschäftigte, die Kostüme in Verwahrung hatte und den Beruf des Künstlers durch ein abweisendes und herrisches Auftreten zu mißbilligen schien. Callaro zeigte sich in ihrer Nähe auffallend kleinlaut. Jetzt war er, wie gesagt, nicht zugegen, und als sich Giovanni mit der Frage nach sieben bescheidenen Plätzen an sie wandte, erklärte sie stechäugig über ihren runden Busen hinweg, daß sie nur noch für das vordere Parkett die gewünschte Anzahl Sessel verkaufen könne.

Giovanni zögerte.

Es sei hohe Zeit, ertönte das Organ der Dame. Die Herrschaften mögen sich beeilen, falls sie noch rechtzeitig da sein wollten. Da kaufte Giovanni die vorgeschlagenen Plätze.

Als sie eintraten, vernahmen sie schon die Klänge der Ouvertüre. Es brauste ihnen das Blut in den Ohren. Elena rannen unaufhörlich Tränen die Wangen hinunter. Wahrlich, für sie alle war dies eine unvergeßliche Stunde.

Nein, Callaro stand ausnahmsweise nicht neben der Geldkassette, sondern in der Garderobe, darin sein Tenor den Eindruck eines Mannes machte, der begraben gewesen und ein Jahrhundert später zu jähem Leben erweckt worden war: ein Verlassener, ein Verzweifelter saß vor ihm. Seine Hände vermochten kaum einen Gegenstand festzuhalten. Ratlos blickten seine trunkenen Augen in die Runde, starrten ins Spiegelglas, aus dem ihn ein fremdes Gesicht mit angeklebtem Spitzbart erschreckt anglotzte. Beppo hatte den Unglücklichen geschminkt, ihn zusammen mit dem Direktor angezogen, das Schwert ihm um die Hüfte gegürtet, und nunmehr redeten beide kaskadenhaft auf ihn ein: wo er aufzutreten, wie er sich zu bewegen, was er zu tun habe.

Callaro trug das Textbuch in der Hand, hörte ihm die Rolle ab und stieß währenddessen Stoßgebete zur Madonna empor, daß über dem Debüt dieses trunkenen Säuglings nicht der Vorhang fallen möge. Inzwischen vernahmen sie von der Bühne her schon die massige Stimme des Baritons Pignataro, der den Lord Ashton verkörperte.

„Heilige Mutter Gottes!" flog es Caruso durch den wüsten Schädel, „es hat schon angefangen, es läuft, es kann nicht mehr abgebrochen werden. Zu spät, davonzulaufen. Bald werde ich selber dort stehen und singen müssen! Niemand wird mich retten, doch vielleicht werde ich im Boden versinken, sterben oder auch ins Orchester fallen. O Madonna, warum mußte dies geschehen!" Doch zugleich wußte er, daß keine Macht der Welt ihn zwingen könnte, wieder heimzugehen, und daß, wenn Giorgi jetzt gesund und frisch in die Garderobe käme, er ihn töten würde, unbedingt töten! Trotzdem betete er sekundenlang, Giorgi möge rasch gesunden und auftreten, nur damit seine Schande vermieden werde. Er fühlte seine Kehle trocken, dort stand eine Schale Kaffee, sie war ausgetrunken. Er machte drei Schritte, Gott sei Dank, sie gelangen, er fiel nicht hin, doch wie er Callaro ansah, erblickte er ihn doppelt, und das war furchtbar: Callaro hatte deutlich erkennbar zwei Köpfe, zwei angstverzerrte Köpfe, die gleich darauf ohne besondern Anlaß in einen zusammenliefen.

Jetzt trat die Carragi in seine Garderobe, dunkel geschminkt und prächtig. „Hast du Angst, Errico?" vernahm er ihre Stimme. „Nein", japste er.

„Geh, ruf nach Maddalena, sie soll ihm einen starken Kaffee bringen!" befahl Callaro und fuhr fort, ihm den Text vorzusprechen, indem er dazu pathetische Bewegungen machte, die Caruso mechanisch nachahmte:

„Wut und Rache fühl' ich im Busen.
Höre und bebe!"

Callaro krallte seine Hände in die Aufschläge des Jacketts und ließ danach einen Arm so jäh gen Himmel lodern, daß die Manschette fast über die geballte Faust flog. Caruso tat es ihm nach, es sah aus, als ob sie einander auf Tod und Leben verfluchten.

„Edgardo!" stieß Callaro mit hoher Stimme das Stichwort Lucias aus und fuhr, als die Carragi wieder die Garderobe betrat, normal fort: „Probt so lange, bis der Kaffee kommt, eure Szene. Zeige ihm, wie er dich zu umarmen hat, wie zu küssen. Wenn du ihr auf die Schleppe trittst, erschieße ich dich auf offener Bühne!" wandte er sich mit pistolenartig ausgestrecktem Zeigefinger an Caruso.

„Mach ihm keine Angst, er bebbert schon wie ein Schiffbrüchiger", sagte die rundliche Carragi, angerührt von Mitleid mit sich selber und in wachsender Furcht vor der ungewissen Zukunft.

„Wo sind die Ringe, die wir wechseln müssen? Da! steck diesen an, Errico, verlier ihn nicht! O Gott im Himmel, er ist ja ganz berauscht! Hier kommt der Kaffee, trink ihn, dann wird dir besser."

Caruso griff nach der Tasse, doch Rausch und Lampenfieber durchdrangen und steigerten einander zu nahezu mystischer Angst. Während er die Schale an die Lippen setzte, zitterte seine Hand, der Trank lief über das grüne Wams. Der Direktor ließ entmutigt den Arm, der das Textbuch hielt, sinken und sagte, zu Boden blickend, mit Grabesstimme: „Nur Mut, Errico, du wirst ja nicht zum Galgen geführt. Deine Rolle kannst du ja, und wenn du dich versprichst, laß es ruhig dabei, such nicht, dich zu verbessern."

Der Komiker Beppo wischte ihm den übergelaufenen Kaffee ab. Sein Antlitz glich dem eines Leichenbitters. Caruso ließ alles geschehen, sein Ohr lauschte zur Bühne hin. Ein rollender Bariton und ein brodelnder Baß schrien sich gegenseitig an. Dann schwur der Bariton jemandem Tod und Verderben, das galt ihm, Edgar von Ravenswood. Ein Schwur, der zweifellos in Erfüllung gehen würde.

Jetzt hörte er das Klatschen des Publikums, und mit der sprunghaften Logik der Betrunkenen mußte er plötzlich an Giovanni und Alessandro Palma, an die kleine Elena, an die beiden Erbone denken und ärgerte sich, daß er ihnen nicht gesagt hatte, sie sollten kommen und ihn sich als Edgar ansehen, dann gäbe es wenigstens Beifall. Doch vielleicht war es gut, daß sie daheim saßen und ihn dort erwarteten. Wenn er zum Beispiel durchfiele, so würde er es ihnen nie verraten, der kleinen Elena durfte der Glaube an ihn nicht genommen werden. Sie klatschten und riefen den Namen Pignataro. So würden sie vielleicht auch seinen Namen rufen. Unbedingt werden sie ihn rufen! Er wird so singen, daß sie nach ihm brüllen. Ohne vernünftigen Zusammenhang faßte er plötzlich Mut, einen unnatürlichen, fast krankhaften Mut. Alles wird gut gehen, glänzend wird es gehen, und er raspelte, während die Carragi ihm die Stichworte gab, den Text herunter:

> „. . . Und du wirst als der Liebe Pfand
> mir eine Träne weihn.
> Ich scheide!"

„Leb wohl, leb wohl!" markierte die Carragi.

„Gedenke, welch ein Schwur uns vereint", mahnte Caruso.

„Lebe wohl!" schrien sie unisono.

Callaro atmete tief aus: „Also den ersten Akt kannst du ja einigermaßen. Bleib nur hübsch auf der Stelle stehen und schau Lucia nicht mit diesem zornigen Gesicht an, sonst glaubt keiner, daß du sie liebst. Den zweiten Akt nehmen wir in der Pause und während des ersten Auftritts durch, da hast du ja, dem Himmel sei Dank, draußen nichts zu suchen. Du mußt nur recht effektvoll auf die Bühne stürmen und mit mächtigem Schwunge den Mantel um dich werfen, wie das Giorgi tat, das gibt jedesmal Applaus!"

„Ich werde werfen!" gibt Caruso zur Antwort. Das Wort „Applaus" und der Beifall des Publikums haben sein Selbstbewußtsein tüchtig gestärkt. Wenn ein Pignataro gerufen wird, der ja eine ganz hübsche Stimme hat, doch wahrhaftig nichts Überwältigendes aus seiner trockenen Kehle entläßt, wie werden dann die Leute erst nach ihm rufen! Nun gut, seine Kehle ist vielleicht etwas zu feucht heute abend, aber nicht so, daß die guten Trapanesen viel davon merken werden. Er wird ihnen schon was vorsingen. Hat er nicht auch Giovanni und Alessandro und ihre Freunde durch die Kunst hingerissen? Nein, wahrhaftig, er braucht keine Furcht zu haben. Alles erscheint ihm auf einmal federleicht und lustig, er muß sogar laut lachen, kann gar nicht aufhören zu lachen, hahaha! Sein Gelächter erfüllt Callaro mit bangem Aberglauben. „Bist du verrückt, daß du lachst?" schreit er ihn an.

„Verrückt? Ich? Bin ganz in Beherrschung meiner Kräfte", antwortete er. Ein Satz, der weder grammatikalisch noch phonetisch so gut geriet, daß er den bleichen Callaro hätte überzeugen können.

Indem betritt ein prächtig gekleideter Nobile, der Bariton Enrico Pignataro, die Garderobe. Er hat ihm auf der Bühne Tod und Verderben geschworen. Jetzt steht er an der Tür, ruft: „Da ist er ja!", betrachtet ihn mit zusammengekniffenen Augen und sagt: „Benissimo! Ist das dein eigenes Haar?"

„Jawohl!" lacht Caruso, „hahaha!"

„Warum lachst du? Ist er betrunken?" fragt Pignataro den Direktor. „Na, wird schon gehen. Deine Maske ist nicht übel, wahrhaftig, nur könntest du das Haar noch etwas mehr kräuseln. Eine Locke muß in die Stirn fallen."

Pignataro ist ein herzlieber Mensch, der es gut mit ihm meint. Sein Lob tut ihm wohl. Ja, eine gekräuselte Locke wird den Beifall erhöhen. Zum Teufel mit der Locke! Er wird durch seine Stimme zum Siege schreiten, nicht durch die Kunst des Friseurs. Noch weiß ja niemand, was er wirklich kann. Nun, das wird bald eine tolle Überraschung geben. Seine Stimme wird allen zeigen, daß man recht getan hat, ihn in einer großen Rolle auf die Bühne zu stellen. Strahlen wird sie, leuchten, schade nur, daß die kleine Elena nicht da ist, ihre Anwesenheit könnte – Unsinn! Nicht an so etwas jetzt denken. Vielleicht wird er den Text verlieren? O Gott! Macht nichts. Hauptsache, daß er nicht steckenbleibt, sondern zum Staunen aller nur noch schöner singt.

Jetzt ist die Garderobe voll von Kollegen. Auch der alte Berbera, der den Raimund, Lucias Erzieher, spielt, hat zu ihm mit dem Basse einer Schiffssirene etwas geröhrt, er weiß nicht, was er geröhrt hat, ach ja, er hat verraten, daß Zucchi mit einer diamantenblitzenden Dame in einer Loge sitzt, rechts von der Bühne, der berühmte Agent Zucchi. Da sitzt er, Berbera weist nach rechts.

Dem werde ich es auch zeigen, denkt Caruso, gerade dem! Nie hat er mich erkannt. Jetzt soll er mich endlich kennenlernen und nicht wieder vergessen.

Da ertönt jäh das furchtbare Läuten des Inspizienten; das gibt einen Stich in die Herzgrube, einen wahren Florett-stich, der normalerweise den unmittelbaren Tod nach sich ziehen müßte. Callaro hat wieder einen doppelten Kopf, alles dreht sich, Pignataro spuckt dreimal auf seinen Rücken, jemand drängt ihn aus der Garderobe. Er torkelt einen schmalen Gang hinauf.

Ein Mann, dessen Gesicht er nicht zu erkennen vermag, nimmt ihn in Empfang, führt ihn einige Schritte, sagt „Halt". Nun steht er schwach atmend in der Kulisse.

Die Bühne ist in das Halbdunkel eines papiernen Parkes gehüllt. Caruso weiß nicht mehr, ob er es ist, welcher schwankt, oder ob Hintergrund und Soffitten sich im Zugwinde hin und her bewegen. Er sieht zwei Frauen, die eine ist wohl Alisa, die Kammerzofe. Sie scheint, nach ihren Bewegungen zu schließen, voller Sorge und Angst. Die andere aber ist Lucia. Mit ausgebreiteten Armen steht sie im roten, gelben und blauen Lichte der Rampen-beleuchtung und singt. Was singt sie? „Mir lacht Himmels-seligkeit." Ja, ihr kann sie lachen! Da ist auch, schwach beleuchtet, Bogatini, der Kapellmeister. Selbst er schwankt und scheint mit zugespitztem Munde der liebestrunkenen Lucia zu soufflieren.

Plötzlich verspürt Caruso einen Stoß in den Rücken, Callaros Stimme zischt: „Los!"

Er fliegt vornübergebeugt auf die Bühne ...

In der vierten Reihe sitzen Giovanni und Alessandro

Palma, Antonio und Paolo Erbone mit ihren Frauen. Auch die kleine Elena sitzt da. Sie fühlt den gleichen Stich in der Herzgrube, von dem Caruso den Tod erhofft hatte, denn auf einmal stürzt im Halbdunkel eines Parks ein Mann mit schwarzem Spitzbart auf Lucia los, scheinbar in der Absicht, sie zu ermorden. Er ist es! Er tötet sie nicht. Er singt. Ach, und wie er singt! Zwar etwas heiser und leise, dennoch so warm, so wellenhaft weich, als stünde er noch in ihrer Weinlaube. Ein Traum, zauberhaft wie ein Märchen: er, der eben noch ganz nahe bei ihr im Garten gesessen und gezecht hat, er schreitet jetzt auf der Bühne herum, ein Edelmann, den Degen, Samtwams und Spitzbart zieren. Es ist der erschütterndste Augenblick ihres kleinen sechzehnjährigen Lebens. Sie war noch nie in einer Oper. Sie weiß nicht, daß sie vor Erregung schluchzt und die Tränen ihr auf das Kleidchen fallen.

Mit klammernder Aufmerksamkeit, fast ohne Atem und Herzschlag, stieren die Freunde empor. Giovanni hat einmal mit Rico im rotgoldenen Zauberpalast des Teatro San Carlo gesessen, während an ihren Augen Wunder über Wunder vorüberzogen. Doch das war nichts gegen die Erregung dieser Stunde. Ob alles gut gehen wird? Es geht gut. Freilich vernimmt man deutlich die zischenden Sätze des Souffleurs und kann aus den beschwörenden Bewegungen des Kapellmeisters ablesen, daß dort oben eine Stimmung wie auf einem sinkenden Schiffe herrscht. Auch daß Lucias Busen mehr aus Furcht denn aus Liebe zu wogen scheint, läßt sich schwer leugnen. Und was Edgars Beine angeht, so weisen sie unzweifelhaft eine Schwäche auf. Dennoch, das Schiff hält sich über Wasser, es gleitet im musikalischen Flusse dahin, die Geigen weinen, noch ist niemand steckengeblieben. Freilich, es hat auch eben erst begonnen. Ein wunderliches Duett: dem munteren Paolo fällt auf, daß Edgar allem Anschein nach geschworen hat, seiner Dame keinen Blick zu schenken. Er singt starren Auges jemanden an, der oberhalb der Zuschauer im leeren Raum schweben könnte. Leider fällt es nicht nur ihm auf. Einige vorwitzige Buben im Publikum lachen. Lucia versucht, den Geliebten auf ihre Anwesenheit aufmerksam zu machen; sie vertritt ihm kurzerhand den Weg. Indessen hat Edgar kaum ihre Schleppe bemerkt, als er mit den Gesten eines Menschen, der ein Gespenst erblickt, rückwärts davonstolpert, ja, er würde fliehen, wenn sein Degen dies nicht durch unerwartete Querlage verhinderte.

Während des Bruchteils einer Sekunde setzt Giovannis Herzschlag aus: sein Freund dort oben nimmt eine Haltung ein, als wolle er mit einem Hechtsprung ins Orchester. Doch im Widerspruch zu allen Lehren der Statik, die bekanntlich für Betrunkene nur bedingt Geltung haben, ist er auf dem Wege einer kaum glaublichen Pirouette in die Vertikale zurückgekehrt.

Wieder lachen einige.

Der würdige Antonio Erbone schaut sich tadelnd um. Giovanni zischt. Indessen kann der Heldenmut der kleinen Schar den Freund nicht retten, nachdem die Götter, mit Ausnahme des Bacchus, ihn verlassen und sozusagen vom „Olymp" aus die Spielleitung dieser Szene übernommen haben. Sie wollen ihren Spaß, und nachdem Carusos Beinen der Sprung über den Degen wider Erwartung gelungen, stellen sie seiner Zunge eine Falle. Er rennt in sie hinein, sie schnappt zu, und der erste Donner der Begeisterung rollt durchs Haus: Caruso verspricht sich auf eine Art, die den Komiker Beppo ob ihrer Wirkung vor Neid erblassen macht. Er soll „Le sorti della Scozia" (Schottlands Los) singen, doch aus seinem Munde tönt deutlich vernehmbar für alle Welt „Le volpi della Scozia" (Schottlands Füchse): „Dort hoff' ich Schottlands Füchse zu ihrem Heil zu führen."

Da hat er seinen Applaus: ein Gelächter prasselt aus dem Zuschauerraum bis zur Bühne herauf, bis in den finsteren Winkel, wo Callaro steht und die erste Ohnmacht seines Lebens nahen fühlt. Er schließt die Augen, er verwandelt sich in einen Vogel Strauß, doch die Gnade der Bewußtlosigkeit wird ihm nicht gewährt, denn die Bestie Publikum, einmal ausgebrochen, rast und will ihr Opfer haben. Dort wankt das Opfer und hört deutlich aus den dichtgefüllten Reihen des entsetzlichen Hauses die Worte „ubriaco, ubriacone!" zu sich herauf schallen. „Trunkenbold, Säufer!" Zurufe wie in einem Parlament: „Fuchs von Schottland! Von wem hast du die Beine gestohlen? Gib sie wieder her!" Die Katastrophe naht wie eine schwarze Wetterwand. Caruso fühlt: es geht um Tod und Leben! Jetzt nicht schwach werden, um aller Heiligen willen, nicht schwach werden! singen, singen... Lucia schreit: „Und ich Verlaßne bleib' in Tränen zurück!" Niemand hört sie über dem seligen Lärm der Zuschauer. Sie sind außer sich, trampeln, schlagen in die Hände, und die Götter im Olymp, die ihn so schnöde verließen, biegen sich im berühmten homerischen Gelächter. Bogatini, der schon in ähnlichen Lagen seinen Mann gestanden, feuert das Orchester zu rasendem Fortissimo an. Die Streicher heulen, die Flöten blasen, er sticht mit dem Taktstock zu dem Fürchterlichen dort oben, und gemeinsam mit dem Souffleur kreischt er ihm das nächste Textwort zu: „Doch eh' ich scheide, will ich Ashton sehen!"

Edgar brüllt es wie nie im Leben. Lucia wird vom Luftdruck seiner Stimme zurückgeschleudert, sie wünscht sich auf das Krankenlager ihres Gatten, doch weil sie eine Künstlerin ist, tut sie das menschenmögliche, um den Partner zu retten, spricht mit voller Stimme ihm seine Rolle vor, und während Todesangst ihr den Atem raubt, lächelt sie ihn glückverheißend an, damit er nur wieder Mut fasse.

Dennoch, das Unheil hätte seinen Lauf genommen, wenn jetzt nicht Giovanni aufgesprungen wäre. Er dreht sich um und ruft krachend: „Ruhe!" Auch Alessandro schreit: „Ruhe!", und die beiden Erbone schleudern brennende Blitze der Empörung. Die Wucht dieses Befehls hat eine suggestive Kraft. Sie wirkt. Das Meer beruhigt sich. Man hört wieder die Musik, man hört die Stimme des Sängers, der diesem furchtbaren Augenblick der Gefahr entronnen ist und mit Heldenmut den Kampf gegen die ausgebrochene Bestie aufnimmt.

Die Ohnmacht, welche am angstgeschüttelten Direktor vorübergegangen war, mochte für Sekunden die kleine Elena umfangen haben. Es hatte sie gepackt, sie war gegen die alte Frau Erbone gesunken und hatte zu sterben gemeint. Jetzt weckte sie wieder das Wunder der Musik, seine Stimme weckte sie, die immer kräftiger und reiner den spitzen Sopran der Partnerin auf breite Schwingen hob. Ja, das ist sie, die herrliche Stimme, die in ihrem Garten Pergolesis „Nina" und Turiddus Abschied von der Mutter gesungen! Sie hat den entsetzlichen Tumult der Feinde besiegt, sie ist nicht zerschlagen, sie lebt, sie triumphiert. Und nun wagt das blasse Kind auch die Augen zu öffnen und auf die Bühne zu schauen:

Ach Gott, der Mann ist über diesem Zweikampf mit dem Drachen nicht stärker geworden. Das Publikum hatte recht, den legitimen Besitz seiner Beine anzuzweifeln, denn diese erste verlorene Runde hat eine Schwäche zurückgelassen, die wohl verständlich ist, wenn man erwägt, daß der Effekt seines Versprechens die fehlende szenische Sicherheit nicht verbessern konnte. Er fühlt sich nicht in bester Form und will sich an eine Säule lehnen, die gegen alle Forderungen der Baukunst wie ein Baum im Sturme zu wehen anhebt. Doch die Stimme ist stärker als die Säule. Sie hält ihn, daß er nicht stürzt. Sie umschmeichelt die verzweifelte

Lucia, die dem Geliebten nachläuft. Sie erfüllt das Theater mit ihrem warmen Glanze. Hört auf die Stimme! möchte Alessandro flehen, der vor Aufregung sich kaum noch zu halten weiß (wir erinnern uns: schon als Kind hatte er geweint und geschrien und einen Briganten in der Kirche spielen wollen). Der Arme sitzt in einem wahren Krampf der Vasallentreue, geballt die Fäuste, bereit zuzuschlagen, wenn noch einmal diese Mördergesellschaft von Publikum wagen sollte, den Freund zu verlachen. Indessen, auch er kann sich über das eigentlich recht Nutzlose seiner Kampfbereitschaft nicht belügen, wenn er mit wachsamem Auge die kritische Lage Erricos beobachtet. Gut, die erste Säule hat er verlassen, er mißtraut ihr. Doch mit der Hartnäckigkeit des Betrunkenen hat er es nunmehr auf die zweite abgesehen. Auch diese zeigt sich charakterlos. Erschreckt läßt sein Arm sie fahren, als habe er sich an ihr verbrannt. Da macht er eine überraschende Wendung und geht wie ein gereiztes Tier auf Lucia los. Sie will der Attacke ausweichen, sie vermag es nicht, weil sein Fuß ihre Schleppe festnagelt. So sind die Liebenden endlich beisammen.

Callaro ist am Ende seiner Kraft. Er lehnt immer noch wachsbleich in der Kulisse und beschließt, den Sänger, sobald er nur erst die Bühne verlassen hat, zu erwürgen. Hat er nicht gegen seinen ausdrücklichen Befehl sich auf geradezu idiotische Weise versprochen, anstatt ganz einfach „la-la-la" zu machen, was niemand aufgefallen wäre? Und jetzt steht er auf Lucias Schleppe und singt:

> „An des Todes heil'ger Stätte,
> auf dem Grabe meines Vaters,
> deinem Hause gelob' ich Rache . . ."

Es ist dem Direktor vollkommen gleichgültig, wie er singt, denn daß die Schleppe reißen wird, wenn Lucia zur bewegten Antwort einsetzt, das sieht er (zugleich mit dem unausbleiblichen Geschelte seiner Gattin, welche den Kostümfundus wie ein Drache bewacht) prophetisch voraus. Ach, er ahnt nicht, daß alles eine ganz andere Wendung nehmen und er, Callaro, der mittelbare Anlaß dieser neuen dramatischen Szene sein wird.

Er wagt es, weil der Sänger sich in seiner Nähe befindet, ihm aus der Kulisse zuzuzischen: „Schleppe!" Caruso hört es nicht und singt über den Kopf der kleinrunden Lucia hinweg in die ungewisse Nacht des Zuschauerraumes seinen ariosen Part im großen Duett. Callaro, zornig über diese Schwerhörigkeit, verzerrt das bärtige Gesicht maskenhaft und stößt mehrmals mit dem Fuße auf, um auf diese Weise dem Unseligen deutlich zu machen, was er von ihm heische. In dieser Pose erblickt ihn Caruso. Des Direktors Medusenhaupt läßt ihn erstarren. Er glaubt etwas falsch gemacht zu haben, und verliert seine mühsam errungene Sicherheit. Er hat zu singen:

> „Doch den Eid, den ich geschworen,
> noch vollziehn kann ihn mein Rächerarm."

Nun, durch den tanzenden Fuß des Direktors in Unordnung gebracht, singt er: „Noch rächen kann ihn mein...", begreift im Bruchteil dieser Sekunde blitzartig, daß er durch ein zweites Versprechen notwendig den Zusammenbruch des Hauses herbeiführen würde, und beendet die Phrase mit dem von Callaro für solche Fälle vorgeschriebenen „La-la-la".

Es ist sicher, daß die Götter seinen Untergang beschlossen haben, denn auf diesen markerschütternden Satz hat Lucia zu antworten:

> „Schweig, o schweige!
> Jeder Laut kann dich verraten!"

Sie tut es, und was nun geschieht, bedürfte einer akustischen Wiedergabe, da jede Beschreibung an der Gleichzeitigkeit von Geschrei, Jubel, Gebrüll, Angst und Verzweiflung scheitern muß. Das blutgierige Publikum ist auf seine Kosten gekommen, es stürzt sich mit seinem alles zerschmetternden Gelächter auf den Sänger und frißt ihn kurzerhand auf.

Callaro knirscht mit den Zähnen und wünscht seinem rasenden Tenor, sich und ganz Trapani den Tod. Bogatini vollführt noch einige wilde Bewegungen mit dem Taktstock, dann legt er ihn hin und senkt schlaff das Haupt. Pignataro, der in der anderen Kulisse steht, bekommt einen Lachkrampf. Berbera dreht sich um und sagt zum Inspizienten mit Schiffssirenenbaß: „Perduto, verloren!" Die Carragi, welche später behaupten wird, daß sie während dieser Szene mehrere Pfund abgenommen und einem Nervenzusammenbruch nahe gewesen sei, stößt einen Fluch gegen ihren unglücklichen Geliebten aus. Er hört ihn nicht. Das Publikum rast und schreit und jubelt. Dazwischen tönen Rufe: „Ruhe!", „Stille!" Ja, einige klatschten sogar, das sind die beiden Erbone und Giovanni. Es ist sinnlos und wahnwitzig, jetzt zu klatschen, denn die fröhlichen Trapanesen halten gerade ihr Klatschen für eine glänzende Idee, die prächtige Stimmung noch zu erhöhen: das ganze Theater vereint sich zu stürmischem Beifall. Alessandro freilich erlebt nun die Stunde, auf die er geharrt. Er prügelt sich mit einem Zuschauer, der einen Fiasco durch die Luft schwenkt. Das Schleudern kann gerade noch verhindert werden, denn der David läßt die Flasche zu Boden fallen, weil Alessandros Faust in seinem prächtig frisierten Haarwald wühlt.

Die Stimme der Carragi hat durch die Ereignisse gelitten; sie tremuliert wie eine künstliche Nachtigall, dann bricht sie ab.

„Vorhang!" trompetet Callaro, „der Vorhang soll fallen!" Doch auch der Vorhang kann den Zusammenbruch nicht mehr aufhalten.

Caruso torkelt halb besinnungslos von der Bühne, gerade in den Rachen eines Tigers hinein, das ist der Direktor. Der packt ihn mit der Linken am Kragen, und den rechten Arm gleich einem Wegweiser ausstreckend, brüllt er: „Trunkenbold! Säufer! Sohn eines Säufers! Fort! Verlaß mein Theater auf der Stelle! Du bist entlassen!"

„Und was wird mit der Vorstellung?" fragt Pignataro ruhig, indem er sich gegen alles Verbot eine Zigarette anzündet.

Callaro läßt Caruso los, wischt sich mit dem Handrücken den Schweiß und ächzt: „Die Vorstellung wird abgesagt."

Die Carragi, welche soeben noch dem abwankenden Caruso eine Verwünschung nachschicken wollte, dreht sich zum Direktor um und schreit jetzt diesen an: „Du bist verrückt! Willst du vielleicht das Eintrittsgeld zurückzahlen? Es muß eben ein anderer den Edgar singen."

„Ein anderer, ein anderer! Wer?" kocht er auf. „Ich vielleicht? Oder dein Giorgi, der den kranken Mann spielt?"

„Spielt?" kreischt die Carragi. „Er ist auf den Tod krank! Er liegt zu Bett mit vierzig Grad Fieber. Vielleicht finde ich, wenn ich aus diesem Theater der Verrückten heimkehre, eine Leiche im Bett."

„Die einzige Leiche werde ich sein!" überschreit sie Callaro. „Ihr ruiniert meine Nerven, mein Herz, meine Ehre! Habe ich es nötig, mich vor aller Welt lächerlich zu machen? Ich, der ich voriges Jahr von Seiner Majestät zum Cavaliere ernannt wurde? Habe ich es nötig, mit Betrunkenen die ‚Lucia von Lammermoor' zu geben, der ich bei der gesamten Presse des Königreiches stets als ein Mann von überragenden Verdiensten akkreditiert gewesen? Ich werde die ganze Stagione auffliegen lassen! Ich werde . . ."

„Du wirst", unterbricht ihn Pignataro gelassen, „vor das Publikum treten, jetzt, sofort, wie du da bist, und wirst eine Erklärung abgeben, die die Meute beruhigt."

„Niemals!" trompetet Callaro.

Die Carragi, die es die ganze Zeit schon nicht mit ansehen konnte, daß Pignataro blaue Rauchwolken ausblies, nimmt ihm die Zigarette aus dem Munde, macht einige tiefe Züge und sagt: „Jedenfalls verlange ich für mein Auftreten in diesem Narrenhause doppelte Gage, ganz gleich, ob wir nun weiterspielen oder nicht."

Es gibt wenig Direktoren, die das Wort „doppelte Gage" ruhig anhören können. Callaro gehört nicht zu ihnen. Er hebt beide Arme mit gekrallten Fäusten empor. Es ist ersichtlich, er will sie erdrosseln. Doch ehe noch die Tat vollbracht, hat Berbera seine Hände gepackt, sie herabgezogen und sanft georgelt: „Direttore, die Leute prügeln sich schon. Sie müssen die Ehre des Instituts retten! Ein Mann wie Sie sollte mit ein paar Worten Ruhe stiften können. Gehen Sie!"

„Geh, Benjamino, ich bitte dich!" fleht auch die Carragi.

Callaro wirft einen Blick auf die Gruppe, als wolle er sie verspeisen, dann begibt er sich mit einem Ruck auf die Bühne, tritt vor den Vorhang, lächelt wie ein Apoll, hebt abermals beide Arme, nun aber mit fast segnender Gebärde, empor und spricht mit seiner schönen, weithin schallenden Stimme: „Hochverehrte Zuhörer und Freunde! Es war von jeher ein Vorrecht fortschrittlich gesinnter Opernbühnen, jungen begabten Anfängern eine Chance zu geben. Die Chance des Ruhms. Nicht wir entscheiden, ob sie des Ruhms würdig sind, sondern das Publikum, die Zuhörer, Sie, meine Freunde, die Sie da sitzen oder stehen und mit Recht aufgebracht scheinen über die verunglückten Eskapaden eines noch jungen Unbekannten, der aus Angst vor Ihrem strengen Urteil dem vortrefflichen Trapaneser Wein allzu reichlich zugesprochen und in der entscheidenden Stunde seines Lebens kläglich versagt hat. Sie haben mit strenger Miene sein Urteil gesprochen." Callaro verbeugt sich. „Es ist auch das meine. Er wollte als Stern am leuchtenden Kunsthimmel Italiens aufsteigen, doch Ihr unbestechliches Auge hat ihn als bloße Rakete erkannt, die sich eine kleine Weile um ihre eigene Achse drehte, um dann jählings zu zerplatzen."

Gelächter und Beifall belohnen den Redner.

Callaro macht wie ein Artist nach gelungenem Salto eine feine Gebärde, in der zugleich ein ironisches Bedauern über die pyrotechnische Unzulänglichkeit der Rakete zum Ausdruck kommt, und fährt fort: „Meine Damen und Herren! Mein Institut, das in unserer grandiosen Theatergeschichte sich stets des Beifalls der Besten rühmen konnte, bat Sie durch meine Person, heute nicht Zuhörer allein, sondern auch Richter zu sein. Sie haben gerichtet. Gerecht und mit scharfem Ohr, wie dies nicht anders von dem bekannten Kunstverständnis des hochverehrten Publikums in Trapani zu erwarten war. Während ich Ihnen dafür meinen Dank ausspreche, legt der Unwürdige sein Kostüm ab, verschwindet im Dunkel des ewig Unbekannten und reicht seine Rolle einem andern weiter; nicht dem großen Giorgi, an dessen Krankenlager mit besorgtem Ausdruck ein Arzt steht und dessen tapfere Gattin, die berühmte Maria Carragi, Sie eben noch bewundern konnten, sondern Oddoro, Constantino Oddoro, einem vielversprechenden jungen Tenor aus Rom, der schon bebend nach verdientem Ruhm in der Kulisse stand, während noch der bezechte Bube, dessen Name ich verschweigen möchte, die Bretter dieses Theaters durch seine trunkenen Faunsprünge entehrte. Die Vorstellung wird nach kurzer Pause fortgesetzt.

Die Rolle des Edgar von Ravenswood spielt Constantino Oddoro! Ich erbitte Ihr Wohlwollen, Ihre Aufmerksamkeit und Ihr unbestechliches Urteil!"

Mit dem letzten Worte hatte sich Callaro geschickt an Francesco Zucchi gewandt, der sich seinen majestätischen Schnurrbart strich und schmunzelnd zu seiner Nachbarin, einer feurigen Schönheit mit glitzernden Steinen auf dem Busen, sagte: „Jetzt verstehe ich, warum Lucia am Ende wahnsinnig werden muß. Als anständige Frau kann sie es nicht ertragen, daß ihre Liebhaber mit jedem Akte wechseln!"

Der Witz wurde belacht, doch auch die Rede Callaros hatte gefallen, und er konnte getröstet in die Kulisse zurücktreten.

Kaum aber stand er hinter der Szene, so schrie er: „Wo ist Oddoro? Er muß sofort singen! Umziehen und singen! In zehn Minuten fangen wir an! Oddoro!"

Die Carragi bekam einen hysterischen Lachkrampf, als sie hörte, daß Oddoro ihr Partner sein werde. Der durchaus nicht mehr in der Blüte der Jahre stehende Tenor war seinem Charakter nach ein Buffo, klein und pfiffig, mit einer klanglos-unpersönlichen Stimme versehen, die mehr gab, als sie hatte. Von ausgepichter Routine und mit jener stupiden Bühnenfixigkeit begabt, die für jede Situation über einen Vorrat von typischen Gesten verfügt, hätte er wohl den Ernesto im „Don Pasquale" zufriedenstellend verkörpern können, doch daß er einen guten Edgar abgäbe, konnte außer ihm nicht einmal Callaro glauben.

Man mußte, weil er fast einen Kopf kleiner als Caruso und Giorgi war, ihm ein Kostüm anziehen, das weder in das England von 1600 noch zu einem schottischen Aristokraten paßte, sondern einen römischen Gecken zu Ende des achtzehnten Jahrhunderts leidlich gekleidet hätte. Carusos Degen wurde ihm umgeschnallt, während er mit

seiltänzerhafter Sicherheit rauchend seinen Auftritt memo-
rierte, dazwischen Witze riß und alle Umstehenden über den
Erfolg des Abends beruhigte. Er hatte ihn bereits in der
Tasche.

Aus dem Garderobengang drang das schreiende Organ
Callaros, der seinem Zorn über Caruso freien Lauf ließ und
ihm endgültig das Betreten des Theaters verbot. Der Arme
stand, noch fettglänzend vom flüchtigen Abschminken, in
einem verknüllten kakaobraunen Anzug vor ihm, den
Kopf mit dem schwarzen Wollhaar wie ein Sünder gebeugt.
Von Zeit zu Zeit warf er aus seinen dunklen Augen einen
Blick auf den Donnerer, nicht scheu, auch nicht demütig,
sondern eigentümlich ernst und traurig, als wenn er an
etwas ganz anderes dächte, während der Direktor ihm mit
zerschmetternder Logik bewies, daß er der unfähigste
Bühnensänger des Königreiches und weit eher für den
Posten eines Viehhüters als für den des geringsten Statisten
auf der Opernbühne geschaffen sei.

Giovanni und Alessandro sowie die beiden Erbone mit
ihren Frauen und der kleinen Elena hatten sich nach der
Niederlage des Freundes zu kurzer Beratung über Bleiben
oder Gehen zurückgezogen. Doch weil sie ihr Eintrittsgeld wie alle andern bezahlt hatten, hielten sie es für richtig,
zu bleiben. Sie sagten sich, daß sie Errico doch nicht mehr
würden helfen können. Nur die kleine Elena hatte laut
weinend heimzugehen gewünscht. Paolos Frau, ebenfalls
tief niedergedrückt von dem schaurigen Skandal, brachte
die Fassungslose nach Hause.

VII

Rauchend und lachend promenierten die Zuschauer
draußen in der warmen Nachtluft und warteten auf das
Klingelzeichen zum nächsten Akt. Caruso lief unerkannt
an den ersten vorüber. Als er aber die beleuchtete Front des
kleinen Theaters passierte, bemerkten ihn ein paar junge
Leute, die in einer der vorderen Reihen gesessen, und
riefen: „Ecco l'ubriaco!" Sofort wandte sich ihm die
Aufmerksamkeit der übrigen zu, der Ruf „Der Trunkenbold ist da!" pflanzte sich fort, man pfiff, man klatschte,
lachte, und unter den Peitschenhieben des Spottes lief er
wie gehetzt ins Dunkel einer Gasse und von hier auf Umwe-
gen in das billige Albergo, darin er logierte.

Seine Karriere, kaum begonnen, war zu Ende. Er wußte,
und Callaro hatte es ihm auch versichert, daß er nie wieder
eine Anstellung finden werde. Geld besaß er nicht. Er hatte
nicht einmal so viel in der Tasche, um sein Logis zu bezahlen, erst recht nicht, um heimzureisen, da ihm der Direktor
nach seiner Entlassung niemals die Reise bezahlen würde.
Sollte er seine Freunde um Geld anbetteln? Unmöglich.
Es würde ihm nichts anderes übrigbleiben, als den Wirt zu
prellen und auf einem der Segelschiffe, denen es verboten
war, Fahrgäste mitzunehmen, heimzukehren. Sein Kollege
Pignataro hatte in einer Anwandlung von Mitleid ihm dazu
geraten und sogar versprochen, den Fahrpreis zu bezahlen.
Er koste acht Lire. Aber er dürfe erst nach neun Uhr
abends an Bord gehen.

Also für acht geschenkte Lire zurück in seine Vaterstadt
und dort wie überflüssiger Ballast auf die Mole geworfen!
Und was dann? Wovon sollte er leben? Er konnte ja nichts
als singen. Durfte er noch seinem Vater, durfte er noch
Vergine unter die Augen treten? Nein. Sein Stolz verbot es
ihm, solchen Gedanken auch nur nachzugehen. Ihm blieb

nur ein Weg, der einzige, der beste, der anständigste von allen: der Weg des Todes.

Nun, Totsein ist keine Kunst, Sterben indessen schwierig. Es will vorbereitet, ausgeführt sein, und – zum Teufel! – sogar dafür braucht man Geld. Er sah sich um, ob er nicht einen Strick fände. Nichts von einem Strick, nur ein fadenscheiniges Handtuch, das bestimmt reißen würde, wenn er sich daran aufknüpfen wollte. Und wer gab ihm Gift? Wer einen Revolver? Er durchsuchte seine Taschen. Da fand er noch eine Lira. Er holte sie heraus und betrachtete sie nachdenklich wie Hamlet den Schädel des armen Yorick: arme Lira, du reichst nicht für eine Schußwaffe, du reichst nicht für Gift, du reichst nicht für eine anständige Henkersmahlzeit. Für einen Strick freilich mochte sie reichen, aber wer verkaufte ihm nachts um zehn Uhr für eine Lira einen guten Hanfstrick? Die mitleidlose Lächerlichkeit seiner Lage würgte ihn. Er sah das kleine Madonnenbild in der Ecke des Stübchens, sank vor ihm auf die Knie und betete inbrünstig um einen raschen Tod. Doch die Madonna mit dem Kinde sah gleichgültig über ihn hinweg.

Zerschlagen erhob er sich. Die flackernde Kerze beleuchtete schwach Waschtisch und Bett. Darüber hing die Photographie seiner Mutter. Wie hatte sie für ihn gehungert, für ihn gearbeitet, an ihn geglaubt! Und nun, wo er ihren Manen den Dank für dieses schweigende Liebesopfer abstatten wollte, schlingerte er als ein Betrunkener über die Bühne, machte sich und die Kollegen vor der ganzen Stadt zum Gespött und versagte so kläglich, wie noch niemand versagt hatte. Er schämte sich vor ihrem stillen Blick, den dunklen fragenden Augen, die auf ihn gerichtet waren. Er schämte sich seiner Hilflosigkeit, seiner Schwäche, seiner Armut, ja sogar der jämmerlichen Lira, die auf dem Nachttische lag. Er schämte sich abgrundtief seines Falles und des dummen Hochmuts, mit dem er in der Weinlaube vor seinen Freunden den großen verkannten Tenor gespielt hatte. Ach, ein Nichts war er, der, wenn er etwas werden sollte, bescheiden und streng gegen sich selber arbeiten mußte. Ja, arbeiten, gleich den Männern in Werkstätten und Fabriken, gleich Fischern und Bauern. Nicht an Ruhm und Ehre hätte er denken dürfen, sondern an zähen, harten Dienst. Dienst an der Kunst, entbehrend, entsagend, bescheiden und demütig vor dem unendlich fernen Ziel der Vollkommenheit. Er hatte seinen Sturz verdient, verdient den Hohn der Zuschauer, verdient den Jammer dieser Stunde. Was war denn schon von ihm geleistet worden, um Erfolg und Beifall zu erwarten? Mußte man sich im Leben nicht alles Glück durch harte Pflichttreue, durch stilles Dienen am Werke erkämpfen? Hatte er gekämpft? Er hatte gemurrt, Giorgi verachtet, Callaro gehaßt, sich für einen fertigen Künstler gehalten und geglaubt, die schöne Stimme, die ihm Gott gegeben, genüge schon, um von allen bewundert zu werden.

Tief erschrocken blickte er in sich: und nun wollte er sterben? Er wollte dies ihm verliehene Gut fortwerfen? Feige und schwach fallenlassen, statt in der schwersten Stunde Bewährung zu suchen? Seine Hände falteten sich in schmerzhafter Erkenntnis: jetzt sterben – hieß das nicht, zur zeitlichen Schande seines Durchfalls in Trapani die ewige fügen? Wie würde seine Mutter ihm im Himmel droben begegnen, wenn er ihr als Selbstmörder, der vor der großen Schulaufgabe des Lebens versagt hatte, entgegenträte? Würde er überhaupt in den Himmel kommen? Selbstmörder werden mit Recht von der Seligkeit ausgeschlossen, weil sie das Pfund, das ihnen zu mehren gegeben war, fortgeworfen haben. Nein, er durfte nicht sterben. Er mußte sich für sein Versagen bestrafen durch Arbeit, und sei es selbst als Fischer oder als Pflücker in

Giovannis Plantage. Er mußte sein Brot verdienen, wie es andere taten, und daneben auf seine Stimme ein scharfes Ohr haben, mit ihr üben und eines Tages den Mut finden, abermals Vergine vorzusingen, ein bescheidener Schüler, der als Rekrut der heiligen Kunst von unten her anfing, fleißig, demütig und fromm.

Fast erfüllte ihn Freude über diesen Entschluß. Seine Augen standen voller Tränen, seine verkrampften Hände lösten sich, er nahm das Bild seiner Mutter von der Wand, küßte es und gelobte ihr, am Leben zu bleiben, um der Stimme zu dienen, so wie sie in rührendem und heiligem Glauben ihr bis zum Tode gedient hatte.

Als er das Bild wieder an den Nagel hängen wollte, sah er, daß sich der Rahmen ein wenig gelöst hatte und ein Stück Papier daraus hervorschaute. Er nahm es in die Hand. Es war ein Zettel, mit Bleistift geschrieben; nur ein Satz stand darauf und darunter die Buchstaben „St". Sein Auge starrte auf den Zettel ...

Es war einmal eine Hand, die hatte ihm geschrieben, und eine Stimme war, die hatte zu ihm gesprochen, und ein Mund, der hatte auf seinen Lippen gelegen. Und dann war der Zauber versunken in der großen Nacht der Vergangenheit. Nie wird er wieder zum Leben erwachen, denn das Heiligste in unserer Vergangenheit ist unwiederholbar und lebt nur in unseren Tiefen weiter als Kraft und als Segen.

Warum hatte er den Zettel aufbewahrt? Ein Amulett, das ihn vor Unglück und Mißlingen schützen sollte ... Doch was ihn schützte, lebte ja in ihm. Wie kindlich, wie lächerlich, ein Stück Papier aufzubewahren, auch wenn sein Herz in unsinniger Liebe an ihm hing! Törichter Aberglaube, unseliger Rest aus der Zeit der Träume und Illusionen. Nimm Abschied, Rico, den großen, tiefen Abschied, der vor jedem neuen Leben steht. Opfere das Sichtbare, um das Unsichtbare zu gewinnen!

Da verbrannte er das Blatt.

Dann begab er sich in die Wirtsstube hinunter und holte sich für seine letzte Lira eine Flasche Wein herauf. Er füllte das Wasserglas mit dem roten Sizilianer und hielt es gegen die Lampe. Es funkelte granatrot wie Blut der Erde. Er leerte es mit Empfindungen, die Faust erfüllt haben mochten, als er die Osterchöre vor seiner Zelle vernahm und die Kraft zu neuem Leben durch seine Adern rinnen fühlte. Fern war aller Rausch, fern das schwankende Hin und Her zwischen Angst und Übermut. Er sah sich selber als einen, über dessen Schatten er hinweggestrichen war und der nun vor seinen wissenden Augen hinabsank in das Dunkel des Überwundenen.

Leise hub er zu singen an. Die Stimme zeigte Lockerheit und Schmelz, Wärme und Kraft. Kraft auch im Piano, Kraft in der zartesten Kantilene. Sie saß wie ein gutes Instrument in der sicheren Faust des Handwerkers. Denn mehr als ein solcher war er noch nicht, mehr konnte er nicht sein. Bescheiden erkannte er seine Grenzen, vor allem die schwierige Höhe, für deren Erklimmen er Jahre brauchen würde. Und er schwor sich zu, nicht ungeduldig zu werden, nie zu verzagen, von anderen zu lernen, ja selbst von denen, deren Stimme schlechter war als die seine, nie auszusetzen mit fleißigem Bemühen, selbst dann nicht, wenn er einmal ein fertiger Künstler geworden sein sollte. Morgen aber wollte er sich mit Hilfe seiner Freunde eine Arbeit suchen, Geld verdienen und sich nicht besser dünken als andere. Sollten sie ihn auslachen! Er verdiente es, ja, er mußte selbst lachen, wenn er sich erinnerte, wie hilflos er auf der Bühne herumgerannt war: wie ein aufgeregter junger Hahn, der sich einbildete, ein Adler sein zu können.

Ein guter Entschluß, fast ein fröhlicher zu nennen, falls wir dem zustimmen wollen, daß ein jeder, der aus ungebrochener Überzeugung erfolgt, dem Reiche des Lichtes angehört und die Macht hat, die Schatten zu verjagen. So durfte er wohl zu seinen Ehren sich ein zweites Mal das Glas füllen. Doch schon, wie er dies tat, hörte er eilige Schritte die Treppe heraufstampfen. Die Tür flog auf. Beppo trat ein.

Ohne weitere Erklärung keuchte er: „Errico, du mußt sofort kommen und den dritten Akt singen! Sie schreien nach dir!"

Caruso fühlte einen eisigen Schauer über den Rücken laufen. Träumte er? Narrte ihn eine Erscheinung? „Du lügst!" stieß er heiser heraus. „Sie kennen ja nicht einmal meinen Namen!"

„Frag nicht lange! Komm und zieh dich um! Sie rufen nach dem ‚Ubriaco', nach dem ‚Fuchs von Schottland'! Sie haben Oddoro ausgepfiffen, toben und trampeln und schreien, du habest viel besser gesungen als er. Sie wollen dich hören, niemand sonst als dich!"

Beppo war noch atemlos vom raschen Lauf. Seine Worte überstolperten sich, er packte Caruso am Arm, zog ihn zur Treppe, stieß ihn vor sich her und keuchte immer wieder: „Los doch, eile! Wie lange sollen sie denn warten! Callaro hat ihnen versprochen, daß du singen wirst. Du mußt singen!"

„Callaro?" fragte Caruso, indem er sich erstarrt umdrehte.

„Ja doch, bleib nicht stehen, lauf! Er behauptet, er sei über dieser Vorstellung ergraut, aber er ist nur geblieben, was er immer war: ein Esel, der keine Ahnung von Stimmen hat. Und so etwas leitet eine Opernstagione!"

Als sich Caruso der Bühnentür näherte, stand der Direktor schon draußen. In der Furcht, daß sein „Ubriaco" im letzten Augenblick noch entweichen könnte, ergriff er ihn am Arm und zog ihn in die Garderobe, unaufhörlich plappernd: „Wenn du mich nicht blamierst, kriegst du eine fürstliche Gage! Ich nehme dich nach Palermo mit, nach Neapel. Nur, um Gottes willen singe, singe und versprich dich nicht wieder!"

Mit flatternden Händen kleidet sich Caruso an. Der Direktor selbst zieht ihm die Stiefel über, Pignataro gürtet ihm den Degen um, Beppo liest ihm mit falschem Pathos den Text vor, der Kapellmeister Bogatini singt dazu mit krächzendem Organ. Alles vollzieht sich in traumhafter Geschwindigkeit. Er kommt weder zum Denken noch zum Reden. Er hört nicht einmal, daß in der Damengarderobe die Carragi ihren zweiten hysterischen Anfall ausheult, einen Spiegel zertrümmert und erklärt, sie werde nie wieder diese Bühne, auf der Wahnsinnige und Verbrecher aus und ein gingen, ohne Polizeischutz betreten.

"Sollen wir nicht die nächste Szene streichen?" fragt Callaro fast demütig seinen Tenor. "Man kann den letzten Akt auch ohne sie spielen."

"Nichts streichen!" kommandiert Caruso.

"Wenn du steckenbleibst, zünden sie das Theater an, und ich stürze mich in die Flammen, so wahr ich in diesen Stunden um zehn Jahre gealtert bin."

"Ich bleibe nicht stecken!!"

Der Inspizient gibt das Zeichen zum Beginn des Aktes. Bogatini stürzt aus der Garderobe.

Ruhig erhebt sich Caruso und begibt sich über den schmalen Gang zur Bühne. Fort alle Angst. Nur ein leises, herrliches Vibrieren ist in ihm; wie ein Rennpferd, das am Startplatz steht, fühlt er nichts als die fiebernde Leidenschaft, zum Siege zu stürmen.

Der Vorhang geht auf.

Das Publikum, von den dramatischen Vorgängen des Abends in einen wahren Rausch des Entzückens versetzt, bricht in Beifall aus, wie es den Ubriaco in düsterem Brüten auf der Bühne sitzen sieht, während der Himmel des

Theaters mitsamt dem Orchester dazu blitzt und donnert.

Caruso weiß nicht, ob er sich im Paradiese oder in der Hölle befindet. Ach, in der Hölle kann man nicht singen! Und er singt, singt wie nie zuvor in seinem Leben. Aus einem Glücksgefühl strömen die Töne, das etwas von der Wucht dämmerzerbrechender Elemente hat. Warm und kräftig umschlingt sein Organ den klingenden Leib des Orchesters. Pignataros kräftiger Bariton verblaßt in dem Sonnenlicht dieser Stimme, die strahlend über der Welt der Oper aufgeht.

Er sieht an Bogatinis selig-verzerrtem Antlitz, daß alles zum besten steht. Er fühlt es selber: nichts kann ihm mehr entgleiten. Er hat den Sieg in der Hand und singt mit der vollen Kraft seiner unzerstörbaren Jugend.

Er tritt in die dunkle Kulisse zurück. Jemand umarmt ihn, er spürt einen bärtigen Kuß auf seinen Lippen, es ist Callaro, der Ergraute. Er flüstert: „Nur so weiter, Kind, möge die Madonna dich beschützen!"

Das düstere Hochzeitsmahl beginnt mit Geigen und Flöten, dann kommt die Carragi ohne Polizeischutz auf die Bühne. Ihr Wahnsinn läßt das Publikum frösteln. Man sieht es ihr an, daß sie den Verstand verloren hat. Wie sie die große Arie trillernd, tremulierend und mit stechender Koloratur zustande bringt, ist allen ein Rätsel. Doch als der schmetternde Dank für ihre Leistung losbricht, lächelt sie und ist wieder gesund.

Das letzte Bild: bleiches Mondlicht über der Begräbnisstätte der Ravenswood. Caruso tritt auf. Aus dem Orchester blühen die einleitenden Takte seiner großen Arie, zu der er sich endlich, endlich durchgekämpft hat: „Ihr Gräber meiner Ahnen..." Es ist das Finale der Oper, ein Meisterstück der ariosen Pathetik Donizettis, klassisch im Aufbau und mit sicherem Wissen um alle Register der singenden Stimme komponiert. Das Blumenboot dieser Musik trägt des Sängers Stimme leicht über die dunkel wogenden Wasser des Orchesters. Falkenhaft breitet sie ihre Schwingen, hebt sich empor und schwebt königlich im Raume des Theaerst. Die Hörer halten den Atem an, während der seine mit strahlenden Tonskalen ihre Bewunderung einschmilzt in lauschende Andacht. Es ist eine Atemführung ohnegleichen, so sicher gezogen wie die Brücke, die ein großer Baumeister mit blinkenden Stahlbogen über einen Strom spannt.

Noch in die Schlußtakte des Orchesters bricht der Jubel der Enthusiasten ein. Das Theater ist ein Meer zusammenschlagender Hände.

Die Schlußszene der Oper fliegt finster und grausenerfüllt vorbei: Edgar will nicht mehr leben, doch Caruso fühlt dieses Leben hundertfach aus seiner Brust strahlen. Er zückt den Dolch gegen sein Herz und stirbt selig in eine große Zukunft hinein. Von unten braust es wie Brandung, die sich an Felsen bricht: „Ubriaco, Ubriacone!" Der „Trunkenbold" ist ein Ehrenname geworden.

Während der Vorhang niedergeht, umarmt ihn die Carragi und küßt ihn auf beide Wangen. Ihr Mann liegt auf den Tod, dieser Sänger hat ihn endgültig zu Boden gestreckt, sie hat es vergessen und sagt weinend vor Glück zu seinem Feinde: „Das hast du herrlich gemacht, Errico! Komm, verbeug dich, sie rufen nach dir!" Und sie packt ihn an der Hand und läuft mit ihm vor die Rampe. Da – auch Bogatini klatscht! Es ist ihm ganz gleich, daß es sich für einen Kapellmeister nicht gehört. Das ganze Orchester ist aufgestanden und schaut verzückt zu ihm empor, winkt und ruft.

Das ist Theater. Ein Auf und Ab, ein Geschleudertwerden auf steiniger Straße in sausendem Galopp. Man fliegt in den Abgrund, doch schon heben Geisterhände einen von neuem empor. Man schwört, man bricht den

Schwur, man weint, man lacht, man glaubt sich am Ende aller Kräfte und hat schließlich noch so viel, um die ganze Welt zu umarmen.

„Du sollst sechshundert Lire im Monat haben und die Diäten dazu!" gluckst Callaro schluchzend.

„Ja, danke", haucht Caruso. Das ist die fürstliche Gage, oh, es ist viel, man kann davon leben, davon arbeiten, singen, singen, das ganze Leben bis zum Tode.

Ein Herr tritt auf ihn zu. Groß, mit mächtigen Schultern, Raffaellocken und drohend emporgebürstetem lackschwarzem Schnurrbart. Majestätisch ist sein Gang, wer seiner ansichtig wird, weicht ehrfurchtsvoll aus. Man weiß, sein Wort allein wiegt schwerer als aller Beifall. Er vermag ihn mit einem Hauche seines Mundes zu zerblasen. Da steht er vor Caruso, streckt beide Arme steif aus, packt des Sängers Hände und fragt streng: „Wie heißen Sie?"

„Caruso, Errico", antwortet der Ubriaco so gehorsam, als stünde wieder der Major Nagliati vor dem Rekruten der Kaserne in Rieti.

Der Herr schaut ihm tief in die Augen und spricht: „Junger Mann, Sie werden fortan Enrico Caruso heißen und mit diesem Namen die Welt erobern. Von heute ab stehen Sie unter meinem Schutze. Ich bin Zucchi."

„Jawohl!" sagt Caruso gehorsam.

Und dann stürzen sich die Kollegen über ihn und gratulieren. Und weil sie Künstler sind und auch, weil sie Giorgi nicht leiden mögen, umarmen sie ihn und wünschen ihm Glück und haben allen Spott und alle Erniedrigung vergessen. Erfolg macht alles vergessen, zudem nimmt man beim Theater nichts schwer; Beleidigung nicht und nicht Lob, haßt rasch und erglüht rasch, verteilt Kronen und schlägt sie wieder vom Haupte, jubelt und klagt, und alles in einem, in der brausenden Sekunde heftigen und heißen Erlebens.

Auch die Freunde sind in die Garderobe gekommen, Giovanni und Alessandro, Vater und Sohn Erbone. Sie küssen ihn und weinen. Auch Caruso kann die Tränen nicht mehr halten und fühlt sich schwach werden nach dem Wunder seiner Stärke, das er einem Höheren verdankt als dem bißchen Sangeskunst. Und steht so da, noch triefend von Schweiß und Schminke, halb entkleidet, todmüde und erregt und reich mit seinen fürstlichen Liren und seiner Stimme, die er fortan bewahren und in strenger Arbeit mehren wird als heiliges Gut zu Ehren Gottes, dessen Gnade er sie verdankt.